22,-

SCHNITZLER-KOMMENTAR

ZU DEN ERZÄHLENDEN SCHRIFTEN
UND DRAMATISCHEN WERKEN

von Reinhard Urbach

WINKLER VERLAG MÜNCHEN

Abdruck sämtlicher Zitate aus dem bisher unveröffentlichten
Nachlaß Arthur Schnitzlers mit dankenswerter Genehmigung
Professor Heinrich Schnitzlers, Wien.

INHALT

EINFÜHRUNG

Es bedarf keiner Rechtfertigung mehr, daß man das Werk Arthur Schnitzlers in den Vordergrund rückt, wenn von der deutschsprachigen Literatur der Jahre zwischen 1890 und 1910 die Rede ist. Die Bedeutung dieses Werks braucht hier nicht neuerlich hervorgekehrt zu werden; oft genug wurden sein psychologisierender Impetus, seine gesellschaftskritische Distanz, seine moralische Intention und sein in dieser begründeter satirisch-utopischer Stil beobachtet und dargestellt. Ebensowenig muß auf die Tatsache der Renaissance dieses Werks auf den Bühnen und bei den Lesern hingewiesen werden, die etwa hundert Jahre nach seiner Geburt einsetzt, zwar nicht den Kulminationspunkt der Wirkung Arthur Schnitzlers um 1912 erreicht, aber doch nicht historistischen oder bildungskonservativen Charakter hat, sondern eher auf möglichen und versuchten Identifikationen des rezipierenden Publikums beruht, dessen Prosperität mit der des Schnitzlerpublikums der Zeit vor dem Ersten Weltkrieg verglichen werden kann.

Es sollte vielmehr damit begonnen werden, sich dem Detail in Schnitzlers Werk zuzuwenden. Die Figur ist umrissen, das Werk bekannt – nun müßte ihre Eigenart durch Einzelheiten belegt und gestützt werden. Jenseits der Bewertungen des gesamten oder einzelner Werke Arthur Schnitzlers, die meist den Sinn von Aufwertungen haben, muß festgestellt werden, daß es nur wenige Analysen und kaum Versuche kritischer Textuntersuchungen gibt. Die Grundlagen der ständig wachsenden Zahl interpretierender Gebäude sind ungesichert. Nur wenige Textausgaben können als endgültig bezeichnet werden, sämtliche Werke sind ungenügend kommentiert. Eine Ausnahme bilden die Editionen aus dem Nachlaß, die reichhaltig erklärten Briefwechsel mit Otto Brahm, Georg Brandes, Hugo von Hofmannsthal, Olga Waissnix, Max Reinhardt und seinen Mitarbeitern, Raoul Auernheimer und kleinere; und die Autobiographie *Jugend in Wien*.

Das Material für eine detaillierte Erforschung des Werks liegt vor. Es ist noch weitgehend unerschlossen, aber zugänglich. Der Nachlaß, der zum großen Teil in Cambridge und Wien liegt, wurde auf Mikrofilm aufgenommen, Kopien liegen in Los Angeles, Binghamton,

Wien und Freiburg. Das Freiburger Schnitzlerarchiv hat Photo-
kopien dieser Filme geordnet und verzeichnet. Es handelt sich bei
diesem Material nicht so sehr um die Originalhandschriften der einzelnen Werke – diese sind zumeist verschollen –, sondern um Fragmente, Entwürfe, Einfälle, Notizen, Varianten, Briefe und biographische Aufzeichnungen. Die meisten Werke können mit Hilfe dieser Unterlagen in ihrer Entstehung und Entwicklung nachvollzogen
werden. Bisher gibt es nur Ansätze zur textkritischen Arbeit oder
zur Erklärung der Details oder zum Überblick der Forschungslage.
Der vorliegende Kommentar ist als erster Schritt gedacht, sich dem
einzelnen Werk zu nähern; weitere werden folgen: ein Forschungs-
bericht (Herbert Seidler in der *Zeitschrift für deutsche Philologie*),
eine Interpretationsübersicht (Wolfgang Nehring in der *Sammlung
Metzler*), eine Sammlung der Selbstzeugnisse Arthur Schnitzlers
über sein Werk (Reinhard Urbach in der Reihe *Dichter über ihre
Dichtungen*).
    Hier soll zunächst der Versuch gemacht werden, eine Lebensbe-
schreibung Arthur Schnitzlers zu geben. Es gibt noch keine ausführliche Biographie. Arthur Schnitzler war mit biographischen Aus-
künften sparsam, verwahrte sich gegen Interviews (zuletzt 1931),
schob sein Werk vor seine Person. Zwar gewährte er den Germanisten (Schinnerer, Liptzin, Boner) Zugang zu seinem Archiv, zu den
Notizen, Varianten und Rezensionen (die umfangreiche Sammlung
von Zeitungsausschnitten ist im Zusammenhang mit den Ereignissen
von 1938 verlorengegangen), aber eine Biographie, die mehr als
Werkdaten und Wirkungsgeschichte vermittelt hätte, konnten sie
auch nur indirekt geben. Nicht daß dies bedauerlich wäre; das Werk
behält den Vorrang. Doch so konnte es geschehen, daß man sich ein
Bild von Schnitzler machte, das nicht der Wahrheit entsprach. Der
Autor wurde zum Urbild seiner eigenen Figuren stilisiert. Arthur
Schnitzler wurde der leibhaftige Anatol, ein »leichtsinniger Melancholiker«. Als Indiz kam hinzu, daß Schnitzler frühe Gedichte mit
dem Pseudonym »Anatol« gezeichnet hatte. Diskretere Interpreten
machten ihn zum Max, dem Typus des sarkastischen, bisweilen ironischen, zuzeiten zynischen Raisonneurs der Liebesspiele und Nie-
derlagen Anatols. Bedächtigere identifizierten ihn mit Paracelsus,
später mit dem Professor Bernhardi – beides Arztfiguren, die den
Vergleich mit ihrem Schöpfer durch überlegene Handlungen und re-
signierende Sentenzen leicht zu machen schienen.
    Schnitzler setzte solchen Unterstellungen wenig oder nichts ent-
gegen. Seinen Unmut verbarg er im Tagebuch und in zahllosen No-

tizen zu einer Schrift über die Kritiker und ihre fadenscheinigen Prämissen.

Daß Schnitzler seine Figuren und die Situationen, in die er sie stellte, nicht autobiographisch konzipierte, daß er sich nicht identifizierte, sondern – wenn er schon im Spiele war, und ausschließen wollte er sich nicht – vielfältig bunt maskierte, braucht man nicht zu vermuten, es läßt sich belegen.

So wie Schnitzler beim Ordnen seiner Notizen und Entwürfe auch das Verworfene aufhob, schrieb er nicht nur das Besondere im täglichen Ablauf seines Lebens nieder. Das Alltägliche wurde notiert, das scheinbar Selbstverständliche nicht ausgelassen. Begegnungen und Besorgungen wurden vermerkt. Die Tagebücher sind für die Jahre 1879 bis 1931 lückenlos erhalten. Den testamentarischen Bestimmungen gemäß ist es seit kurzem möglich, sie einzusehen. Die Autobiographie *Jugend in Wien* umfaßt die Kindheit und Jugend bis zum Abschluß des Studiums, dem Beginn der dichterischen Publikationen und des Bekanntwerdens. Die Zeit danach, die Griensteidlperiode, der Beginn der Freundschaft mit Paul Goldmann, Gustav Schwarzkopf, Leo Vanjung, Hugo von Hofmannsthal, Richard Beer-Hofmann, Felix Salten, der Beziehung zu Bahr, ist aus dem Briefwechsel mit Hofmannsthal und der Korrespondenz mit anderen Autoren dieser Zeit bekannt; auch aus dem Briefwechsel mit Olga Waissnix, der die Autobiographie begleitet und über sie hinausführt. Die noch nicht veröffentlichten umfangreichen Briefwechsel und das Tagebuch, zusammen mit Notizen allgemeiner, reflektierender Art und Statistiken, ergeben ein lückenloses Bild, wenn auch kein vollständiges. Die weiteren Bände der Autobiographie sind nicht geschrieben worden – es läßt sich behaupten, daß sie nie mehr geschrieben werden sollten, sonst hätte sich Arthur Schnitzler nicht so intensiv und bis in die letzten Lebenstage hinein mit einem Roman befaßt, der dort beginnt, wo *Jugend in Wien* aufhört. Der angestrebten *Wahrheit* der Autobiographie sollte die *Dichtung* der späteren Jahre entgegengesetzt werden. Nicht in dem Sinne der Verklärung der eigenen Persönlichkeit, sondern der Verwendung eigener Empfindungen und Situationen. Schnitzler identifizierte sich mit dem Helden Rudolf des nachgelassenen Romans ebensowenig wie mit Georg von Wergenthin oder Heinrich Bermann aus *Der Weg ins Freie*.

Die Wünschbarkeit einer Biographie beruht auf der notwendigen Revision von Vorurteilen und Gleichsetzungen der Figuren mit ihrem Autor. Wenn eine Biographie auch nie sämtliche Beziehungen,

Einflüsse und Erfahrungen erfassen kann, sollte sie doch versucht werden, um die Daten des Werks und seiner Wirkung um die Kenntnis der Bedingungen zu vermehren, die zu ihm geführt haben. Wobei es eine zusätzliche Aufgabe ist, die Selbstbeobachtung und Selbstkontrolle Schnitzlers auf ihre Bedeutung für seine Persönlichkeit, Entwicklung und die Tatsächlichkeit seines Lebens zu befragen. Wie wird die Spannung zwischen Privatem und Fremdem, zwischen subjektiv Erwünschtem und objektiv Geschehenem, zwischen Erlebnisintensität und Erfahrungsqualität, zwischen eigenen Zuständen und öffentlichen Umständen ausgehalten und dargestellt? In welcher Weise ist Selbstbeschreibung Rollendarstellung?

BIOGRAPHISCHE BEMERKUNGEN

Am 7. Mai 1885 schrieb der 23jährige Arthur Schnitzler in sein Tagebuch:

Donnerstag Abend. – Ich vergesse ganz was und wer ich bin. Dadurch spüre ich, daß ich nicht in der richtigen Bahn bin. Ich glaube nicht, daß mir meine Objektivität verloren gegangen wäre durch den leicht begreiflichen Widerwillen gegen die Examina (übermorgen habe ich wieder eines zur Abwechslung und zwei, drei Wochen später – hoffentlich – mein letztes), aber ich habe das entschiedene Gefühl, daß ich abgesehen von dem wahrscheinlichen materiellen Vorteil ethisch einen Blödsinn begangen habe, indem ich Medizin studierte. Nun gehöre ich unter die Menge. Kommt dazu noch erstens meine Faulheit. – Ein zweites und wohl noch ärgerer Nachteil: die schändliche Hypochondrie, in die mich dieses jämmerliche Studium – jämmerlich in Beziehung auf das, wo es hinweist und was es zeigt, gebracht hat. Ich fühle mich häufig ganz niedergebügelt! Mein Nervensystem ist dieser Fülle deprimierender und dabei ästhetisch niedriger Affekte nicht gewachsen. Ich weiß es noch nicht, weiß es heute, wo ich in der Blüte geistiger Jugendkraft stehen sollte, noch nicht, ob in mir ein wahres Talent für die Kunst steckt – daß ich aber mit allen Fasern meines Lebens, meines höheren Denkens dahin gravitiere, daß ich etwas, wie ich öfter schon in diese Blätter geschrieben, etwas wie Heimweh nach jenem Gebiet empfinde, das fühl ich deutlich – und habe es nie deutlicher gefühlt als jetzt, wo ich bis zum Hals in der Medizin drin stecke. – Ob ich elastisch genug bin wieder aufzuschnellen über kurz oder lang...? Es entwickelt sich was in mir, das so aussieht wie Melancholie... Und doch ich habe so 'ne gewisse Sympathie für den Menschen, der mein Ich repräsentiert, daß ich manchmal denken mag, es wäre doch schad um ihn. Aber es ist auch nichts um mich, das mich irgendwie hinausbringen könnte. Ich muß gestehen, meine Eitelkeit sträubt sich manchmal recht intensiv dagegen, wenn ich sehe, wie so ne ganze Menge von Leuten, die der Zufall, mein

Lebens- und Studienwandel in meine Nähe, ja an meine Seite gebracht hat, sich ganz verwandt mit mir fühlt und gar nicht daran denkt, daß ich vielleicht doch einer anderen Klasse angehören könnte. Fiel einem von diesen (manchen recht liebenswürdigen Leuten) durch Zufall dieses Blatt in die Hände, er würde denken: der Kerl ist noch arroganter als ich bisher glaubte. Und doch! Woher sollen sie denn nur wissen, daß in mir vielleicht was vorgeht, wovon sie nie und nimmer eine Ahnung haben können; vergeß ichs in der letzten Zeit schier selbst… Und am End ist's wirklich nichts als eine Art von Größenwahn.

Ja, wenn ich nur schon wieder zurück wäre!… Und es ist nicht Ehrgeiz (obzwar man sagt, der Ehrgeiz sei eine edle Eigenschaft), nein, kein Strebertum, das mit meinem Herzen sein Spiel treibt – es ist einfach eine unbeschreibliche Hinneigung zu jenem Berufe, der mir so einzig schön dünkt - - - Da schreibe ich mich wieder hinein in alles mögliche und habe doch oft ganze Tage überhaupt nicht an dergleichen gedacht. Es ist unglaublich, wie man sich selbst verlieren kann. Ich tappe sozusagen nach mir herum… Sind das lauter Phrasen, die mir von der selbstverständlichen 17- und 18jährigen Poetasterzeit übrig geblieben sind und jetzt heraus müssen – wie die eingefrorenen Töne aus dem Posthorn Münchhausens – wenn's thaute – oder klingen da echte, frische Töne – Ich bin heute unklarer noch als ich es seinerzeit war, denn das, als was ich heute gelte, bin ich ja doch nicht - - - Am Ende…noch weniger…Nun es kommt bald die Zeit, in welcher ich mir Gewißheit über mich selbst verschaffen werde. Warte, Kerl, ich muß dir auf den Grund kommen!

Ich bin in einer geradezu schauderhaften Laune: vielleicht ist das mit ein Schlüssel zu dem Ton, in welchem das Vorhergehende geschrieben ist… Laune – und nur das? –

Solche Selbstreflexionen, wie sie in frühen Jahren häufig und ausführlich im Tagebuch zu finden sind – erst in der Mitte der neunziger Jahre weichen sie knapperen Versuchen der Analyse –, sind verworren genug, um Aufschluß über den seelischen Zwiespalt des angehenden Mediziners und dilettierenden Dichters zu geben. Die Prüfungsvorbereitungen verschlimmern die Situation selbstquälerischer Grübelei. Der Student fühlt sich von einem tieferen Konflikt betroffen, als es der zwischen Pflicht und Neigung wäre, den eine bürgerlich-liberale Ideologie zugunsten der Pflicht überwindbar machte. Das materielle Problem einer gesicherten Existenz wurde ihm zwar ständig von seinem Vater vorgehalten, galt ihm aber nichts, da es inmitten eines funktionierenden und wohlsituierten Haushalts nicht erfahrbar und daher kaum bedrohlich schien. Nach liberalen Maximen lag das ethische Gewicht auf der Waagschale der Pflicht. Dem Erben solcher Gesinnungsstützen verkehrte sich aber die Perspektive, die dem Vater den Aufstieg in akademische Kreise und den Zu-

gang zu aristokratischen Zirkeln ermöglicht hatte. Arthur Schnitzler
empfindet das Medizinstudium als »Blödsinn«, und zwar als »ethischen«, nicht als intellektuellen oder psychologischen. Daß er imstande war, den Anforderungen des Studiums zu genügen, wurde
ihm – die von ihm stilisierte Laxheit in Fragen des Verstehens und
Lernens Lügen strafend – durch ausgezeichnete Prüfungsergebnisse
nachgewiesen. Und daß er Interesse an den medizinischen Experi-
menten seiner Zeit nahm, neue Heilmethoden psychotherapeuti-
scher Art zu finden, hat er wenige Jahre später durch seine Versuche
mit Hypnose und Suggestion belegt. Die moralische Seite seiner
Aversion gegen das Medizinstudium hat einen ästhetischen Grund.

Die bürgerliche Kunstanschauung hatte auch für den Künstler das
Pflicht-Neigung-Korrelat verbindlich gemacht. Er hat die Pflicht,
Gefälliges zu produzieren. Wenn er sich diesem Gebot entzieht und
nicht gesellschaftliche Konventionen des Geschmacks beachtet,
wenn er eigenen Gedanken folgt oder konventionsfeindliche Ideen
hat, wird er mit moralischem Aplomb zum Sonderling erklärt. Die
Neigungskünstler wehren sich seit der Romantik durch Selbstver-
herrlichung gegen bürgerliche Mißachtung. Gesellschaftlich ver-
drängtes Künstlertum versteht sich als Adel von innen. Ein mit
wachsendem Kapital sich veränderndes Selbstverständnis des Bürgertums macht sich diesen Innerlichkeitsenthusiasmus zunutze, sofern er für Repräsentationszwecke brauchbar ist. Der Künstler wird
von der Gesellschaft akzeptiert, auch wenn er in seinem Habitus den
Pflichtenrationalismus und bürgerliche Selbstdisziplin zu leugnen
scheint. Seine ursprüngliche Fluchtbewegung in Fremdartigkeit als
Selbstbewahrung wird zur Allüre, der das Publikum historistischen
und exotischen Reiz abgewinnt. Das sinnfällige Zeugnis für die
wechselseitige Wertschätzung von Kunst und Macht ist die artifiziell
vorbereitete Maskerade, der repräsentative Festzug. Der Künstler
verlängert das bürgerliche Selbstbewußtsein in die Geschichte. Hans
Makarts Wiener Festzug von 1879 ist das grandioseste Beispiel. Die
Wiener Bürger feiern die silberne Hochzeit des Kaiserpaares, indem
sie in historischen Kostümen vor dem Hof defilieren. Die Hauptfigur ist aber nicht der Kaiser oder der Bürgermeister oder wer immer
sich am mächtigsten dünkt, sondern der Künstler. Makart selbst ist
der Höhepunkt des Festzuges. Der Künstler nicht nur als Repräsentant, der Künstler als Führer. Der offiziöse Künstler versteht sich
nicht mehr als Handwerker oder als Sonderling, er allegorisiert die
Attitüde der Macht und wird von der Gesellschaft als Mittelpunkt
akzeptiert. Auf ihn konzentriert sich das Interesse einer arrivierten

Herrschaftsgruppe, der er das hedonistische Bedürfnis in ästhetische Verdrängung umgestaltet.

Die Generation der vierziger Jahre des 19. Jahrhunderts schuf sich diese Atmosphäre pompöser Bordüren und erdrückender Volants. Und in ihr mußte die Generation der sechziger Jahre heranwachsen. Wenige Wochen nach dem Makart-Festzug schreibt Arthur Schnitzler, der Siebzehnjährige, seinen Maturaaufsatz über das Thema »Was hat dir das arme Glas gethan, Was siehst du den Spiegel so grimmig an?«. Ein Besinnungsaufsatz, den der begabte Gymnasiast mit der Note »vorzüglich« absolvierte. Das Spiegelbild, in dem schon Züge der gespaltenen Ambition sichtbar sind, wie sie dem Studenten im Jahr darauf deutlich werden:

Mittwoch Morgen. – Ich mag wieviel immer über den innigen Zusammenhang zwischen Medizin und Poesie meditieren – es bleibt doch wahr, daß man nicht zu gleicher Zeit ein ganzer Poet und ein ganzer Mediziner sein kann. Hin und Hergeworfen zwischen Wissenschaft und Kunst bringe ich zu keinem von beiden mein ganzes Ich mit und werde in der Arbeit durchs Dichten, im Dichten durch die Arbeit gestört. Dazu interessiert mich die ganze Sache mehr, als ich jemals erwartet. Andererseits spür ich, sobald ich die Poesie eine Zeitlang vernachlässige – eine Art Heimweh, innere Verwirrung, Traurigkeit, womit übrigens noch nicht gesagt ist, daß sich zu gleicher Zeit Begeisterung, Inspiration einstellt. (Tagebuch vom 15. Dezember 1880)

Wie ist es zu dieser Selbsteinschätzung als Poet gekommen? Der Vater, Johann Schnitzler, war arm nach Wien gekommen, hatte unter Entbehrungen studiert und geachtete Positionen als Arzt erreicht. Die Mutter war schon die Tochter eines angesehenen Arztes, mußte sich nicht erst das Bildungsbewußtsein standesgemäßen Elterntums in der Ehe aneignen, sondern brachte es mit. Der Sohn wuchs ohne Sorgen auf, in einer Atmosphäre, in der das Künstlerische weit über das übliche Maß geschätzt wurde: man verkehrte auch mit Künstlern; dazu bot die Stellung des Vaters als Laryngologe, der von Schauspielern und Sängern konsultiert wurde, Gelegenheit. Arthur Schnitzler lernte nicht nur Klavierspielen und Fremdsprachen. Er ging nicht nur ins Theater und in die Oper, deren illusionierende und desillusionierende Reize seine Phantasie anregten und aufregten. Er wurde auch von seinem Vater ermuntert, sich schreibend und gelegentlich dichtend zu üben. Der Vater förderte bewußt dilettierende Versuche des Knaben und zeigte sie voll Stolz dem berühmten Burgtheaterschauspieler, seinem Patienten Adolf von Sonnenthal. Der Sohn schrieb unentwegt. Mit achtzehn

Jahren blickt er stolz auf 23 beendete und weitere 13 begonnene Dramen zurück. Das war des Übens zuviel. Das war schon Ausübung. Es sind Versuche nicht ohne Witz (wer ahmte nicht Heine nach?) und nicht ohne Wissen *(Tarquinius Superbus. Eine historische Tragödie* 1875). Daß man ein Dichter wird, läßt sich nicht simpel psychologisch erklären, daß man es bleibt, hat soziologische Erklärungen nötig. Die Spaltung des Ich, von der Arthur Schnitzler immer wieder spricht, hat einen ihrer Gründe in der ambivalenten Haltung des Bürgertums zur Kunst. Sie wird bewundert, aber man distanziert sich von ihr. Man dilettiert, um die Phantasie zu kräftigen. Man denkt nicht daran, davon leben zu wollen, weil man nicht davon leben kann. Der Dichter ist mehr als jeder andere Künstler arm. Für den jungen Schnitzler sind solche Argumente nicht schwerwiegend. Die Idolisierung des Künstlers hat mehr Gewicht als seine ökonomische Situation. Und die Selbstbehauptung des Talents wird durch anerkennende Worte der berühmten Bekannten des Vaters gefördert:

Mein Vater kam mit der Nachricht nach Hause, die Wolter habe sich erkundigt, wann ich ihr mein Stück schicke? Wie da der Ehrgeiz wieder aufflammte. Ich muß mich daran machen. Wenn es wirklich in Erfüllung ginge! Aber ich mißtraue mir wieder stark in der letzten Zeit. – (Tagebuch, 18. November 1879)

Aus dem versöhnlichen Nebeneinander (einerseits-andererseits) von Medizin und Poesie, wie es sich 1880 dem Studenten darstellt, wird beim Abschluß des Studiums, fünf Jahre später, der ethische Konflikt. Das Gewicht des Ästhetischen ist in der Ringstraßenzeit der achtziger Jahre so stark geworden wie niemals zuvor. Der Anspruch auf »schönes Leben« gibt der Gründerzeit eine Ersatzreligion. Das Künstliche wird zum Kult. Das Künstlertum erhebt sich über den Kult der Nichtschöpferischen, nicht als Priestertum, sondern als Echtheit. Der Künstler ist Genius; war, wenn er schuf, dem Alltag entrückt. Er hatte höhere Ideale und tiefere Empfindungen. Die Gesellschaft, die sich in Masken und Maskeraden gefiel, hatte nichts mit dem Rausch des Schöpferischen zu tun. Die Stellung des Künstlers ist elitär. Man macht sich nicht gemein. Man hat die gesellschaftliche Funktion des Schöpfers neuer Genußmittel, aber man produziert sie mit göttlichen Mitteln, oder genauer: man produziert nicht, man ist Werkzeug der heiligen Inspiration.

Deshalb empfindet sich Schnitzler als zur Menge gehörig, als gefangen in einem jämmerlichen Studium. Aus der Gleichberechtigung von 1880 ist ein steiles Gefälle geworden zwischen Himmel und irdischem Jammertal. Der Konflikt wird durch den Zweifel verschärft. Da dem Werk des jungen Dichters die Anerkennung fehlt, da er die Kraft zum Künstlertum aus sich selbst holen muß und nicht aus dem Ruhm, gesteht er sich ein, daß der Glaube an sein Talent Schlimmeres als Arroganz sein könnte – Größenwahn. Der Rausch, der den Künstler zum Werk führt, wird von der Gesellschaft akklamiert, der Wahn stellt ihn außerhalb der menschlichen Gemeinschaft, in der der Künstler immer wirken will. Die Balance zwischen Wahnsinn und Schöpfertum stellt das Publikum her, nicht der Autor. Die Selbsterkenntnis des Künstlers wird durch den Grad seines Echos bestimmt; sie bleibt subjektiv, doch hat sie in der positiven oder negativen Wirkung ein Korrektiv, an dem sie sich aufrichten oder von dem sie sich in trotziger Versteifung abstoßen kann.

Daß aus dem Medizinstudenten Arthur Schnitzler ein Dichter wurde, mag durch die Zeitumstände, die geistige und familiäre Situation vorbereitet worden sein, determiniert war es nicht. Am Ende seiner Autobiographie bekennt er sich zur *freien Entscheidung,* die ihm die Kraft gab, den Konflikt zwischen Medizin und Poesie auszuhalten und zu lösen:

Ich glaube nicht an eine Vorsehung, die sich um Einzelschicksale kümmert. Aber ich glaube, es gibt »einzelne«, die um sich *wissen,* auch dann, wenn sie bestenfalls zu *ahnen* vermeinen, und die aus freier Wahl ihre Lebensentscheidungen treffen, auch dort, wo sie denken, nur vom Zufall der Ereignisse und von Stimmungen getrieben worden zu sein, und die stets auf dem rechten Weg sind, auch wo sie sich anklagen, geirrt oder irgend etwas versäumt zu haben. Mit all dem ist freilich nicht gesagt, daß gerade ich ein Recht habe, mich zu diesen einzelnen zu zählen; aber wie sollte, ja wie könnte man überhaupt leben, schaffen und sich manchmal des Lebens freuen, wenn man sich's nicht einbildete, zu diesen Auserwählten zu gehören?

Arthur Schnitzler beschließt damit seine im Ersten Weltkrieg niedergeschriebenen Erinnerungen an die Jugend. Seine Auseinandersetzungen mit sich und dem Vater waren auch nach dem Juni 1889, mit dem die Autobiographie abbricht, nicht beendet. Am 18. August 1889 notiert er in Reichenau:

Mir graut vor Wien. – Mein Vater hat mir einen schlechten Abschied bereitet. Er kränkt sich, daß ich nichts arbeite. Mein literarisches Tun ist ihm Dilettantismus, der zu nichts führt. – Möglich – ja, möglich, daß ich nimmer was werde. – Aber es ist meine einzige große Sehnsucht, so für mich schaffen zu können. Wahrhaftig, erst später kommt der Ehrgeiz. – Aber ich habe die ganze Zeit über nur mit Schaudern – wirklich mit Schaudern – nein, doch mit Widerwillen an meinen erwählten medizinischen Beruf gedacht. Und soll

noch arbeiten! wissenschaftlich! Nie werd ich da was zu Stande bringen. Ein
elender Winter liegt vor mir!

Da waren die ersten Studien und *Anatol*-Einakter schon erschienen.
Es dauerte noch einige Monate, bis die Skrupel der Familie und der
medizinischen Karriere gegenüber endgültig beiseite geschoben
wurden. Der Übergang vom Arzt, der er weiterhin blieb, zum
Schriftsteller vollzog sich Anfang 1890.

Mehr als zehn Jahre lang hatte dieser Entwicklungsprozeß gedauert, bis Arthur Schnitzler in literarische Kreise kam – durch den Besuch des Café Griensteidl ist es gekennzeichnet – und damit die Periode des Dilettierens und Verfassens von Festspielen für häusliche
Amateurvorstellungen daheim oder im Thalhof von Reichenau auf-
hörte. Diese Spanne eines Jahrzehnts entspricht etwa dem Altersun-
terschied zwischen Arthur Schnitzler und Hugo von Hofmannsthal.
Den 1874 geborenen Schüler führte der Vater gleich ins Griensteidl,
brachte ihn sofort, als sich das lyrische Talent des Knaben zeigte, in
die Redaktionen und zu den Professionisten, so daß der junge Hofmannsthal eher in die Gefahr ästhetischer Blasiertheit als snobisti-
scher Liebhaberei geriet. Abgesehen von seinem Talent – ein Jahrzehnt früher wäre das Phänomen Hofmannsthal noch nicht möglich
gewesen. Es bedurfte der langjährigen Kultivierung eines luxuriös-
liberalen ästhetischen Lebensstils, bis eine neue Jugend die Kunst
mit Macht ins Leben zurücktrug und auch Wiener Geschlechter ihre
Buddenbrookiaden erlebten.

In den zehn Jahren zwischen Reifeprüfung und ersten literarischen Erfolgen lag nicht nur Arthur Schnitzlers Entwicklung zum
Schriftsteller, nicht nur seine Ausbildung zum Arzt, sondern auch
Entfaltung und Überwindung des Lebemännischen. Die Vorbedin-
gungen waren gegeben: Der junge Herr aus gutem Haus war mit
künstlerisch lässiger Eleganz gekleidet, war musisch und musikalisch gebildet. Die für Wien spezifische maskierte Tanz- und Ball-
erotik war ihm früh vertraut. Er hatte Freude am Spiel und fand Spaß
am Schlendern und leichtsinnigen Amusement. Soziale Härte bekam
er nicht zu spüren, obwohl er sie aus der Biographie des Vaters und
den Lebensumständen des Studienkollegen und späteren Schwagers
Marcus Hajek kannte.

Mit der Zeit ging er verschwenderisch um, mit Geldfragen kam er
nie in *ernstliche Ungelegenheiten*. Mit seinen Freunden geriet er deshalb nicht in völlige Kumpanei, weil er sie und sich beobachtete. Das
war eine der Funktionen des Tagebuchs: die ständige Rechenschaft

über Tätigkeiten und Lässigkeiten, Möglichkeiten und Versäumnisse seines Lebens.

Das Studium lief qualvoll, aber nicht erfolglos neben großstädtischen Zerstreuungen und erotischen Abenteuern her. Am unkonzentrierten Lebensstil änderte sich auch während der medizinischen Praktika nichts. Berichte über den Tagesablauf geben davon Zeugnis, immer mit der Selbstermahnung schließend, weniger nachlässig bei der Arbeit zu sein.

Der Topos der gewollten, aber nicht vollzogenen Änderung des Lebens hat sich anderthalb Jahre später ebensowenig gewandelt wie der Lebensstil.

Gewöhnliche Tageseinteilung: 8 Uhr Visite bis 10, dann entweder Herumbummelei im Lesezimmer oder Stadt (Zahnarzt) etc. oder wieder bis Mittag Jeanette. Mittags zuhause. Nachmittag durch die Stadt bummeln, ins Spital auf die Abteilung, dann auf mein Zimmer, russische Romane lesen oder was schreiben, dann wohl ins Kaffeehaus, eine Partie Ecarté (Prückl), Billard,- dann wieder in mein Zimmer, Jeanette erwarten, oder ins Theater, oder ein Besuch.–

Muß jetzt meine Zeit mehr sichten: arbeiten. Das nehme ich mir seit 8¼ Jahren vor.–

Jeanette Heger ist eines der süßen Mädel, deren Eigenheiten und Eigenschaften, Launen und Einfälle nicht im Typus aufgehen, aber auch nicht von dessen vielfältigen Variationsmöglichkeiten derart abweichen, daß außer einem Bild und einer Darstellung des Verhältnisses mit seiner allmählichen, krampfartigen Auflösung etwas übrigbliebe, das der Beziehung individuelle Einmaligkeit gegeben hätte.

Seine Erlebnisintensität, die sich analog den Jeanette-Problemen im *Anatol* in der Oberflächenanalyse eines Charakters formuliert hatte, verdichtete sich durch die Erfahrung der Liebe zu Marie (Mizzi) Glümer zum *Märchen*-Konflikt. Wider besseres Fühlen, wider besseres Einsicht kommt der Liebhaber aus der überkommenen maskulinen Ideologie (hier dem »Märchen« von der Gefallenen – im Leben der Ausgleichung eines Fehltritts) nicht heraus. Die soziologisch begründbaren Bindungen an als überholbar erkannte moralische Prinzipien bestimmen die psychischen Reaktionen und die Handlungen der jungen Akademiker der neunziger Jahre.

Marie Glümer war keine sehr große Schauspielerin. Wenn sie in *Freiwild* eingesetzt war, spielte sie nicht die Hauptrolle der Anna Riedel, deren Urbild sie gewesen war, sondern die der leichtlebigen Soubrette Pepi Fischer. Und die erste Fanny Theren, die Hauptgestalt des *Märchen* bei der Premiere vom 1. Dezember 1893 am Deutschen Volkstheater in Wien war Adele Sandrock. Die Beziehung zu ihr, die zwei Jahre später am Burgtheater die erste Christine *(Liebelei)* spielte, war aufregend genug, um von Arthur Schnitzler ernst genommen zu werden. Hier kommt eine Frau ins Spiel, die nur deshalb nicht den Typus der sexuell emanzipierten Frau der Jahrhundertwende verkörpert, weil ihre Gleichberechtigung von vornherein auf Betrug aufgebaut war. Ihre inkonsequenten Reaktionen, ihre verlogen verbrämten Launen, ihr widersprüchliches Verhalten waren für jeden Liebhaber, der sich aus der aktiven Position des Verhältnisses gedrängt sah, enervierend und führten zum raschen Wechsel der Verhältnisse. Von beiden Bedürfnissen: nicht betrogen werden und nicht behindert sein, die für seine Beziehungen verbindlich waren, ging Schnitzler zeitlebens nicht ab, verband sie aber in seiner Liebe zu Marie Reinhard, die er 1894 kennenlernte, mit der Übernahme von Verpflichtungen und Verantwortung, die in der Bereitschaft, ein gemeinsames Kind zu haben, ihren Ausdruck fand. Das Kind kam tot zur Welt, und im darauffolgenden Jahr (1899) starb Marie Reinhard plötzlich und unerwartet an einer Sepsis.

Die Bindung an eine Frau durch ein Kind war für Arthur Schnitzler wesentlicher als die Ehe. Dafür, daß er Marie Reinhard nicht heiratete, gibt er im Tagebuch soziale Gründe an – sein Einkommen als Arzt und Dichter reichte nicht aus, einen Haushalt zu führen, er hätte denn das väterliche Erbteil zu Hilfe genommen –, aber es hat psychologische Hintergründe, eben die Furcht vor weitergehender Einschränkung der persönlichen Freiheit. Zu dieser Einschränkung fand er sich erst bereit, nachdem Olga Gussmann, die er 1899 kennengelernt hatte, ein Kind von ihm geboren hatte. Die Ehe bedeutete ja nicht nur, daß er sich in eine Bindung fand, sondern vor allem die Legitimierung des Sohnes und die Anerkennung der Ehefrau durch die Gesellschaft und die eigene Familie. Daß die starke und intellektuelle Persönlichkeit Olga Gussmanns Schnitzlers Entschluß förderte, darf angenommen werden und legt die Vermutung nahe, daß hier zum erstenmal ein Verhältnis bestand, das gemeinsame und nicht einseitige Entscheidungen bedingte. Durch die Ehe wurde die patriarchalische Maxime früherer Verhältnisse nicht bestärkt, sondern zugunsten gleichberechtigter Partnerschaft aufgehoben.

Weitere Fragen zur Biographie Arthur Schnitzlers: Welche Beziehung hatte er zu seiner Familie, zu den Freunden und Bekannten, zur Öffentlichkeit?

Die Beziehung zum Vater war gespannt, der Übergang vom Beruf des Arztes zur Aufwertung des dichterischen Dilettierens im Sinne einer Berufung zum Schriftsteller wurde vom Vater nicht gebilligt. Noch in den zwanziger Jahren ist Arthur Schnitzler, wenn ihm vom Vater träumt, auf Vorwürfe gefaßt. Der Vater hatte ihm die medizinische Karriere vorbereitet, wollte ihn zum wissenschaftlichen Mitarbeiter bei Publikationen und Forschungen heranziehen, bot ihm fachjournalistische Möglichkeiten in der Redaktion der *Internationalen Klinischen Rundschau*. Daß der Sohn diese Aussichten nicht wahrnehmen wollte, sich aber auch keine Privatpraxis als praktischer Arzt aufzubauen unternahm, ließ den Vater Faulheit befürchten, zumal auch das dichterische Talent noch keine Früchte trug.

Nach dem Tode des Vaters 1893 richtete sich Schnitzler doch eine Privatpraxis ein. Er lebte weiter daheim, im gemeinsamen Haushalt mit seiner Mutter, bis er heiratete. Das Verhältnis zur Mutter ist weniger problematisch, auch weniger ergiebig gewesen. Sie spielten miteinander Klavier, sie bewirtete seine Gäste. Im Sommer traf man sich mit der Familie im Salzkammergut oder in Kärnten. Robert Hirschfeld beschreibt seinen ersten Besuch bei Schnitzler in der Frankgasse hinter der Votivkirche und findet Worte über Schnitzlers Mutter, die gewiß vorsichtig aufzunehmen sind, aber da sie zu den wenigen Äußerungen gehören, die bisher über Louise Schnitzler bekannt geworden sind, seien sie aus der *Vossischen Zeitung* vom 13. Mai 1932 wiederholt: »Es war an ihrer blassen Herbheit etwas Tragisches, wenn man das Wesen des Sohnes in ihr suchte. Sie hatte die Grundbedingung zur Wienerin nicht – sie war nicht schön und konnte niemals schön gewesen sein. Bedrückt von der eigenen Erkenntnis ihrer Körperlichkeit, immer hastig, spitzig, welk, und alles doch in Harmonie auflösend als echte, tiefgebildete Dame der Gesellschaft. Arthurs Künstlertemperament kam von ihr – sie war musikalisch sehr begabt – oft hörte ich sie mit dem Sohn an zwei Flügeln meisterlich die Sinfonien von Schubert, Brahms und Mahler spielen. Ein wundersames Bild von zwei so echt und gleich bemühten Generationen. In ihrem Sohn lebte die Mutter sich aus. Man vergaß alles Äußere, wenn man sie mit ihm betrachtete. Das mochte die Erfüllung ihres Sehnens gewesen sein, nach schweren Ehejahren mit einem vitalen, echten Wiener Mann.«

Dieses Urteil läßt sich bis auf das musikalische Detail nicht an Schnitzlers Tagebüchern nachprüfen. Es gibt kaum eine Notiz über sie, abgesehen von dem Befremden, das der Sohn verzeichnet, als Mutter und Schwester nicht bereit sind, Olga Gussmann als Mutter von Schnitzlers Sohn zu akzeptieren, bevor die Ehe geschlossen war.

Die Schwester und den Bruder sah Arthur Schnitzler zu den üblichen Familienfesten, der Bruder wurde zu gegebenem Anlaß als
Arzt konsultiert. Die Bindung an den Bruder empfand Schnitzler
besonders stark. Nach gelegentlichen Gesprächen bedauert er es im
Tagebuch, nicht öfter mit dem Bruder zusammen zu sein.

Arthur Schnitzlers Beziehung zur Literatur hat sein Verhältnis zu
Olga Waissnix entscheidend vertieft. Im April 1886 lernten sie sich
in Meran unter Umständen kennen, die zugleich günstig und ungünstig waren. Der gemeinsame Kuraufenthalt erleichterte die Begegnung, dessen Ursache überschattete sie. Beide hatten Tuberkulose
zu fürchten; der Krankheitsverdacht bestätigte sich bei Arthur
Schnitzler nicht, Olga Waissnix starb elf Jahre später. Die Wirtin des
Thalhofs in Reichenau war das erste interessierte und auch verständige Publikum des Dichters Arthur Schnitzler. Nur mit ihr konnte
er seine Versuche besprechen und konnte sicher sein, auf Begeisterung und Ansporn zu treffen. Für Olga Waissnix war der Umgang
mit dem Belletristischen Ausgleich für Krankheit und hoffnungslose Ehe. Die Leidenschaft, die beide in Briefen stärkeren Ausdruck
finden ließ als in Gesprächen, die der Gatte zu verhindern suchte,
wird vom jungen Arthur Schnitzler zum *Abenteuer seines Lebens*
stilisiert und gehört zu den Erlebnissen, die dem Anatol der *Weihnachtseinkäufe* gefällige, schwermütige Bonmots entlocken. Olga
Waissnix machte ihn nicht zum Dichter, aber sie stärkte seinen Willen, die Versuche, die vor ihr Gnade gefunden hatten, einem größeren Publikum bekanntzugeben.

Vermittler dieser Absicht wurden zwei Literaten, die heute, wenn
sie noch bekannt sind, zu den weniger bedeutenden Figuren des literarischen Lebens der Jahrhundertwende gezählt werden. Gegen
Ende der achtziger Jahre waren sie erfolg- und einflußreich. *Dr.
Goldmann Redacteur der Blauen Donau, verständnisvoller Mensch*,
heißt es im Tagebuch vom 31. Mai 1889. Paul Goldmann, Neffe Fedor Mamroths, des Gründers der Wiener Zeitschrift *An der schönen
blauen Donau* (1886), gehört zu den wenigen Menschen, mit denen
Schnitzler eine Zeitlang eng befreundet war; mit dem ihn, wie er gegen Ende von *Jugend in Wien* schreibt, *durch viele Jahre eine der
stärksten Beziehungen meines Lebens verbunden hat und von dem
daher in diesen Blättern, wenn sie fortgesetzt werden sollten, noch
öfters die Rede sein wird.* Sie wurden nicht fortgesetzt. Es gibt einige
Erwähnungen der Gemeinsamkeit, aber wenige über deren Inhalt.
Im Frühjahr 1897 fährt Schnitzler zusammen mit Marie Reinhard
nach Paris zu Paul Goldmann, der dort Korrespondent der *Neuen*

POSTKARTE

An den

Winkler Verlag

8000 MÜNCHEN 44

Postfach 26

Absender:

Name: _____

Vorname: _____

Beruf: _____

Wohnort: _____

Straße: _____

Bitte senden Sie uns diese Karte mit ihrer Anschrift zurück. Wir unterrichten Sie gerne laufend über unsere Verlagsarbeit. Nennen Sie uns bitte auch die Werke, die Sie gerne in unseren Sammlungen sehen möchten, und empfehlen Sie uns in Ihrem Freundes- und Bekanntenkreis.

Vorschläge und Anregungen:

_____

_____

Das Programm des Winkler Verlages

Dünndruck-Bibliothek der Weltliteratur

Diese Sammlung umfaßt heute mehr als 200 Einzelbände aus der deutschen und fremdsprachigen Literatur. Vollständige, sorgfältig überprüfte Texte, Einführungen und Kommentare kennzeichnen unsere Ausgaben, die zum Teil mit Meisterwerken europäischer Graphik illustriert sind. Es liegen vor:

Aischylos · Alarcón · Andersen · Apuleius · Aristophanes · Arnim / Brentano · Balzac · Bechstein · Boccaccio · Bürger · Calderón · Cervantes · Chamisso · Claudius · de Coster · Dante · Daudet · Defoe · Dickens · Dostojewskij · Droste-Hülshoff · Ebner-Eschenbach · Eichendorff · Euripides · Fielding · Flaubert · Fontane · Goethe · Gogol · Goldoni · Gontscharow · Gorki · Gotthelf · Grimm · Grimmelshausen · Hauff · Hebel · Heine · Hölderlin · Hoffmann · Homer · Ibsen · Jacobsen · Keller · Kivi · Kleist · de Laclos · Lazarillo von Tormes · Lesage · Leskow · Lessing · Lope de Vega · Manzoni · Maupassant · Melville · C.F. Meyer · Mörike · Molière · Moreto · Margarete von Navarra · Nestroy · Novalis · Petronius · Plautus · Poe · Puschkin · Raabe · Rabelais · Raimund · Schiller · Shakespeare · Smollett · Sophokles · Stendhal · Sterne · Stevenson · Stifter · Storm · Swift · Terenz · Thackeray · Tieck · Tillier · Tirso de Molina · Tolstoi · Tschechow · Turgenjew · Vergil · Villon · Voltaire · Wilde · Zola.

Weltliteratur in Sonderausgaben

Einzelne Werke aus der Weltliteratur erscheinen als einmalige Ausgaben, ungekürzt, zu besonders günstigen Preisen. Das Besondere dieser Reihe: Alle Bände folgen in der Textgestaltung den Ausgaben der Dünndruck-Bibliothek.

Die Fundgrube

Eine Sammlung für Kenner und zum Kennenlernen: Sie bringt Kostbarkeiten aus dem Bereich der klassischen Weltliteratur, Romane, Lyrik, Memoiren, Reisebeschreibungen, historische und kulturhistorische Dokumente.

Buchbestellungen bitte an Ihre Buchhandlung.

Freien Presse war, und notiert am 14. Mai über sie und ihn: *der beste Freund und die beste Geliebte an meiner Seite.* Die Briefe Arthur Schnitzlers an Paul Goldmann sind verschollen. (Die Gegenbriefe Goldmanns befinden sich im Nachlaß Schnitzlers in Wien.) Meinungsverschiedenheiten traten nach den ersten Erfolgen Schnitzlers auf. Goldmann vermißte die soziale Problematik, die Schnitzlers Themen »modern« gemacht, die dramatische Kraft, die ihn zur Tragödie, die dramaturgische Konzentration, die ihn zur Komödie befähigt hätte. Für Schnitzler wurde Goldmann zum Typus des Journalisten, der von sich sagte, daß er auch ein Literat geworden wäre, wenn er nur Zeit zum Schreiben gefunden hätte. Olga Schnitzler überliefert einen Dialog in ihrem Erinnerungsbuch *Spiegelbild der Freundschaft:* »Übrigens täte sein Freund Schnitzler gut daran, einmal mit ihm gemeinsam ein Stück zu schreiben – die sozialen Probleme des Heute, endlich die Gestaltung des Realen – denn jeder von ihnen besitze das, was dem anderen fehle. ›Du hast die dramatische Technik...‹

›Was stellst du dir darunter vor?‹

›...und ich – die weiten Ausblicke ins Leben.‹

›Hast du einen Stoff?‹

›Nein. Aber das wird sich schon finden.‹

Gelächter.

›Ich fürchte, mein Lieber, dein Drama wäre so sehr von heute, daß es auch sofort wieder von gestern wäre, und ich meine: ein Problem, das durch einen Scheck oder ein Beafsteak gelöst werden kann, ist keines.‹«

Nun hat aber nicht Paul Goldmann Schnitzler entdeckt, wie Richard Specht in seiner Monographie von 1922 meinte, sondern Rudolf Lothar, Erfolgsschriftsteller der Jahrhundertwende. Er lernte als erster professioneller Autor Schnitzlers frühe Arbeiten kennen und sagte voraus, daß Schnitzler sich vom Arztberuf abwenden würde, *womit er gewissermaßen die Verpflichtung auf sich genommen hatte, mich in meinen literarischen Angelegenheiten zu betreuen,* wie Schnitzler in *Jugend in Wien* schreibt. Lothar, drei Jahre jünger als Schnitzler, verstand sich auf die Technik der Manipulation, baute seine Karriere auf journalistischen Machenschaften auf und unternahm es auch, den Freund zu managen, *wobei es ihm freilich weniger auf meine persönlichen Erfolge als auf das Vergnügen des Managens angekommen sein dürfte.*

Lothar wurde durch den einflußreicheren Paul Goldmann als literarischer Vermittler abgelöst, und dieser war es auch, der den ersten

Kontakt zum Café Griensteidl anbahnte und die Beziehung zu Loris, dem jungen Hofmannsthal, herstellte.

Schon 1880 hatte Arthur Schnitzler literarisch publiziert, ohne
daß dies weitere Folgen gehabt hätte. Die erste literarische Periode
des Schriftstellers Arthur Schnitzler ist von 1886, dem Beginn erster,
wenn auch noch zufälliger Publikationen, bis 1889, dem Beginn regel-
mäßiger zu datieren. Die zweite Periode setzt 1890 mit dem Besuch des Griensteidl und den ersten literarischen Kontakten zu den
späteren Freunden Beer-Hofmann, Salten und Hofmannsthal ein
und endet 1893 mit der ersten Aufführung eines abendfüllenden
Theaterstücks *(Märchen)*. Es wird dann eine dritte Periode folgen,
kurz und entscheidend, von 1893 bis 1895, zwei Jahre des Ringens
um literarische Anerkennung in Deutschland. Sie endet mit dem Erfolg der *Liebelei* und der ersten Publikation bei S. Fischer in Berlin,
Sterben. Die Zeit von 1896 bis zum Ersten Weltkrieg umfaßt eine
vierte Periode steigender Anerkennung und starker Erfolge auf dem
Theater. Arthur Schnitzler gerät in die Literaturgeschichte. Eine
fünfte Periode würde die Zeit nach dem Ersten Weltkrieg bis zu
Schnitzlers Tod durchmessen, bestimmt von Skandalen, Protesten,
Anfeindungen, Ablehnungen, aber auch neuen Erfolgen mit den Erzählungen (vor allem *Fräulein Else)* und beim Film.

Die zweite Periode, von der nun die Rede sein soll, beginnt im
Kaffeehaus. Für Schnitzler bedeutet der Besuch des Café Griensteidl
die Literarisierung einer ständigen Gewohnheit, indem er jetzt nicht
mehr Billard oder Karten spielte. Im Griensteidl traf sich alles, was
sich für progressiv hielt. Der Föhn des französischen Impressionismus und der Sturm des Berliner Naturalismus wehten herein durch
die Flügeltüren. Ventilator war Hermann Bahr. An den Tischen war
für alle Platz, für den Juristen Richard Beer-Hofmann, für den Arzt
Arthur Schnitzler, für den Journalisten Felix Salten, für die Gymna-
siasten Hugo von Hofmannsthal und Karl Kraus; für den alternden
Baron Torresani – eine Art Wiener Liliencron: wie der norddeutsche
Dichter hatte auch er eine »wilde Leutnantszeit« hinter sich. Und für
den jugendlichen Felix Dörmann, der soeben mit Elan todesmüde
Gedichte zu schreiben begann. Nebenan schrieb der spleenige Richard Engländer pointierte Skizzen auf, in denen er sich Peter Altenberg nannte, bis er es wurde. Die verschiedenen Richtungen suchte
E. M. Kafka, der aus Brünn gekommen war, in seiner Zeitschrift als
Moderne Dichtung zu vereinigen. Die Parole »Junges Wien« brachte
der aus Paris zurückgekehrte Hermann Bahr bei. Es war nicht mehr
als eine Parole. Die Griensteidl-Zeit dauerte nicht lang. Das Kaffee-

haus förderte die Gemeinsamkeit, es prägte sie nicht, es schaltete
nicht gleich. Es gab kein Programm, es wurde keine Gruppe. Bahr
verteilte die Zensuren:

In der Mod[ernen] Kunst: Bahr über Österr[eichische] Künstler. 3 Talente
unter den Jungen, Loris, Dörmann, ich. – Über mich (er hatte sich vor ein
paar Wochen schon entschuldigt, weil er damals Märchen noch nicht gekannt
hatte): »Da ist einmal A. S. ein geistreicher, zierlicher, sehr amüsanter Cau-
seur, ein bißchen leichtsinnig in der Form, und nicht allzu gewissenhaft, vie-
lerlei versuchend. Ich habe das Gefühl, daß er tiefer ist, als er sich gerne gibt
und hinter seiner flotten Grazie schwere Leidenschaft verbirgt, die nur noch
schüchtern und schamhaft ist, weil sie erst zu festen Gestalten reifen will.«
(Schnitzler im Tagebuch vom 10. Februar 1892)

Schnitzler zitiert den Eindruck, den er auf Bahr machte, mit einer
Ausführlichkeit, die im Tagebuch nie wieder vorkommt. Einen solchen Propagandisten zu haben, war für die debütierenden »Modernen« wichtig, aber es führte nicht zur Solidarität. Über den gleichfalls von Bahr hervorgehobenen Dörmann hatte Schnitzler am 8. Juli
1891 geurteilt:

Von Felix Dörmann erschien ein Gedichtband Neurotica, der neben sehr
schönen Sprach- und Stimmungseinzelheiten Brutalitäten und Geschmack-
losigkeiten, lyrische Unwahrheiten und Schlampereien enthält.

Der eigentliche, innere Kreis der jungen Dichter, die sich nicht
nur als Kollegen betrachteten und rivalisierten, sondern Freunde
wurden, traf sich nicht allein im Kaffeehaus, er kam auch privat zusammen. Zu diesem inneren Kreis gehörten – einander gleichberech-
tigt, keiner war »Führer« – neben Schnitzler Beer-Hofmann, Hofmannsthal und Salten, erweitert um den Kritiker und Erzähler Gustav Schwarzkopf und den Mathematiker und Musiker Leo Vanjung, mit denen Schnitzler auch in späteren Jahren verbunden blieb.
Manchmal wurde zu den privaten Vorlesungen der eigenen Werke
und zu den bedeutsamen Gesprächen, die ihnen folgten, auch Hermann Bahr zugezogen, auch Leo Ebermann, der am Burgtheater Erfolg mit dem Jambendrama *Die Athenerin* hatte, auch Karl Kraus.
Dieser, der geringste unter den Poeten – er verfaßte keine Gedichte, keine Dramen, keine Erzählungen, sondern *nur* Rezensionen, die über die Werke der Bekannten zu schreiben er sich anbot –
wurde vom Kreis kaum anerkannt und nicht ernst genommen. Die
Zurücksetzung, die sich noch in den späten zwanziger Jahren bei

Schnitzler so äußert, daß er vom *kleinen Kraus* spricht, mag Kraus
früh gespürt haben. Er schuf sich einen freien Platz, von dem aus er
nach beiden Seiten ausholte – hie Presse, hie Dichter –; die dichten-
den Journalisten Bahr und Salten traf er mit jedem Schlag. Die Achtung vor dem Werk Schnitzlers hat er nie verloren, auch wenn er die
Umstände, in die es kam, kritisierte.

In dieser zweiten Periode der Laufbahn als Schriftsteller schrieb
Schnitzler neben kleineren Arbeiten *Das Märchen* und *Sterben* und
beschäftigte sich mit den Stoffen zu *Freiwild, Familie,* einem Drama,
das nie veröffentlicht wurde und thematisch am ehesten an *Das Vermächtnis* anklingt, und *Liebelei,* damals noch unter dem Titel *Das
arme Mädel.* Die Zeit zwischen 1890 und 1893 bedeutet enge Bindung der vier Autoren aneinander, eine Bindung, die auffiel.
Schnitzler schreibt am 9. Oktober 1891 ins Tagebuch: *Loris, Salten,
Beer-Hofmann und ich werden nämlich schon als Clique betrachtet.*

In den folgenden Jahren kommt es zu Mißverständnissen mit Salten, die immer wieder ausgeglichen, aber nie ganz beseitigt werden.
Die Beziehung Schnitzlers zu Hofmannsthal erlebte Höhepunkte
der Gemeinsamkeit bis zur Jahrhundertwende. Die Entfremdung,
die Hofmannsthals indirekte Ablehnung des Romans *Der Weg ins
Freie* brachte, wurde überwunden. Die freundschaftliche Bindung,
die stärker war als die zwischen Beer-Hofmann und Hofmannsthal,
dauerte bis zu Hofmannsthals Tod, obwohl Schnitzler von den späten Hauptwerken Hofmannsthals, *Der Rosenkavalier, Die Frau
ohne Schatten* und *Der Schwierige* nicht angezogen wurde. Die
Freundschaft mit Richard Beer-Hofmann war die beständigste.
Schnitzler schätzte das konzentrierte Werk und unbestechliche Urteil Beer-Hofmanns und bestimmte ihn testamentarisch zum literarischen Berater seines Sohnes in Fragen des Nachlasses.

Der Kreis der Freunde blieb eine Gemeinschaft von Einsamen.
Fraternisierung war nicht erwünscht. Man spricht sich zwar beim
Vornamen an, aber das war das Äußerste an Intimität. Beer-Hofmann hat es in austriazistisch doppelter Verneinung schmerzlich im
Kinderlied gesagt: »Keiner kann keinem Gefährte hier sein« und dies
im Gespräch, wie Salten überliefert, wiederholt: »Freunde? Freunde
sind wir ja eigentlich nicht – wir machen einander nur nicht nervös.«
Salten selbst setzt in seiner Erinnerungsskizze von 1932 verbindlich
verlogen fort: »Wir waren natürlich trotz alledem Freunde gewesen
und sind unser ganzes Leben lang miteinander verbunden geblieben.« Die Distanz, die Schnitzler, Beer-Hofmann und Hofmannsthal zu wahren wußten, ist nicht als Affektation zu werten, sondern

hat den sachlichen Effekt der Aufmerksamkeit ohne Anbiederung, der Möglichkeit zu kritischem Abstand vom Werk der andern. In einer Zeit, in der die Unrettbarkeit des Ich in aller und vor allem in Bahrs Munde war, scheute der einzelne in extremem Maße die Selbstaufgabe, zog jeder seine egozentrischen Kreise um den Mittelpunkt des eigenen Werks und Lebens; Kreise, die geschlossen blieben, auch wenn sie sich schnitten. Das wurde beklagt, aber nicht geändert.

In Schnitzlers dritter Periode bekommen diese Probleme zentrale Wichtigkeit. Das Gemeinschaftsideal des Kaffeehaustisches löst sich auf zugunsten der Konsolidierung eigener literarischer Erfolge. Die *Märchen*-Premiere war ein sichtbarer Schritt Schnitzlers an die Öffentlichkeit, aber ein mißlungener. Die nächsten Jahre, 1894 und 1895, galten der Kontrolle des persönlichen Wertgefühls, ablesbar an der Wertschätzung durch andere. Ein Beispiel für die Selbstanalyse in dieser Zeit:

Formel für meinen Stimmungsinhalt: Schwanken zwischen vornehmer Überwindung der Eitelkeit, Befriedigung im gesteigerten Selbstbewußtsein, Genuß hoher Werke und Zuschauen des Lebens – – – und tiefer neurasthenischer Empfindlichkeit, Kleinlichkeit, gekränkter Autoreneitelkeit, Sehnsucht nach äußerem Erfolg. Über beiden schwebt die deutliche Empfindung von der Schalheit des persönlichen Daseins, das für den Denkenden nur eine Galgenfrist bis zum Erhalt des Todesurteils bedeutet. (Tagebuch vom 19. Januar 1894)

Besondere Bedeutung bekommt in dieser Periode der Selbstbesinnung das Verhältnis zu Hermann Bahr, dem einzigen aus dem näheren Kreis, mit dem Schnitzler sich seit der Silvesternacht 1893/94 duzte. Dies hat die Verständigung nicht gefördert und Auseinandersetzungen nicht verhindert, wie die folgende nach Bahrs Lektüre der *Liebelei*:

Sonntag. Vorm[ittag] bei Dilly [=Adele Sandrock]. – Bahr kam zu mir, der das Stück, das ich ihm Vorm[ittag] hinterlegt, schon gelesen. – Fand: Liter[arisch] sehr gut, auch Bühnenwirkung – Kassenerfolg nicht. – Kritik wird loben – der ärgste Feind nichts daran aussetzen, aber auch der enthusiastischste Freund nicht sagen: Prophet ist gekommen! Er blieb zwei Stunden und ich sagte ihm so ziemlich alles, was ich gegen ihn auf dem Herzen hatte. Ungerechtigkeit; seine Manier die Wahrheit der Stimmung, der Laune, Antipathie, Sympathie, Rhythmus eines Satzes aufzuopfern. Er gesteht zu; sei von einer ewigen Angst gequält, langweilig zu werden. – Über seinen Vortrag nächstens, – wir plauderten so gut wie noch nie. Ich hatte die Empfindung, daß ich und die Idee meiner Aufführung an der Burg ihm viel sympathischer geworden sei. (Tagebuch vom 28. Oktober 1894; die Fehlleistung Schnitzlers, der schrieb: . . .der Wahrheit die Stimmung, die Laune... wurde korrigiert.)

Einige der Vorwürfe, die Schnitzler Bahr macht, lassen sich gegen journalistische Methoden ebenso wie gegen impressionistische Lebensanschauungen erheben. Deshalb erschien Schnitzler bei aller Sympathie die Gestalt Peter Altenbergs problematisch, und er hat oft versucht, seine Ablehnung zu formulieren (vgl. die Figur des Anastasius Treuenhof in *Der tote Gabriel* und dem nachgelassenen Fragment *Das Wort*).

Das verantwortungslos gebrauchte Wort, das raschfertige und wechselvollen Stimmungen unterworfene Urteil waren ihm zuwider. Die wichtigste seiner Intentionen ist die Wahrhaftigkeit, die nicht dem Augenblick verhaftet bleibt, sondern kontrollierter Dauer entspricht. Das empfindliche Gleichgewicht von Ehrlichkeit momentanem Selbstgefühl gegenüber und Wahrhaftigkeit als Kontinuum des Selbstbewußtseins gilt es gegen die Widerstände von Eitelkeit, Bequemlichkeit und Nachlässigkeit zu wahren.

Hermann Bahr war für ihn ebenso wie für Karl Kraus der Modellfall eines journalistischen Schwätzers, der die Veränderung um jeden Preis, vor allem um den der Evidenz, erzwingen wollte.

Gestriger Vortrag von Bahr »Das junge Österreich« wurde besprochen. Wir, d. h. Bahr, Torresani, Richard, ich sind abgethan (»demüthige, gothische Figuren«). Richard, der vielleicht noch in die nächste Periode hineinragen wird, ich, der aus sehr kleinen Anfängen zu sehr schönen vorgeschritten und dessen »Sterben« wohl zwanzig Jahre dauern wird – da sind nun Hugo, der aber jetzt nicht schreibt – und Andrian, mit dessen »Garten der Erkenntnis« Europa sich in den nächsten Wochen beschäftigen wird. – Welch ein ordinärer Schwindler. – (Tagebuch vom 14. März 1895)

Schnitzler beschäftigte sich schon in den nächsten Tagen mit Leopold von Andrians erstem Werk:

Sonntag. – Las das Buch Andrians. – Spuren eines Künstlers, schöne Vergleiche. – Keine Gestaltung, Affectation, Unklarheiten – unreifer Loris – nicht reifer Goethe, wie Bahr sagte. – Es mit »Kind« [von Beer-Hofmann] oder »Sterben« vergleichen ist dumm und frech. – (Tagebuch vom 17. März 1895)

Nur wenige Werke der Zeitgenossen bestehen in diesen Jahren vor der kritischen Lektüre Schnitzlers. Auch in seinen persönlichen Beziehungen zu Autoren und Kritikern schränkte er sich ein und grenzte sich von ihnen ab. Von Theodor Herzl zum Beispiel, den er schon während des Studiums kennengelernt hatte:

Mit Herzl, Ferdinand Gross (und Beraton) im Pschorrbräu soupiert. Ich vertrage Herzl eigentlich nicht gut; sein gewichtiges Sprechen mit den großen Augen zum Schluß jedes Satzes irritiert mich. (Tagebuch vom 11. September 1894)

Es gelingt Schnitzler, in dieser Periode den Kontakt zu den beiden wichtigsten Persönlichkeiten für die Vermittlung von Literatur als Verleger und Theaterleiter herzustellen: S. Fischer und Otto Brahm. Es kommt zu einer freundschaftlichen Korrespondenz mit dem international bekannten dänischen Kritiker und Kulturhistoriker Georg Brandes. Das wichtigste Ergebnis dieser Kontakte ist, daß sie ein Leben lang hielten.

In der *Neuen Deutschen Rundschau* erscheinen Schnitzlers erste große Novellen, vom Deutschen Theater Berlin wird *Liebelei* zur Aufführung angenommen.

Damit war der Weg zur internationalen Anerkennung beschritten. Schnitzler hat ihn als lang empfunden und dies im Vergleich zu den raschen Erfolgen jüngerer Autoren, die in den späten neunziger Jahren zu publizieren begannen, wie Siegfried Trebitsch und Stefan Zweig, beklagt.

Zu den Vertrauten des näheren Kreises kamen noch Wassermann nach seiner Übersiedlung nach Österreich, dessen weitschweifige Prosa von Schnitzler geschätzt, aber nicht unkritisch bewundert wurde.

Und Alfred Kerr, der Berliner Kritiker, den Schnitzler wie keinen Wiener Rezensenten achtete, seit er ihn in Berlin 1896 kennengelernt hatte:

Kerr holt mich. Plaudern, schildere ihm Wiener Verhältnisse und Bekannte (Richard, Hugo, Schwarzkopf). Mit ihm Brahm, wo wir bis 12 angenehm plauderten. – Dann bummelte ich noch mit Kerr, und erzählte ihm einige Wandlungen der »Liebelei«. – Er erklärt, daß er eine gewisse Befangenheit noch nicht los werden kann. Neulich schon, als er mich besuchte: Mir wird alles von Ihnen gefallen, ich weiß es, denn ich habe eine förmliche Liebe und Zärtlichkeit für Ihre Sachen. – (Tagebuch vom 25. August 1896 in Berlin)

Schnitzler stellte später (beim Wiederlesen der Kritiken Kerrs, als
die Gesammelten Schriften *Die Welt im Drama* 1917 erschienen)
fest, daß Kerr nur die *Liebelei* rückhaltlos gelobt habe, aber die enge
Vertrautheit blieb bis zu Schnitzlers Tod bestehen und war unver-
gleichlich herzlicher als die Verbindung mit Goldmann in späteren
Jahren und mit Alfred Polgar, den Schnitzler als Altenberg-Jünger
(zusammen mit Stefan Grossmann) abtat und der ihm den Typus des
Intellektuellen mit hämischen Diffamierungsabsichten vorstellte.

Von den Wiener Schauspielern stand Schnitzler seit seiner Kindheit Adolf von Sonnenthal am nächsten, der sich auch bereit fand,
den alten Weiring in der Uraufführung der *Liebelei* darzustellen. Er
gehörte zur aristokratischen Generation des alten Burgtheaters, die
eine Rolle nicht spielte, sondern gab, deren Gestik sparsam pathetisch und deren Rhetorik ausgiebig heroisch wirkte.

Für das neue Burgtheater war ein Schauspieler wie Joseph Kainz
typisch. Die Rhetorik hatte sich ins Nuancierte, die Gestik ins Ner-
vöse verändert. Die neue Generation hatte zwar keine aristokratischen, aber nichtsdestoweniger elitäre Ambitionen. Der Schauspieler war wie der Dichter ein Einsamer, der das Schöne und Problema-
tische des Lebens in die Kunst übertrug und sich durch diesen Akt
vom Bürger, der Masse des Publikums distanzierte. Auch im Verkehr mit ihresgleichen blieben die Künstler stärker der Kunst als
dem Gleichgesinnten verbunden.

Die Beziehung Arthur Schnitzlers zu Joseph Kainz kam nur zö-
gernd zustande, obwohl beide das Bedürfnis hatten, einander näher-
zukommen. Kainz schrieb am 31. 12. 1906 als Antwort auf eine
Neujahrsaufmerksamkeit Schnitzlers: »Ich trage auch nicht mein
Herz auf meiner Zunge und hege eine Scheu, dem mir ernstlich Sym-
pathischen meine Gefühle zu verraten. Aber ich habe stets die Erfahrung gemacht, daß das Verwandte doch eines Tages sich nähern
muß, sich findet und dann fester zusammenhält als jene Dutzend-
freundschaften, die mehr durch die Wärme des Alkohols als die des
Herzens geschlossen werden . . . Ich glaube, wir sind füreinander
reif geworden . . . lassen Sie uns Freunde sein, nicht weil wir wollen,
sondern weil wir müssen.«

Die ästhetische Begründung genügte nicht. Schnitzler erklärt sein
Zögern mit *einer gewissen psych[ischen] Impotenz des Entgegenkommens.* Er verteidigt die Egozentrik nicht; indem er sie konstatiert, bedauert er sie auch nicht. Sie gehört zu den Bedingungen seines Lebens als Schriftsteller, der die Menschen kennenlernen, sich

selbst dabei aber nicht zu erkennen geben will. Die *Impotenz des Entgegenkommens* ist der Ursprung passiven Beobachtens. Die Menschen sind Material, das benutzt und ausgenutzt wird. Freundschaft kann nie Hingabe sein, immer bleibt ein Rest des Mißtrauens, selbst Material zu werden. Deshalb wird Zurückhaltung geübt.

Von selbst sucht Schnitzler die Bekanntschaft mit einem Autor, Kritiker oder Schauspieler selten. Meist wehrt er sich gegen Annäherungen und versteht es, seine Abwehr mit sarkastischer Brillanz zu formulieren. Auf seinen Reisen macht er keine unvorbereiteten Besuche bei Schriftstellern, in Direktionen oder Redaktionen. Er läßt sich – seit 1896 – das Interesse der Theater und Zeitungen entgegenbringen und wirbt nicht mehr selbst um die Gunst der Medien. Er läßt sein Werk wirken und tritt kaum selbst in Erscheinung. Vergleichsweise selten liest er aus seinen Schriften vor. Reden bei Festbanketts, bei Beerdigungen und anderen offiziellen Anlässen scheut er. Das Publikum lenkt er von seiner Person konsequent auf seine Veröffentlichungen ab. Es gelingt ihm um den Preis der Identifizierung; er wird mit seinen Figuren gleichgestellt. Er scheint eine Gestalt zu sein, gleich denen, die er schuf. Da Schnitzler das Verständnis seiner Werke nicht wie etwa Hofmannsthal oder Thomas Mann mit erklärenden Essays zu fördern sucht, sondern auf dem Standpunkt steht, das Werk erkläre sich selbst ausreichend – und täte es dies nicht, wäre es mißlungen –, kommt es zu Mißverständnissen seiner Intentionen.

Wenn die öffentliche Meinung, gebildet durch journalistische Deutungen, Schnitzler nicht als Kritiker seiner Zeit, sondern als frivol-blasierten Erotiker mißversteht, so nehmen die staatlichen Ordnungshüter sein Werk ernster. Seit Ludwig Anzengruber hat kein heimischer Schriftsteller in Österreich solchen Anstoß erregt wie Arthur Schnitzler. Seine erotischen und sozialen Satiren werden als pornographisch und lästerlich eingestuft und folglich mit Sanktionen belegt.

Arthur Schnitzler und das Burgtheater in den ersten zehn Jahren des internationalen Erfolges, von 1896 bis 1905 – das ist eine Geschichte des permanenten Skandals. Max Burckhard hatte Schnitzler ans Burgtheater gebracht, sein Nachfolger Paul Schlenther begab sich nicht in die Gefahr, bei Hof Schwierigkeiten zu haben. *Der grüne Kakadu* verschwand von der Bühne nach dem Einspruch einer Erzherzogin, *Der Schleier der Beatrice* wurde angenommen, aber nicht aufgeführt. *Zwischenspiel* endlich, fast auf den Tag genau zehn Jahre nach *Liebelei* uraufgeführt, zog bis zur Direktion Alfred von

Bergers keine weiteren Stückverträge nach sich. Erst nach 1910 hatte
das Burgtheater die Dramen Schnitzlers eingeholt und war damit
zeitgerecht geworden.

Die Skandale waren durch die Zensur gedämpft worden. Nur das
Erlaubte, also Gemäßigte wird aufgeführt. Eine andere Form des
Skandals war die Veröffentlichung des *Leutnant Gustl* in der *Neuen
Freien Presse.* Der Monolog war nicht zensuriert worden, und das
hatte Schnitzlers militärische Disqualifikation zur Folge. Der Staat
duldete keine Kritik an der Ordnung, die durch den Begriff der Ehre
über die technische Aufrechterhaltung hinaus moralisch geschützt
wurde. Dem militärischen Ehrbegriff entsprach der Begriff der
Scham auf sexuellem Gebiet. Beide durften in der Monarchie nicht
verletzt werden, blieben aber auch in der nachfolgenden Republik
als restaurative Tendenzen verbindlich. Der *Reigen* durfte aufgeführt werden, es gab keine Zensur mehr, aber genau das machte den
Skandal öffentlich und hatte gerichtliche Folgen. Die Skandale der
Monarchie waren in Grenzen geheim und privat gehalten worden.
In der Republik machte die propagandistische Süffisance völkischer
Kreise die Darstellung heterosexueller Beziehungslosigkeit zur angeblich obszönen Unsittlichkeit.

Schnitzler mußte mit der Öffentlichkeit in Konflikt geraten, weil
er die konventionellen Darstellungsformen des Sittlichen negierte
und ihre markierte Ehrlichkeit nicht übernahm. Er durchstieß die
Grenzen des Gefälligen und der vereinbarten moralischen und psychologischen Tabus. Die Wahrheit seiner Darstellung wurde als un-
sittlich verleumdet. Seine Kritik der Unsitte gefährdete das ständische Gefüge des Staates. Kritik war unanständig.

Max Burckhard hat das Problem gesehen und versuchte Schnitzler
zu bewegen, ihm auszuweichen. Schnitzler verzeichnet am 19. Mai
1896 im Tagebuch:

Burckhard sagte mir Liebenswürdiges über die »Überspannte Person«, setzt
aber hinzu: »Schreiben S' doch einmal was ganz anständiges, damit die Leut
nicht sagen können, Sie können nichts anderes. – Daß die L[iebelei] ein schönes Stück kann auch Ihr Feind nicht abstreiten, aber sie sagen: Wir werden
sehn, ob er auch was anderes kann. Und Sie könnens sicher – schreiben Sie
doch so was und schlagen S' ihnen so den Säbel aus der Hand. Ich sags ja auch
aus Egoismus!«

Schnitzler ging auf den Vorschlag zum Opportunismus nicht ein,
er verstand ihn auch nicht soziologisch, wie er gemeint war, sondern

ästhetisch. Seine soziale Ambition war ihm so selbstverständlich, daß er sie nicht reflektierte. Statt dessen faßte er Burckhards – der selbst nie bequem opportunistisch handelte oder schrieb – ironische Bemerkung als künstlerisches Ansinnen auf. Kunst und Kritik, Form und Inhalt waren für ihn untrennbar. Er schreibt weiter:

Fragte ich mich aufs Gewissen, so hat mich die Bemerkung Brkh. verstimmt – offenbar weil sie trifft und weil ich sie oft höre. – Und doch – können die Leute nicht zufrieden sein, wenn einer das was er schreiben will, auch im ganzen kann? Ist es für die Kunst nicht viel wesentlicher und vorteilhafter, wenn jeder in seinem noch so kleinen Gebiet möglichst vollendetes schafft, als daß jeder sich möglichst auszubreiten versucht und dadurch sein Talent verdünnt? – Außerdem ist es aber recht oberflächlich mir eine Begabung gerade fürs »Unanständige« zu vindiciren. –

In dieser Periode bis zum Ersten Weltkrieg glich sich die Einstellung der Wiener Öffentlichkeit an Arthur Schnitzlers Werk an. Die Konsolidierung war 1910 mit der Burgtheateraufführung des *Jungen Medardus* vollzogen, mit dem es Schnitzler seinem Publikum scheinbar leicht machte – der historische Stoff förderte einen trivialen Übereinstimmungsmythos. Man war bereit, Schnitzler zu akzeptieren. Man konnte mit dem jährlichen neuen Werk rechnen. Schnitzler bekam in diesen Jahren die für Dramatiker üblichen Preise. Die Presse integrierte sein Werk. Sie wollte auch ihn selbst vereinnahmen, wie es ihr mit Bahr, Burckhard, Herzl, Salten und vielen anderen gelungen war. Aber Schnitzler ließ sich nicht durch Angebote der *Neuen Freien Presse,* des *Neuen Wiener Journals* oder der *Zeit,* journalistisch und theaterkritisch mitzuarbeiten, neutralisieren. Er wurde nie Feuilletonist. Sein Umgang mit den Zeitungen beschränkte sich auf Beiträge zu den Festtagsbeilagen, auf Richtigstellung falscher Meldungen, auf wenige Interviews.

Die wachsende öffentliche Anerkennung entsprach einer Verbürgerlichung auch im Privaten. Er bekam Familie. Die Etablierung endete vorläufig 1910 mit dem Kauf eines Hauses. Die Auflösung der Ehe (1921) stellte die produktive und asoziale – dabei nicht verantwortungslose – Egozentrik wieder her, immer mit der Scheu vor der Öffentlichkeit des Privaten gepaart.

Im April 1903 verläßt Arthur Schnitzler plötzlich Wien, fast ohne Ziel. Er fährt nach Linz, nach Gmunden, ist vier Tage später wieder in Wien. Der Anlaß: Der *Reigen* war im Wiener Verlag erschienen. Der Streit der Meinungen, gemischt aus Dummheit, Prüderie, Heuchelei war Schnitzler so zuwider, daß er die räumliche Distanz suchte. Der Grund: Schnitzler interpretiert sein Verhalten, das zu dieser Reise führt, als eine Art von Verfolgungswahn. Es ging dabei nicht darum, ob die Stimmen über den *Reigen* für oder gegen das Werk waren. Es genügte, daß sie sich überhaupt erhoben. Der Zwiespalt zwischen notwendiger Wirkung und feuilletonistischer Rezeption, der Wunsch nach dem Leser und der Abscheu vor dem Journalisten wurde von Schnitzler ständig gefühlt und reflektiert und sollte sich zu einer Studie über die Möglichkeiten und Grenzen der Kritik ausweiten, zu deren Ausführung es aber nicht gekommen ist.

Arthur Schnitzler war kein Theatraliker, spielte sich in der Öffentlichkeit nicht auf. Und er war kein Esoteriker, er entzog sein Werk nicht der Veröffentlichung. Die Mitte zwischen Popularität und Seriosität, zwischen Publizität und Intimität zu finden, war das Problem dieser Jahre. Es ist das Problem des Schriftstellers, der jenseits von Dilettantismus und diesseits von Spekulation seine Wahrhaftigkeit in ein kritisches Verhältnis zur Wirklichkeit seiner Zeit bringen will.

Immer schon war Arthur Schnitzler gern gereist. Er versäumte keine Premiere eines seiner Dramen bei Otto Brahm in Berlin. Die Sommeraufenthalte in Bad Ischl, Payerbach-Reichenau, auf dem Semmering waren obligatorisch. Ausgedehnte Fahrten, zum Teil mit dem modischen Bicycle, führten ihn durch das nähere Ausland (Italien, Schweiz, Süddeutschland). Das fernere, Frankreich und England, war das Ziel von Studienreisen. Die Reise, die sich ein Schriftsteller der Jahrhundertwende schuldig war, mußte nach Skandinavien gemacht werden. Zu Beginn seiner Periode als arrivierter Schriftsteller – 1896 – machte auch Schnitzler seine Nordlandfahrt, die Reverenzbesuche bei Ibsen und Brandes. Später folgten Familienaufenthalte an der See in Dänemark und an der Adria. Außerhalb Europas ist er nur im Rahmen mediterraner Schiffsreisen gewesen. Nach Rußland und Amerika, den Ländern, in denen sein Werk am meisten wirkte, kam er nie.

Auf Reisen sein – das war eine (kostspielige) Lebensform, die den Eindruck der Unabhängigkeit und das trügerische Gefühl der unbegrenzten Möglichkeit vermittelte. Krieg und Nachkrieg schlossen diese Epoche ästhetischen Lebensstils ab. *Unsere schönen Reisen – wie offen lag die Welt!*, klagt Schnitzler am 16. August 1920 in einem Brief an Georg Brandes.

Der Krieg änderte das Leben und die Einstellung zum Werk. Der Krieg machte die Gegenwart der Themen, Stoffe und Motive zur

Vergangenheit. Alles, was Schnitzler künftig schrieb, war rückwärts
gewandt, beschrieb eine abgeschlossene, wenngleich nicht erledigte
Vorkriegszeit. Alles, was er schrieb, war rückbezüglich. Nicht nur
seine Gestalten lebten ab nun in der Vergangenheit, auch er selbst
überblickte das gewesene Leben. Aus dem Tagebuch wurden Erinnerungen. Die Kriegszeit ist eine Zeit der Selbstbesinnung. Die Autobiographie entsteht, die Fragment blieb. Die Vergangenheit
wurde seine Zukunft.

Er arbeitete nicht mit dem Rücken zur Gegenwart, seine Kriegs-
analyse ist wichtig wie die der »Fackel«. Die Problematik von Masse
und Macht wird von ihm wie nur noch von Karl Kraus erkannt. Er
geht dabei immer individualpsychologisch vor. Der einzelne
Mensch ist ihm wichtiger als jegliche Abstraktion. Er weiß, daß die
Kriegsterminologie ein Teil der Herrschaftssprache ist, der der Tod
genehmer ist, weil er als »Heldentod« apostrophiert werden kann,
als das Weiterleben von Invaliden, die sich propagandistisch nicht
ausnutzen lassen.

Man sagt, er ist den schönen Heldentod gestorben. Warum sagt man nie, er
hat eine herrliche Heldenverstümmelung erlitten? Man sagt, er ist für das Vaterland gefallen. Warum sagt man nie, er hat sich für das Vaterland beide
Beine amputieren lassen?
(Die Etymologie der Machthaber!)
Das Wörterbuch des Krieges ist von den Diplomaten, den Militärs und den
Machthabern gemacht. Es sollte von denen richtiggestellt werden, die aus
dem Krieg heimgekehrt sind, von den Witwen, den Waisen, den Ärzten und
den Dichtern. *(Über Krieg und Frieden)*

Schnitzler wird nie den einzelnen in der Masse aufgehen lassen.
Das unterscheidet seine Nachkriegsarbeiten von den theatralischen
Solidaritätsparolen und Erneuerungschören der jungen Dichterge-
neration, die selbst im Krieg gewesen war. Aber seine eigenen typo-
logisch-theoretischen Überlegungen, die er im Nachkriegsjahrzehnt
veröffentlicht, bringen ihn in die Nähe ähnlicher Verallgemeinerungen und dramaturgischer Konzeptionen der Jüngeren, die ihn im
Hinblick auf die Manifeste und Wertskalen des literarischen Expressionismus nicht als so unmodern erscheinen lassen, wie es zeitgenössische Kritiker wahrhaben wollten. Schnitzlers Werk war auch in
dieser Periode nicht unzeitgemäß. Er versuchte vielmehr, das neue
Medium, den Film, für seine künstlerischen Intentionen nutzbar zu
machen.

So wie es für Schnitzler selbstverständlich war, die technischen
Neuerungen sofort auszunutzen – er war einer der ersten Bicyclisten
des literarischen Freundeskreises gewesen; er *autelte* gern (so be-
zeichnete er seine motorisierten Exkursionen); er scheute es nicht,
von eben eingeführten Passagierflügen auf der Strecke Wien-Vene-
dig Gebrauch zu machen; das Telephon gehörte bald nach dessen
Einführung zu seinen Verständigungsmitteln; daß Friedrich Hofreiter in *Das weite Land* Glühbirnen fabriziert, paßt hierher –, so verfolgte er mit Interesse die Entwicklung des Films, besuchte dessen
Anfänge, die Panoramen im Kaiserpanorama am Stubenring und
war in seinen letzten Lebensjahren öfter im Kino als im Theater.

Der Film brachte ihm auch den Erfolg, den ihm das Theater nach
dem Krieg außerhalb Wiens versagte. Die Filme nahmen Dramen
oder Novellen als Vorlage des Drehbuchs, das Arthur Schnitzler
meist selbst mithalf zu erarbeiten. Zur Ausführung originärer Filme
– Pläne und Entwürfe liegen vor – kam es nicht mehr.

Das letzte Jahrzehnt seines Lebens war nicht frei von Reminiszen-
zen an frühere Lebensepochen, was sich in dem systematischen stati-
stischen Aufarbeiten der Tagebücher nach Daten und Charakteristi-
ken von berühmten Bekannten niederschlägt. Aber so rückwärts gewandt, und vergangenheitsbezogen wie die Kriegszeit waren die
zwanziger Jahre nicht mehr. *Reigen*skandal, der Erfolg mit *Fräulein
Else* und den Filmen, mit den regelmäßig erscheinenden großen Erzählungen und dem Roman *Therese* hielten das Interesse der Öffentlichkeit wach.

Obwohl von einem sich ständig verschlimmernden Ohrenleiden
geplagt, über das er seit den neunziger Jahren klagte, vereinsamte er
nicht. Verleger, Übersetzer, Theaterdirektoren, Wissenschaftler
suchten den Kontakt mit ihm. Es verging kein Tag ohne Besuche
und Verabredungen. Seine Korrespondenz war unermeßlich.

Die Auflösung der scheinbaren Ruhe und Konsolidierung des privaten Lebens der Vorkriegszeit beunruhigte die späten Lebensjahre.
Schnitzler reiste mehr als früher, mit der heranwachsenden Tochter,
(die neunzehnjährig, kurz nach ihrer Heirat Selbstmord beging), mit
der schwierigen Freundin der letzten Zeit: Clara Katharina Pollaczek; zum Sohn, der in Berlin bei Leopold Jessner engagiert war, zur
geschiedenen Frau nach Baden-Baden und zu gemeinsamen Zusam-
menkünften im Sommer. Finanzielle Sorgen vergällten die letzten
Wochen.

Das Ungenügen am eigenen Werk blieb bis zum letzten Tag und
hatte sich immer stärker ins mühsame Beenden, vielfältige Planen,

Entwerfen und Verwerfen, Ändern und Umarbeiten fortgesetzt.
Das Leben löst sich ins Werk auf, dessen Reflex unendlich gebroche-
ner Erlebnisse und Erfahrungen sich vom biographischen Detail
weit entfernt.

NOTIZEN ZUM WERK

Arthur Schnitzlers Alterswerk klingt scheinbar pessimistisch aus.
Wenige Tage vor seinem Tod erschien *Flucht in die Finsternis*, die
Erzählung von Verfolgungswahn und Brudermord. Der Wahnsinn
der Hauptfigur Robert besteht darin, daß er das Gedachte als getan
annimmt, daß er zwischen Gewünschtem und Ausgeführtem, zwischen Tatsächlichem und Imaginiertem nicht mehr zu unterscheiden
vermag. Durch den Verlust des Gedächtnisses rückt die Auflösung
des Unterscheidungsvermögens immer näher an die Gegenwart
heran und führt zur Katastrophe.

Damit endet Schnitzlers erzählendes Werk, sofern es zu Lebzeiten
veröffentlicht wurde. Aber *Flucht in die Finsternis* ist keineswegs die
letzte Erzählung, die er beendet hat. Sie wurde vielmehr schon während des Ersten Weltkrieges geschrieben; aber erst 1931 wagte es der
Autor endlich, die psychologisierende Darstellung eines extrem pa-
thologischen Falles zu veröffentlichen. Sie gehört in den Umkreis
von Themen und Motiven, die Schnitzler selbst unter dem Titel *Die
Alternden* zusammengefaßt hat. Seine letzten Erzählungen aber tragen einen anderen, versöhnlichen Charakter. Der »Flucht in die Finsternis« wird ein begründeter und hoffnungsvoller »Weg ins Freie«
gegenübergestellt, der sich in dem Sammeltitel eines späten, des letzten Bandes der *Gesammelten Schriften* (1928) kundtut: *Die Erwachenden*. Die Zeit der Dämmerseelen und der Resignierenden findet
in *Therese* letzte und umfangreichste Darstellung, aber doch so differenziert, daß man Thereses Leben nicht eindeutig als einen schuld-
haften Weg zum Tode auffassen dürfte.

Immer breiteren Raum gewinnt im Spätwerk Schnitzlers die
Hoffnung. Die Lösung von Problemen einsamen und gemeinsamen
Lebens – und sei sie noch so vorläufig, noch so empfindlich balan-
ciert, noch so schwebend und wenig stabil –, sie wird gesehen und
versucht. Die Erwachenden beginnen ihr eigenes Leben zu leben,
ohne sich den moralischen und konventionellen Zwängen zu unter-
werfen, die sie früher beengt und gehemmt hätten. Sie versuchen, die
sozialen und politischen Gegebenheiten für ihre Selbstverwirkli-

chung oder das, was sie darunter verstehen, auszunutzen. Sie versuchen, sie selbst zu werden, sich mit ihren Entscheidungen und Taten
zu identifizieren, sie zu verantworten, und sei es als Protest gegen
Konventionen, gegen Spielregeln und Vorbeugungen der Umwelt,
indem sie sich selbst töten. Sie versuchen, inmitten einer unfreien
und grotesk geordneten Lebenssphäre Ansätze unbestimmter und
nur geahnter, noch nicht bewußter, doch auch nicht erzwungener
oder gelenkter Entschlüsse zu erkennen zu geben. Sie versuchen,
Möglichkeiten zu verwirklichen, zu denen sie sich bekennen und
von denen sie glauben, daß nur sie ihnen entsprechen.

Die meisten dieser Versuche enden zwangsläufig mit dem Tod.
Das Fräulein Else vermag es noch nicht, sich den Befangenheiten
und Verstörungen, die ihre »höhere Töchter«-Gefühle erniedrigen,
anders als durch Selbstmord zu entziehen. Aber die monologische
Verzweiflungsbefreiung *Fräulein Else* (1924) muß kontrapunktisch
neben die Erzählung gestellt werden, die zur selben Zeit (1923) entstand, als nächstes Buch (1925) erschien und die unter den Werken
Arthur Schnitzlers bisher die geringste Aufmerksamkeit gefunden
hat, obwohl sie heute raschen Zugang zu Schnitzler vermitteln
könnte: *Die Frau des Richters*. Raschen Zugang deshalb, weil die Beziehung zwischen Sexualität und Macht, zwischen Emanzipation
und Unterwerfung in dieser Erzählung zeitgenössischen Diskus-
sionsthemen nahe kommt. Die Frau des Richters – ihr Name bleibt
im Titel ungenannt, so daß ihr Verhalten eher paradigmatisch als in-
dividualistisch gedeutet werden mag – entscheidet sich gegen ihren
Mann, gegen die Ehe, gegen die öffentliche Meinung für den Fürsten, dessen Geliebte sie werden will. Für den ersten Blick ist das Befreiung aus der Konvention, freiwillige Entscheidung, wenn auch
noch so umständlich – weil ungeübt – wie möglich zum Ausdruck
gebracht:

So wünsche ich mir denn, von meinem Durchlauchtigsten Herrn und Herzog als Gärtenmägdlein erwählt zu werden – und wenn es meinem Herrn
nicht gefällt, mich sofort mit sich nach Karolslust zu nehmen, so erbitte ich
mir, unter seinem Schutz unverzüglich an irgendeinen andern sichern Ort gebracht zu werden, um auch nicht eine Stunde länger in diesem Hause, an der
Seite dieses Mannes, der mein Gatte war, weiter leben zu müssen.

Nicht ihren Mann zu verlassen, dessen klägliche Würde und op-
portunistische Unterwürfigkeit dies hinlänglich erklärt haben
würde, ist das Motiv ihrer Bitte, sondern Maitresse zu werden. Es ist
ein libidinöser und kein libertinistischer Wunsch. Die Frau des

Richters ist bereit, eine von vielen Geliebten des Herzogs zu werden, und begibt sich in eine Abhängigkeit, in der willkürlicher über sie verfügt werden kann als innerhalb der konventionell-moralischen Formen, die sie als erste zugunsten der absolutistischen Tradition des fürstlichen Harems im Kleinstaat durchbricht. Diese Entscheidung verschafft vielleicht ihr selbst Befriedigung oder Zufriedenheit, die psychologische Befreiung, die in der Erzählung nicht ausdrücklich oder endgültig formuliert wird – der Erzähler entspricht eher den dumpfen Vorstellungen der Bewohner des Kleinstaates als den Regungen der Titelfigur, die er sich hütet zu interpretieren – bedeutet zugleich eine Vertiefung der Kluft zwischen Herrscher und Kleinstaatsbürgern, die durch ihr untertänig loyales Verhalten vereinzeltes Revoluzzertum neutralisieren. Dadurch, daß die Frau des Richters Freiwilligkeit demonstriert, kommt der Herzog, der aufgeklärt regieren wollte, auf die absolutistische Tradition, Willkür auszuüben, zurück. Im Unterschied zu den anderen Untertanen empfindet die Frau des Richters ihr Leben nicht determiniert, sie bestimmt es selbst, und damit wird Emanzipation zum Werkzeug politischer Reaktion. Die subjektive Lösung eines Problems kompliziert das soziopolitische Syndrom in der Zeit vor der Französischen Revolution.

Arthur Schnitzler verweigert sich im Spätwerk unproblematische Resultate. So banal die Selbstbefreiungsversuche seiner Figuren angelegt sind, so oft enden sie letal. Der Selbstmord, der in *Frau Beate und ihr Sohn* (1913) von den beiden Titelfiguren noch als Sühne konzipiert ist, wird von Fräulein Else (zehn Jahre später) als Rache verstanden, während Aurelie und Falkenir in *Komödie der Verführung* (1924) ihn als einzige Möglichkeit der Versöhnung akzeptieren. Selbstmord bedeutet nicht nur Reaktion auf eine ausweglose Situation, er kann von den Gestalten Schnitzlers auch als bewußte Entscheidung und freiwillige Aktion begriffen werden, als Verfügung über die eigene Person, die unabhängig von äußeren Repressalien getroffen wird. Selbstmord kann als Selbstbestimmung und nicht nur als Selbstverlust gedeutet werden. Er kann aus einem bewußten Selbstverständnis hervorgehen (wie bei Sala in *Der einsame Weg*) – im Unterschied zur trotzigen mörderischen Selbstbehauptung der Alternden (Hofreiter in *Das weite Land*, Casanova). Daß der Tod Befreiung bedeuten soll, wird widerlegt dadurch, daß er immer Beendigung ist, ein Ziel, kein Weg. Das Spätwerk Arthur Schnitzlers, das nach der Krisenzeit zwischen fünfzigstem und sechzigstem Lebensjahr, in denen das Problem des Alterns in den Mittelpunkt

rückte, etwa ab 1923 anzusetzen ist, konzentriert sich auf Lösungen
psychischer Verknotungen und moralischer Zwänge, bemüht dabei
eine zuvor nicht forcierte Vielfalt der schriftstellerischen Möglichkeiten (zu dramatischen und erzählenden Darstellungsweisen kommen aphoristische und theoretische Formen). Das Abenteuer zum
Beispiel verliert seinen bisher als determiniert (auch wenn es zufällig
schien) definierten Charakter. Es gewinnt eine therapeutische Funktion (wie in der *Traumnovelle*) oder löst sich in eine fast schon
selbstverständliche Form augenblicklichen Lebens und momentaner
Gemeinsamkeit auf, jenseits von Vorurteilen und Problemen der
stickigen Luft der Jahrhundertwende. Das Unbedenkliche – früher
als leichtsinnig oder zerstörerisch und schuldhaft empfunden – gewinnt die Dimension des Harmlosen und Verantwortungsfreien.
Diese Einstellung stiftet noch Verwirrung, aber nicht mehr Verstö-
rung in Schnitzlers letztem vollendetem Schauspiel *Im Spiel der Sommerlüfte*. Enthemmung ist hier ein natürlicher Vorgang und nicht,
wie früher in *Der grüne Kakadu* eine krampfhaft und künstlich her-
beigeführte Perversion; oder ein triebhafter Zwang wie im gewaltsa-
men *Ruf des Lebens*.

Vorformen einer selbstverständlichen und selbstsicheren Einstellung zum eigenen Leben hatte Arthur Schnitzler in der Gestalt der
Anna Rosner im Roman *Der Weg ins Freie* dargestellt. Anna Rosner
bekennt sich zu ihrem Leben mit Georg von Wergenthin, ohne das
Zusammensein von einer Ehe abhängig zu machen. Sie akzeptiert
seine moralische Trägheit bezüglich einer Legalisierung des Verhältnisses, die einer Mesalliance gleichkäme, die aber nicht unmöglich
wäre. Nach der Totgeburt ihres Kindes wird die Bindung aneinander schwächer. Schnitzler stellt den Versuch einer Befreiung *voneinander* dar, im Unterschied zur Bewegung *zueinander*, die er außer in
der *Traumnovelle* vorher in ähnlich intensiver Weise in *Der blinde
Geronimo und sein Bruder* vorgeführt hatte. Anna Rosner ist passiv-
aktiv in der Ablehnung einer Fortsetzung des Verhältnisses. Georg
von Wergenthin verhält sich umgekehrt aktiv-passiv. Trotz seines
plötzlichen Aktivismus möchte er sich weiter gleiten lassen und
nicht eine Beziehung abbrechen, die sich bequem ferner hindehnen
lassen könnte. Sein » Weg ins Freie« ist ein trügerischer Karrierebe-
ginn, er muß nicht aufwärts führen, er kann auch in endloser Pro-
vinzroutine versanden. Doch das ist nicht vorherbestimmt und nicht
unausweichlich.

Das Unausweichliche wird im Alterswerk Arthur Schnitzlers
noch stärker gemildert, als dies in *Der Weg ins Freie* angedeutet wor-

den und im Frühwerk überall schon als Wunsch und Intention vorhanden war. Man will aus den Verhältnissen herauskommen, aus den erotischen und aus den sozialen. Es gelingt nicht. Man bezahlt es mit dem Leben oder mit dem Verstand.

Die Konventionen des sozialen und sexuellen Arrangements bestimmen das, was als normal bezeichnet wird. Alles Abweichen von den vorgeschriebenen und ausgemachten Regeln ist ein Abweichen von der Normalität. Die Flucht aus dem normierten gesellschaftlichen Leben führt in den Wahnsinn.

Wahnsinn ist im frühen Werk Arthur Schnitzlers nicht psychologischer, sondern soziologischer Terminus. Er bezeichnet den fortgeschrittenen Grad der Unfähigkeit, sich den geltenden Übereinkünften anzupassen. Der Wahnsinnige ist abnormal, weil er unkonventionell ist. Sein Wahnsinn wird ihm von der Gesellschaft, die nach den Regeln lebt, als Strafe für sein individuelles, atypisches Verhalten auferlegt. Der Wahnsinn ist im Frühwerk Ausdruck für Dummheit, ein eigenes Leben ohne Übereinstimmung mit der grob generalisierten Meinung zu führen. Bevor Schnitzler (vor allem in *Flucht in die Finsternis*) den Wahn als psychopathologische Kategorie verwendet, ist Wahnsinn ein Schlagwort, mit dem die typischen Vertreter der Konformität die Ehrlichen und Wahrhaftigen zu treffen meinen. Wahnsinn ist Synonym für Empfindsamkeit, Überspanntheit. Die Konformität ist dabei nicht das Bequeme oder Vernünftige oder Echte. Nicht der Duellant gilt als wahnsinnig, sondern der, der nicht bereit ist, sich zum Zweikampf zu stellen und sein Leben dabei aufs Spiel zu setzen. Der Leutnant Gustl bezeichnet sich nicht als wahnsinnig, weil er glaubt, sich umbringen zu müssen, sondern weil er einen Moment lang vergessen zu haben schien, daß er sich umbringen muß:

ich möcht' lieber in Galizien alt und grau werden, als daß... als was? als was? – Ja, was ist denn? was ist denn? – Bin ich denn wahnsinnig, daß ich das immer vergeß? – Ja, meiner Seel', vergessen tu' ich's jeden Moment... ist das schon je erhört worden, daß sich einer in ein paar Stunden eine Kugel durch'n Kopf jagen muß, und er denkt an alle möglichen Sachen, die ihn gar nichts mehr angeh'n?

Andreas Thameyer schreibt seinen letzten Brief, um nicht für wahnsinnig zu gelten, weil er an die Treue seiner Frau glaubt. Er bringt sich um, um zu beweisen, wie normal er ist:

... oder ihr würdet gar sagen: »Thameyer ist wahnsinnig.« Nun ist euch das genommen, meine Verehrten, ich sterbe für meine Überzeugung, für die Wahrheit und vor allem für die Ehre meiner Frau.

Veranlagung zur Promiskuität, wie sie »die Braut« in der gleichnamigen *Studie* nicht zurückdrängen will, gilt als Wahnsinn:

Der Gedanke, daß er ihm am Ende genügen, daß mit seinem Besitz ihr Wahnsinn gemildert, gestillt sein könnte, war ihr zu einer kindischen Erinnerung geworden, aber gestehen wollte sie's ihm, ihm sagen: Ich bin nicht geschaffen, deine brave Hausfrau zu werden, laß mich frei.

Wahnsinn ist es aber auch, wenn die Geliebte dem Liebhaber treu bleiben und also nicht mit dem Ehemann schlafen will, um ihn als Vater ihres Kindes zu fingieren *(Die überspannte Person)*.

Nach der Jahrhundertwende verwirrt sich den Gestalten Schnitzlers der Sprachgebrauch. Er gewinnt z.B. die umgekehrte Bedeutung: es wäre wahnsinnig, wenn man nicht so leben wollte, wie es einem gemäß erscheint, wie man gern leben möchte, wenn man nicht das Glück ergreift, das sich bietet. So meint es Amadeus *(Zwischenspiel)*:

... aber wir haben uns entschlossen, das Leben leicht zu nehmen, frei zu sein und jedes Glück zu ergreifen, das uns entgegenkommt. Sollten wir wahnsinnig sein oder feig und vor dem höchsten zurückweichen, das sich uns bietet?...

Dem Offizier Albrecht *(Der Ruf des Lebens)* kommt das Gelübde des Regiments (aus welchem Grund auch immer), daß keiner lebend aus dem bevorstehenden Feldzug heimkommen werde, närrisch vor:

Du weißt, Max, mein Leben stand schon mehr als einmal auf eines Säbels Spitze, wiegte sich auf dem Hals eines wilden Pferdes oder sprang mit den Würfeln aus dem Becher, und ich glaube, in jedes Bahrtuch, das eigene Narrheit webte, hätt' ich mich lustig wie zu einem Mummenschanz gehüllt... aber diesmal – diesmal...

Hier ist Wahnsinn, sein Leben aufs Spiel zu setzen, aber Albrecht bekennt sich dazu, sofern eigener Wille und eigene Lust dahinter stehen und nicht der abstrakte Ehrbegriff eines Regiments.

Die verschiedene Bewertung des Wahnsinnszustandes in diesen beiden Beispielen hat den Bezug auf die Vorrangigkeit individueller, eigenwilliger Lebensweisen gemeinsam. Und dies entspricht der Entwicklungstendenz des Werks Arthur Schnitzlers: von der Darstellung des Gegensatzes typischer und atypischer Lebensformen zur Rechtfertigung freiwilliger Entscheidungen und eigenständiger Lebensweise; von der Konventionstypologie, den Dämmerseelen und Puppenspielern über die überstürzte und zweifelhafte Flucht ins Freie der Jungen und das verzweifelte Festhalten der Alternden an der Illusion der Jugendlichkeit zur Menschwerdungs-Konzeption der Erwachenden.

Die Beschäftigung mit Arthur Schnitzler ist nie erstarrt, aber allzuoft in den gleichen ausgefahrenen Geleisen geblieben. Der Kreislauf um den richtigen Mittelpunkt führt zu nichts. Diese Notizen sollen anregen, die Diskussion weniger beachteter Werke einzuleiten und die Beurteilung der bekannten schärfer zu profilieren. Die einzelnen Motive des Werks lassen sich nicht wie Mosaiksteinchen zu einem geschlossenen Bild zusammensetzen. Schnitzler war nicht in dem Sinn Formalist, daß er die Endlosigkeit, den ewigen Reigen, den entwicklungslosen Leerlauf hätte darstellen wollen. Vom ersten Werk an bleiben dargestellte Zeit und vorgeführter Raum fast immer gleich: das Wien der Jahrhundertwende. Historische und phantastische Abschweifungen führen immer wieder zurück. Aber die Figuren, die in diesem Raum und in dieser Zeit auftreten, verändern sich von moralistischer Thesenhaftigkeit der frühen neunziger Jahre zu gestalteter ethischer Haltung im Spätwerk. Das literarische Interesse verlagert sich vom Sozialen zum Psychischen, wobei das Erotische häufigstes Thema bleibt.

Arthur Schnitzler begann damit, Schwächen der Kommunikation und der Figurenkonstellation aufzudecken. Der moralische Zeigefinger ist bald erhoben. Alles wird für den schreibenden Arzt zum Fall, die Gestalten werden vom Problem her gesehen und verhalten sich typisch. Thesen werden aufgestellt und im Verlauf der Handlung bestätigt oder widerlegt. Nach der Jahrhundertwende beginnen die Gestalten, die Probleme, von denen sie ausgegangen sind, aus ihrem Bewußtsein zu verdrängen. Moralische Bedenken werden vom Autor nicht mehr ausdrücklich formuliert. *Frau Berta Garlan* endet noch mit einer Überzeugung. *Der Weg ins Freie* vermittelt noch Standpunkte; sie widerstreiten einander, jede, anfangs noch vorhandene Gemeinsamkeit löst sich am Ende auf. In der späten Prosa ist alles Theoretisieren und Moralisieren unerheblich geworden. Möglichkeiten des Lebens und Zusammenlebens werden nicht mehr egalisiert oder schematisiert. *Der Sohn* war der Bericht eines Arztes

über einen Muttermord als Fall. *Therese* ist der Lebenslauf einer
Frau, der sich nicht von Schuld und Mord her allein deuten läßt, der
keine tiefenpsychologische oder moralphilosophische Theorie belegt, der nicht als Fall aufgeschrieben wurde, sondern *Chronik* sein
will, genau beschriebenes einzelnes Leben mit seinen Schwankun-
gen zwiespältigen Glücks und stets auf neue bestätigter Hoffnungs-
bereitschaft und Enttäuschung.

Das Frühwerk vor dem *Anatol* entzieht sich kritischer Wertung,
da es fast zur Gänze epigonale Klitterung der Gymnasialbildung,
versetzt mit Erlebnisfiktionen ist; es sagt mehr aus über die Bil-
dungssituation der Zeit als die individuellen Möglichkeiten des Autors. Der Dreizehnjährige schreibt am 11. Juni 1875 einen gereimten
Dialog, ein Zwiegespräch, das er mit Homer *Am Tore der Unterwelt*
führt und das mit den Worten schließt:

Homer: Wie stehts mit der Dichtkunst jetzt auf der Erd?
Ich: Ach, – Freund, es ist der Lauf der Welt,
Die Journalistik, die will Geld,
Und gibt mans ihnen nicht in Zehn-Gulden-Scheinen
Dann verreissen sie allsogleich einen.
Es ist eine hundsverfluchte Meute
Doch einige sind recht gescheite Leute.
Von den Dichtern sind Mosenthal, Wilbrandt zu nennen
Auch Weilen und Lindau musst du kennen.
(Es läutet)
Homer: Jetzt muss ich dich um Entschuldigung bitten.
Zum Souper hats eben gelitten.
Ich: Ein andres Mal, wenn du erlaubst, stell ich mich wieder ein.
Homer: Es wird mir die grösste Ehre sein.
Ich: Jetzt lebe wohl, guten Appetit!
Das nächste Mal bring ich meine Werke mit.

Die Lyrik des jungen Schnitzler erinnert an Uhland, Lenau, Eichendorff, immer wieder Heine, und an die Zeitgenossen der achtziger Jahre (Heyse und noch Geibel).

Alkandi's Lied von 1889, ein Einakter in Versen, ist überladen mit
überkommenen Philosophemen, läßt aber doch schon die Bedeutung erkennen, die der Traum in späteren Werken haben wird, und
bildet so eine Brücke zur barocken und biedermeierlichen Tradition,
die den Traum als Erlebnisersatz und Vorwegnahme des wirklichen
Lebens anbietet.

Die *Anatol*-Einakter stehen in einer anderen Tradition, und zwar
der französischen, zeitgenössischen Boulevard-Komödien, die

Schnitzler häufig im Carltheater, dem Theater an der Wien, dem Deutschen Volkstheater und dem Theater in der Josefstadt (auch das Burgtheater verschmähte sie nicht) zu sehen bekam. Die Anschauung ergänzte er durch die Lektüre der modernen Franzosen (Catulle Mendès, 1841-1909, zum Beispiel). So entstanden Dialogstudien über Melancholie und Langeweile des Lebemannes, dessen Selbstbespiegelung zwar, dessen Frauenverachtung aber noch nicht reflektiert und ironisiert wird.

Der Dichter des *Anatol* deutet soziale Unterschiede schon mitleidig an. Deutlicher ist die Erzählung *Der Fürst ist im Hause* (1888): das gesellschaftliche Ereignis ist wichtiger als der Todesfall eines im Ensemble Mitwirkenden. Der Devotionsmechanismus funktioniert, der Fürst wird aus Rücksicht auf seine Anwesenheit falsch über den Unglücksfall informiert. Die Distanz zwischen Fürst und Flötist wird beschrieben und kann als soziale Anklage verstanden werden, die in den nächsten Werken als erotisch-soziale Problematik wirksam wird, ebenfalls in der Theatersphäre *(Das Märchen, Freiwild)*. Das soziale Gefälle vom Parkett zur Rampe wird als erotische Diskriminierung deutlich. Dieses Gefälle vom bürgerlichen – männlichen – Publikum zu den Schauspielerinnen, deren Emanzipationsbedürfnis vielleicht ernst genommen, aber dennoch nicht akzeptiert wird, setzt sich außerhalb des Theaters in die Distanz zwischen Erstem Wiener Gemeinde-Bezirk und Vorstadt um. In einander ergänzenden Variationen wird verschiedenes Verhalten der erotischen Begegnung, das sich immer sozialtypisch bestimmen läßt, als Spielregeln, die zu Lebensregeln geworden sind, vorgeführt. Dabei wird die Einbeziehung des Gefälles zunehmend weniger wichtig, Verantwortungs- und Beziehungslosigkeit werden von der soziologischen auf die psychologische Darstellungsebene verlagert und verlieren dadurch ihren standestypischen Charakter. Dieser wird aber weiterhin auf historischer Ebene durchgespielt.

1897 entsteht mit *Paracelsus* das erste historisierende Werk nach den Jugend-Versuchen. Es ist ebenso wie die nachfolgenden *(Der grüne Kakadu, Der Schleier der Beatrice, Der Ruf des Lebens, Der junge Medardus* usw.) nicht um der Historie willen geschrieben worden; es sind nicht Kostümstücke, die alles Interesse auf die dargestellte Vergangenheit konzentrieren. Sie sind auch nicht kulturhistorisches Bildungstheater, sondern die Geschichte ist Metapher für einen modernen Zustand. Die Geschichte wird nicht zum Vergleich herangezogen, sie steht statt der Gegenwart. Für Schnitzler ist das Historische nicht so wie für Grillparzer Bedingung des Dramatischen überhaupt. Nur in unscheinbar gehaltenen Nebenszenen oder in der Prosa wurde Grillparzer zeitgenössisch. Das hat seinen Grund in dem Mißverständnis der nachklassischen Zeit, daß das Historische Podium des Erhabenen sein müsse; ein Mißverständnis, dessen Aufhebung Grillparzer selbst dadurch vorbereitete, daß er die historischen Figuren vom Kothurn herunterholte und sie so menschlich ahistorisch zeigte, daß sie Gestalten der Gegenwart hätten sein können. Diese Tradition setzt Schnitzler mit seinen historischen Stükken fort. In der Prosa fand er erst spät und nur vereinzelt zur Gestaltung historischer Stoffe, wenn man von den Legenden und sagenhaften Novellen wie *Die Hirtenflöte* absieht. Der theatralische Reiz des Kostüms kommt der dramatischen Vermittlung gegenwartsbezogener Intentionen des Autors näher. Historische Bildung setzte Schnitzler nicht voraus. Paracelsus ist ein pseudohistorischer Prototyp des Seelenarztes, die Französische Revolution zieht mit ihren tatsächlichen Geschehnissen hinter der Bühne vorbei, Cesare Borgia *(Der Schleier der Beatrice)* und Napoleon *(Der junge Medardus)* treten nicht auf. Die auf sie bezogenen Vorgänge sind nicht von ihnen abhängig. Sie sind Projektionen auf der historischen Kulisse, vor deren Vergangenheit sich das psychoanalytische Spiel von Traumbetrug oder Tattraum begibt. In den historischen Dramen (besonders in *Der Ruf des Lebens* und *Der junge Medardus*) hatte Arthur Schnitzler Einzelschicksale mit dem Leben einer Menge, eines Volkes verknüpft. In den Theaterstücken mit zeitgenössischen Themen blieb er bis zum *Professor Bernhardi* im Rahmen privater Vorgänge. In dieser Komödie aber wird die Verbindung zwischen Privatem und Öffentlichem (ebenso wie in *Fink und Fliederbusch*) hergestellt. Die erotische Thematik weicht gesellschaftspolitischen Überlegungen: inwieweit zerstören atavistische Antriebe wie Haß, Mordlust (Antisemitismus und Duell) und journalistische Lüge die Bedingungen der Zivilisation.

Die Bedingungen der Kommunikation werden in der *Komödie der Worte* zu allgemeinen Parabeln. Das Besondere wird zum Allgemeingültigen stilisiert, erfährt archetypische Exemplifizierung *(Das Bacchusfest)*. Die Verlogenheit wird scheinbar kühl konstatiert, in *Große Szene* als kommerzialisierte, zur Existenz legitimierte Lüge, als schauspielerischer Extrakt vorgeführt.

Arthur Schnitzler abstrahiert in der Folgezeit weiter. Wien bleibt nicht mehr konkreter Spielraum. Dieser wird internationalisiert *(Komödie der Verführung)* oder mythisiert *(Der Gang zum Weiher)*. Auch die späten Novellen wurzeln nicht mehr ausschließlich im

Wienerischen. Ihre beispielhafte Bedeutung ist nicht mit der Darstellung eines Standes oder eines Zeit-Raums erledigt. Eines Standes: Schnitzler schildert die bürgerliche Gesellschaft mit ihren Spitzen, die ins Aristokratische reichen *(Komtesse Mizzi)* und ihren Rändern (der theatralische Bezirk vom Hoftheater zur Volkssängerbude) und ihren Tiefen (im Kleinbürgerlichen, Pseudoproletarischen). Eines Zeit-Raums: der Untergang der Monarchie veränderte die ständische Gliederung der Gesellschaft, die Schnitzler bis zum Krieg dargestellt hatte, aber nicht die Charaktere. Sie in allgemeinen Bezug zu bringen blieb ebenso verbindlich wie ihre typologische Abstraktion. Wie im Leben einzelner Menschen Banalität und Prätention, das Gewöhnliche mit dem Außergewöhnlichen in Konflikt geraten, wie sie sich selbst und wie sie ihre Beziehungen mit den anderen Menschen (erotisch oder politisch) auffassen, gewinnt für das Alterswerk Schnitzlers größere Wichtigkeit als das wienerische Detail. Seine Einsicht in die typologische Kontinuität drückt er in einem Brief aus, den er am 3. November 1924 an Jakob Wassermann schreibt:

Lieber Jakob.

Es freut mich sehr, daß die »Komödie der Verführung« Sie immerhin interessiert zu haben scheint und daß das »Fräulein Else« Ihnen so besonders gefallen hat. Ganz und gar nicht aber bin ich Ihrer Ansicht über die »abgeschlossene, abgetane, zum Tod verurteilte Welt«, als welche Ihnen offenbar sowohl die in der »Komödie der Verführung«, als die um »Fräulein Else« erscheint. Was ist abgetan, abgeschlossen, zum Tod verurteilt? Wer hat verurteilt? Wann soll das Urteil vollzogen werden? Dieses Wort von der abgetanen oder versunkenen Welt – (ach wie oft habe ich es in der letzten Zeit zu lesen bekommen) – erinnert mich so sehr an jenes andere, von der großen Zeit, das ebenso suggestiv, und ebenso trügerisch vor noch nicht einem Jahrzehnt unsere Ohren umschwirrt hat. Es war damals keine große Zeit und die angeblich versunkene und abgetane Welt ist genau so lebendig und vorhanden als sie es jemals war. In den einzelnen Menschen hat sich nicht die geringste Veränderung vollzogen, nichts anderes ist geschehen als daß verschiedene Hemmungen weggeräumt sind und daß allerlei Bübereien und Schurkereien mit einem verhältnismäßig geringeren Risiko in jeder Hinsicht, sowohl materiell als ethisch genommen, verübt werden können als es früher der Fall war. Überdies redet man etwas mehr und etwas ungescheuter als früher vom Essen und vom Geld. Sind etwa die Typen, um nicht zu sagen die Individuen, vom Erdboden verschwunden, die ich geschildert habe und wie ich hoffe noch einige Zeit hindurch zu schildern mir erlauben werde? Gibt es heute keine Aurelie, keine Judith, keine Seraphine, keinen Ambros Doehl, keinen Falkenir, keinen Eligius Fenz mehr? Der Rittmeister Skodny hat vielleicht seine Uniform in den Kasten gehängt oder verkauft, aber schon der Prinz Arduin exi-

stiert nach wie vor, wenn er sich vielleicht auch für eine Weile etwas zurück-
gezogen in einem seiner Schlösser aufhält. Eine gewisse soziale Umschich-
tung – bei uns in Österreich in höchst bescheidenem Maße – hat sich vielleicht
vollzogen; aber wo ist in Wirklichkeit ein Zusammenbruch, wo andererseits
eine Einkehr, wo die geringste Wandlung im ideellen Sinn zu bemerken? Dä-
monische Niedrigkeit, »sittliche Verzweiflung« – die Worte scheinen mir auf
die Gesellschaftsschicht um Fräulein Else herum angewandt schon an sich zu
pathetisch. Vor allem aber halte ich die Eigenschaften und Charaktereigen-
tümlichkeiten meiner Figuren und die verschiedenen Begebnisse, die keineswegs für eine bestimmte Epoche oder für eine bestimmte, sagen wir, bürgerliche Gesellschaftsschicht in kompromittierendem Sinne charakteristisch
wären. – Wir wollen auf diesem weiten und hoffentlich noch auf manchen andern Feld bei unserem nächsten Zusammensein spazieren wandeln, wenn es
Ihnen recht ist. Nur eines noch. Wenn es selbst eine »abgetane« Welt wäre, –
wäre sie darum ein minder würdiges Objekt für den Dichter? Wenn er Menschen, Geschehnisse von 1789, von 1520 gestalten und schildern darf, gerade
hinsichtlich der Menschen von 1914 oder 1920 sollte es ihm verwehrt sein?
Die Kritik hat das mit der Kirche gemein, daß es sie immer wieder juckt Dog-
men zu schaffen, die logisch eigentlich jeder Begründung entbehren. Sie tut
es eigentlich nicht so sehr darum um die jederzeit Glaubensbereiten noch
dümmer zu machen, als vielmehr ihr Mütchen an denen zu kühlen, die sich
gegen das Dogma versündigt haben. Ob eine Welt abgetan ist, mag am Ende
der Historiker entscheiden, ob sie angefault ist, der Ethiker, ob sie den Untergang verdient, – nun, sagen wir – der liebe Gott; unseres Amts ist es, das
Gegenwärtige zu bewahren, das Versunkene heraufzubeschwören und das
Zukünftige – aber ich will nicht um des Rhythmus Willen eine Beiläufigkeit
sagen.

Statt den Brief durch Interpretation als Selbstverständnis Arthur
Schnitzlers zu bestätigen, sollen hier noch einige Gedanken zu seinem Darstellungsstil angefügt werden, die sich in der Frage nach
moralistischer Intention und satirischer Absicht stellen.

Der Satiriker entlarvt den Maskenmenschen, zerstört sämtliche Il-
lusionen und Einbildungen, zerstört die Beschönigungen und die
Bequemlichkeiten. Der Satiriker destruiert, er fordert nicht auf, sich
zu bessern. Er ist zu dieser Aufforderung auch nicht fähig, da er sich
bewußt ist, daß der Mensch sich nicht ändern oder bessern kann.
Das ist bei Arthur Schnitzler so in *Der grüne Kakadu*, in *Leutnant
Gustl*. Was da die Menschen sind als Thema der satirischen Destruk-
tion, ist später bei *Fräulein Else* die Gesellschaft selbst, der Moralko-
dex, der den Menschen in den Tod treibt, der nicht – wie es Grasset
(*Der grüne Kakadu*), wie es Leutnant Gustl sind – abgefeimt genug
ist, sich nicht anfechten zu lassen. Die Menschen sind korrumpiert,
in ihrer sozialen Dimension als Gesellschaft sind sie korrupt.

Der Moralist dagegen tritt auf, um zu bessern. Er nimmt Themen als Vorwände zu Lehren. Aus Erzählungen werden Fabeln, denen die Lehre folgt. Am Ende von *Frau Berta Garlan* zum Beispiel:

Und sie ahnte das ungeheure Unrecht in der Welt, daß die Sehnsucht nach Wonne ebenso in die Frau gelegt ward, als in den Mann; und daß es bei den Frauen Sünde wird und Sühne fordert, wenn die Sehnsucht nach Wonne nicht zugleich die Sehnsucht nach dem Kinde ist.

Berta Garlan empfindet die Moral als Unrecht, aber sie bekennt sich zu ihr. Ihr Bekenntnis wird dringend durch den Tod der Bekannten, Anna Rupius. Auch andere *bezahlen*, Sala (*Der einsame Weg*), Falkenir (*Komödie der Verführung*). Sie gehen wissentlich, absichtsvoll in den Sühnetod, im Unterschied zum Fräulein Else, das sich in der Panik – ebenso wie die Frau Beate und ihr Sohn – nicht anders verhalten kann.

Arthur Schnitzlers Figuren setzen den Tod als Pointe (so im *Zug der Schatten*, in *Das Wort*, in *Das Vermächtnis* usw.). Justament sterben sie, um recht zu behalten (in abstruser Konsequenz Andreas Thameyer). Man könnte behaupten, daß die Gesellschaft den einzelnen derart in die Enge getrieben habe, daß er keinen andern Weg als den in den Tod gesehen habe. Eher sind es Einzelne gewesen (Anastasius Treuenhof in *Das Wort* vor allen anderen), die mit unbedachtem Moralisieren oder unpsychologischen Spekulationen den Mitmenschen auf dem Gewissen haben. Nicht moralische Intention, sondern moralische Konfusion zeigt diesen Ausweg. Daß der Ausweg in den Tod führt, macht alle Moral, die zu ihm geführt haben mag, paradox. Nicht das gebesserte Leben, sondern der Tod ist das Ergebnis moralischer Ratschläge und Entschlüsse. Damit wird die Moral Gegenstand der Satire.

In diesem Sinn ist auch *Die Hirtenflöte* eine Satire. Moralisch glaubt Erasmus zu handeln. Sein Moralismus ist Immoralismus als Treibenlassen ohne sittlichen Maßstab. Sein moralischer Maßstab ist statt der Sittlichkeit die Sinnlichkeit. Dieses Prinzip schließt aber die Weiterführung einer Ehe aus, da ihr ein wesentliches Bindeglied fehlen würde, die Verantwortung des Ungefährdeten für den Gefährdeten, und in damaliger Ordnung des Patriarchats, des Mannes für die Frau.

Falkenir *(Komödie der Verführung)* weiß um beides, um Sittlichkeit und Sinnlichkeit, und daß man für beides Verantwortung tragen müsse. Also läßt er Aurelie frei, stellt ihre Sinnlichkeit auf die Probe, ob sie sich als Sittlichkeit bewähre. Aurelie besteht diese Probe; er

kann die Erprobte aber nicht in ein gemeinsames Leben führen. Die
Zauberflöten-Läuterung wird hier pervertiert. Nicht eine Ehe steht
am Ende der Prüfungen, sondern der gemeinsame Tod. Diesen
Schritt von Mozart zu Wagner, von Kant zu Schopenhauer stellt
Schnitzler durch das Dilemma der Ausweglosigkeit in Frage. Die
moralistischen Gebote, die er mit seinem Werk aufrichtet: Du sollst
nicht Puppenspieler, Menschenspieler, Paracelsus sein! – läßt er
durch den Ausschluß der Besserung, ja die Einsicht in ein opportu-
nistisches Verhalten (wer es weiß, ist *klug*) relativieren. Die Einsicht
gewinnt den Charakter der Bequemlichkeit. Es kann bequemer sein,
sich umzubringen, als weiterzuleben. Erasmus und Falkenir zwei-
feln nicht. Die moralische Maxime läßt keinen Zweifel zu. Schnitzlers Zweifel an der Veränderbarkeit des Menschen (durch das
Schicksal, durch den andern, durch die eigene Erkenntnis) rückt die
moralischen Eskapaden seiner Figuren in den Finalitätsbereich der
Satire.

Arthur Schnitzler war kein Pessimist. Er resignierte nicht. Er versuchte in unendlichen Variationen die Fehler und Schwächen des
Menschen zu beschreiben und einen scheinbaren »Weg ins Freie«
mit ihrer Unzulänglichkeit zu blockieren, ohne daß für immer die
Hoffnung genommen würde. Dadurch wird der Satiriker zum Opti-
misten ex negativo.

HINWEISE AUF DIE WIRKUNG

> Sobald ein Kunstwerk, in die Öffentlichkeit entlassen, seinen
> Weg beginnt, bietet sich manchmal ein seltsames Schauspiel
> dar: wie ein boshafter Affe auf den Rücken eines edlen Ren-
> ners, springt irgend ein Schlagwort auf das Werk los, setzt
> sich dort fest und schneidet seine Grimassen; und wenn es bei
> dem rasenden Ritt allmählich die Laune und mit der Zeit
> Atem und Leben verliert –: es hat sich immerhin so fest in das
> edle Tier eingekrallt, daß geraume Zeit hindurch auch noch
> der verdorrende Leichnam, ein lächerlich gespenstischer An-
> blick, auf dem Rücken des galoppierenden Renners hocken
> bleibt, ehe er herunterstürzt, um am Wegrand zu verwesen.
> (*Buch der Sprüche und Bedenken* 8, 67)

Von den drei möglichen Rezeptionskreisen des literarischen Werkes: Leser, Kritiker, Literaturwissenschaftler, ist der des Lesers der
am wenigsten bestimmbare. Im folgenden werden deshalb haupt-

sächlich Hinweise auf die Schlagworte und Vorurteile gegeben, die sich im Lauf der Jahre auf das Werk Arthur Schnitzlers stürzten und nur mühsam und bis heute nicht endgültig abgeschüttelt wurden. Als Leser Schnitzlers können am ehesten die vermutet werden, die auf der gesellschaftlichen Stufe standen, die von ihm bevorzugt beschrieben wurde. Dabei sind zwei Vorbehalte zu machen. Schnitzler wurde nicht nur von denen gelesen und verstanden, die um die literarische Tradition wußten, in der er stand. Er wurde nicht nur von denen rezipiert, die die gleiche Erziehung und Ausbildung genossen hatten wie er selbst. Sein Leserkreis ist von vornherein größer als der Hofmannsthals oder Beer-Hofmanns. Arthur Schnitzler spielte nicht auf literarische Traditionen an, er brachte seine Bildung kaum ins Spiel. Er setzte fast nichts voraus. Er schrieb nicht in komplizierten Formen, die traditionsbelastet und bildungsbezogen waren und die zu lesen um so mehr genossen werden konnte, je mehr man sich in der Literaturgeschichte aller Länder und Zeiten auskannte. Schnitzler vermittelte nicht den Reiz des Exotischen; das Fremde und das Ferne wurde von ihm nicht nahegebracht. Er ahmte nicht andere Sprachen, andere Töne und Weisen nach. In seinen Werken kann man die eigene Belesenheit nicht goutieren. Das Wiedererkennen literarischer Vorbilder entzückte die höheren Töchter, während die süßen Mädeln Schnitzler lasen und Schubert liebten.

Man braucht keinen Symbol-Schlüssel, um Zugang zum Werk Arthur Schnitzlers zu finden. Das machte seinen Erfolg bei den Zeitgenossen aus und ermöglicht zugleich heute, ihn naiv zu lesen. Die Urbilder seiner Gestalten fand er im Leben, nicht in der Literatur. Die Situation ist wichtiger als die Überlieferung. Das macht sein Werk überliefernswert.

Zu Lebzeiten wurde Schnitzler nicht nur in die europäischen Sprachen übersetzt. Außerhalb des deutschen Sprachraums hatte er die größte Wirkung in Rußland, Japan und Amerika. In Rußland erschien eine Gesamtausgabe noch vor der deutschen. Nach der Oktoberrevolution wurde dort seine Wirkung vom Theater auf die Prosa verlagert, aber nicht abgeschwächt. Erst in den dreißiger Jahren wurde Schnitzler den Autoren spätbürgerlicher Dekadenz zugeordnet und seine Wirkung damit unterbrochen. In den sechziger Jahren erlebte Schnitzler in der Sowjetunion seine Rehabilitierung. 1967 erschien eine Auswahl der Erzählungen in einer Auflage von 100 000 Exemplaren. Im Vorwort vermittelt R. Samarin seine genaue Kenntnis der österreichischen Gegebenheiten nicht ohne skeptische Distanz (die Übersetzung verdanke ich Anna Stroka, Wroclaw):

Arthur Schnitzler verstand es, die österreichische Monarchie mit ihrem falschen Glanz und ihren Karnevals, die Monarchie, in der neben der neuesten Pariser Mode die traditionellen Uniformen und Federbüsche getragen wurden und die Oper und Operette mit ihrem höfischen Zeremoniell herrschte, zu beschreiben. In diesem Karnevalsrummel und dem lustigen Wirrwarr fühlte er das Heranrücken einer neuen und grausamen Zeit, in der das alte morsche Imperium wie ein Kartenhaus zusammenfällt und nur ein unseliges Andenken zurückläßt und die Schicksale von heruntergekommenen Menschen, verrückten Helden von Kafka, durch Nostalgie geplagten Menschen ohne Eigenschaften von Musil. Dem Heranrücken der neuen Epoche vermochte Schnitzler Ausdruck zu geben.

Während die kritische Rezeption der Werke Schnitzlers in Deutschland und Österreich nach 1933 bzw. 1938 aussetzen mußte, gab es in den USA seit der Jahrhundertwende bis heute eine kontinuierliche Entwicklung der Wirkung und Kritik. Nach Schnitzlers Tod waren es vor allem die Germanisten Schinnerer und Liptzin, die die Kenntnis des Werkes verbreiteten und weitere Forschung anregten. Eine Folge dieser Kontinuität ist die Gründung der Internationalen Arthur Schnitzler Gesellschaft im Jahre 1961 in den USA (heutiger Sitz: Binghamton, New York).

Schnitzlers Wirkung in Frankreich ist hauptsächlich mit den von Arthur Schnitzler selbst autorisierten Übersetzungen seiner Werke durch Dominique Auclères verbunden. 1966 erschien in Paris die erste vollständige Monographie, die über das Werk Arthur Schnitzlers geschrieben wurde: Françoise Derré, *L'Oeuvre d'Arthur Schnitzler. Imagerie Viennoise et Problèmes Humains.*

In den letzten Jahren ist durch die Übersetzer- und Kommentator-Tätigkeit der beiden italienischen Germanisten Paolo Chiarini und Giuseppe Farese das Interesse an Arthur Schnitzler in Italien gestiegen. Noch nie zuvor hat in Italien ein Werk Schnitzlers so positive und widerhallende Aufnahme gefunden wie Fareses Novellensammlung von 1972.

Die Wirkung Arthur Schnitzlers auf die deutschsprachige Kritik, Literaturgeschichte und Spezialforschung soll im folgenden an einigen Beispielen aufgezeigt werden.

Zu den ersten Kritikern und Propagandisten Arthur Schnitzlers gehörte Hermann Bahr. Die Rückwirkung auf Schnitzler wurde an Tagebuchbeispielen schon dargetan. Bahr ist es zuzuschreiben, daß sich fast gleichzeitig mit dem Bekanntwerden Schnitzlers ein Bündel von Vorurteilen über ihn verbreitete. In seinen *Studien zur Kritik der Moderne* (Frankfurt 1894) heißt es (S. 82 f.):

Arthur *Schnitzler* …ist ein großer Virtuose, aber einer kleinen Note. …Schnitzler darf nicht verschwenden. Er muß sparen. Er hat wenig. So will er es denn mit der zärtlichsten Sorge, mit erfinderischer Mühe, mit geduldigem Geize schleifen, bis das Geringe durch seine unermüdlichen Künste Adel und Würde verdient. Was er bringt, ist nichtig. Aber wie er es bringt, darf gelten. Die großen Züge der Zeit, Leidenschaften, Stürme, Erschütterungen der Menschen, die ungestüme Pracht der Welt an Farben und an Klängen ist ihm versagt. Er weiß immer nur einen einzigen Menschen, ja nur ein einziges Gefühl zu gestalten. Aber dieser Gestalt gibt er Vollkommenheit, Vollendung. So ist er recht der *artiste* nach dem Herzen des »Parnasses«, jener Franzosen, welche um den Werth an Gehalt nicht bekümmert, nur in der Fassung Pflicht und Verdienst der Kunst erkennen und als eitel verachten, was nicht seltene Nuance, malendes Adjectiv, gesuchte Metapher ist.

Dem Urteil des bekanntesten Wiener Kritikers stellt sich zwei Jahre später das des Berliner Starrezensenten, Alfred Kerr, zur Seite. Was Bahr noch als kritische Analyse anbot, löst Kerr in Stimmungsbilder auf:

Alles flutet durcheinander: Innigkeit und Eleganz, Weichheit und Ironie, Weltstädtisches und Abseitiges, Lyrik und Feuilletonismus, Lebensraffinement und volksmäßige Schlichtheit, Österreichertum und Halbfranzösisches, Schmerz und Spiel, Lächeln und Sterben.
Ein glücklicher Götterfreund ordnet mit weicher, leiser, spielend vollbringender Hand die Bestandteile. Das ist die unvergleichliche Welt Arthur Schnitzlers. *(Die Welt im Drama.* 1. Band *Das neue Drama,* Berlin 1917, S. 119 f.)

Ein Jahr später veröffentlichte Emil Schaeffer (Breslau) in dem traditionellen Organ des Naturalismus *Die Gesellschaft* eine erste zusammenfassende Darstellung über Arthur Schnitzler in dieser Zeitschrift, wobei Schnitzler ausdrücklich vom Naturalismus abgesetzt wurde:

Und alle jene, die sich nicht gern vom Leben stoßen lassen, sondern mit dem traurig-heiteren Lächeln der Wissenden lieber zuschauen, alle, denen die verhungerte Proletarierkunst unsympathisch war, alle erzählten sich's froh, daß der junge Wiener Arzt in seinem »Anatol« so zarte, heimliche Töne anschlage, wie man es einem Deutschen gar nicht zutrauen möchte, und daß es seit langer Zeit auch bei uns wieder ein Buch für die Künstlichen, die Gourmets gäbe.
Und die so sprachen, hatten Recht. Anatol war kein glühendes Gedicht, wie die anderen damals sangen, ein Erstlingswerk, aber ohne Pathos,

lodernde Leidenschaft und das überquellende Stammeln des verzückten Rausches, kurz – ohne Jugend. Nein, das Buch mit dem Titel, der so graziös klingt und geschmeidig, es ist eines von jenen, die am Ende einer Kultur erscheinen, wenn müde Skepsis nicht mehr an die großen kompakten Worte glauben will, die Gefühle differenziert werden und die Seele sich aus der blendenden Sonne, dem Leben, ins zart-violette Dämmerdunkel der Stimmung rettet. (XIII, 2; 1897, S. 23)

In den folgenden Jahren festigt sich Schnitzlers Stellung auf dem Theater und beim Lesepublikum, die kritischen Werkanalysen nehmen zu, bewegen sich aber fast alle in den Bahnen der Akklamation oder Ablehnung des scheinbar Impressionistischen. Eine Ausnahme mit der Betonung der ethischen Komponente bildet der Aufsatz von Helene Hermann (*Westermanns Monatshefte* 97, 1905):

Die im Ästhetischen *wurzelnde* Natur Schnitzlers wendet sich der von sozialen und ethischen Problemen bedrängten Periode Ibsens zu – was aber bei Ibsen ein positives Interesse ist, der Ausdruck eines Wesens*zuges*, das bleibt bei ihm Ausdruck eines Wesens*mangels*. Man spürt seine Persönlichkeit am stärksten in *den* Gestalten seiner Werke, denen das Ethische nicht Lebenslust, sondern Stickstoff ist. Aber er hat nicht nur die Verstandesüberzeugung vom Wert und der Bedeutung des Ethischen, sondern die Sehnsucht danach, irgendwo in seiner Brust ein Gefühl von Leere, und wie jeder echte Künstler gestaltet er nicht nur die Erfüllung, sondern auch die Sehnsucht. (S. 687)

Zur gleichen Zeit veröffentlicht Rudolf Lothar seine Übersicht *Das deutsche Drama der Gegenwart* (München und Leipzig 1905), in der er die Klischees von Lässigkeit und Verträumtheit reproduziert:

Der Dramatiker Arthur Schnitzler ist vor allem Lyriker. Seine lyrische Kraft – Kraft der Empfindung, Tiefe des Gefühls – hebt ihn hoch über die Gruppe der Jung-Wiener, der er sozusagen gesellschaftlich in seinen Anfängen angehörte. Das Heimliche und Liebliche, die sanfte und schwermütige Passivität, die verträumte Resignation, die die eigene Poesie der Wienerstadt ausmacht, fand in ihm ihren Dichter. Ein sentimentales Sichgehenlassen kennzeichnet unser Volkslied. Trotz und Auflehnung, Sturm und Drang sind dem echten Wiener Volkssänger fremd. Und so vermissen wir auch bei Schnitzler Bewegung und Kampf, Verschlingung und Entwirrung der Ereignisse, mit einem Wort: die Tat. Man hat sogar die Empfindung, als wäre ihm die Tat, das heißt die starke Betätigung des Willens etwas Antipathisches, etwas, dem er lieber aus dem Wege geht. (S. 227f.)

Auch der Freund Paul Goldmann wirft dem Dramatiker Schnitzler vor, Stücke ohne Tat (und damit Tragik) zu schreiben, und zweifelt, »ob er die Kraft haben wird, aus der kleinen und abgesonderten Welt, in der sein Schaffen sich bisher hauptsächlich bewegt hat und in der die Stimmungen – die Stimmungen, die aus den kleinen Gefühlen hervorgehen, – eine allzu wichtige Rolle spielen, den Weg zu finden ins große Leben hinein, das allein den Dichter mit jenen starken und tiefen Gefühlen zu erfüllen vermag, aus denen die großen Werke erwachsen«. (*Aus dem dramatischen Irrgarten.* Polemische Aufsätze über Berliner Theateraufführungen. Frankfurt 1905, S.124)

Wieder einige Jahre später sind die Phrasen von Trauer und Tatferne Gemeinplätze geworden, die Albert Soergel erfolgreich verbreitet. Stichwort ist: Ästhetik der Traurigkeit.

Von schmerzlicher, schwermutvoller Süße erscheint das Dasein: ein einsamer Gang durch nieselnden Nebel, unterbrochen von kurzen oder längeren Sonnenblicken, in denen dann alles zärtlich aufleuchtet, in denen sich zwischen Mensch und Mensch festere Beziehungen anzubahnen scheinen. Doch flüchtig sind sie, fast gibt ihnen nur Ahnung und Erinnerung Schönheit: tief auf dem Grunde aller Dinge lebt eine leise Traurigkeit. (*Dichtung und Dichter der Zeit.* Eine Schilderung der deutschen Literatur der letzten Jahrzehnte. Leipzig 1911. S.458)

Den Vorwurf der Tatschwäche der Schnitzler-Figuren weist Viktor Klemperer in verschiedenen Studien zurück, z.B. in *Bühne und Welt* XIII, 1, 1911, wo es auf S.366 heißt:

Im wesentlichen nämlich hemmt ihn die Zeit seiner Handlung, die Gegenwart. Hier ist für nicht reflektierendes, unbedenkliches Tun wenig Raum, und der Dichter, der sich den Raum dafür erzwingt, gerät in Gefahr, ein Schauerstück zu schreiben. Und gerade Schnitzler, der Zerfaserer aller Gefühle, kann keine ungebrochenen Tatmenschen in der Gegenwart sehen. Stellt er sie doch einmal hier hinein, so tut er sich selbst Gewalt an, und der Erfolg ist dann ein so verfehlt gewaltsames Stück wie ›Der Ruf des Lebens‹.

1912, zum 50. Geburtstag Schnitzlers, schwoll die Literatur über ihn an, was zur Folge hatte, daß die Vorurteile über ihn sich vervielfältigten und die alten Einschränkungen wiederholt wurden. Julius Kapp schreibt in seiner Monographie (Leipzig 1912):

Schnitzler bevorzugt in der Darstellung nicht die starken Akzente, er liebt es, erraten zu lassen, anzudeuten. Nie wird er brutal oder überschreitet die Grenzen der Schönheit, des vornehmen Geschmacks. Seiner Kunst wohnt ein gewisser Seelenadel inne, sie ist daher im Stande, auch heikle Gebiete zu betreten, ohne irgendwie Anstoß zu erregen. Dieses graziöse Dahintändeln der Worte, den Charme, der dadurch Situationen verliehen wird, die in plumper, derber Darstellung abstoßend und unausstehlich wirken müßten, kannte man zuvor nur bei den Franzosen. Es ist Schnitzlers Verdienst, in deutscher Sprache Ähnliches ermöglicht zu haben. Andererseits darf man sich wieder nicht verhehlen, daß in dieser Spezialität des Stils für Schnitzler eine Gefahr besteht. Seiner Darstellungsweise haftet häufig auch in ernsten dramatischen Konflikten diese gewisse Leichtigkeit, etwas Weichliches, Undeutsches an. (S. 23-25)

Thomas Mann stimmt in den Chor im *Merker* vom Mai 1912 tändelnd ein:

Seine männliche Welt- und Menschenkenntnis, der Reiz seiner Probleme, die anmutige Reinheit und Gehobenheit seines Stils, seine hohe und sichere Geschmackskultur, die ihn eigentlich sein Leben lang vor jedem Fehlgriff, jedem Mißlingen geschützt hat, sein feiner und starker Intellekt, die lebensvolle Episodik, der novellistische Stimmungsschmelz seines Dramas, die zuchtvolle und packende Form seiner Novellistik, eine gewisse liebenswürdige Konzilianz dabei, das Gegenteil aller menschenfeindlichen Starrheit und, das Beste, der Persönlichkeitszauber, der von allem ausgeht, was er gebildet hat...

Diese und ähnliche Requisiten aus einem Sprachfundus, der seit fast zwanzig Jahren für das Werk Arthur Schnitzlers ausgebildet worden war und ihn zum Popanz des fin de siècle aufbaute, verstellte den Autoren einer jüngeren Generation die Aufmerksamkeit auf das Werk selbst. So merkt zum Beispiel Ernst Stadler nicht, daß die Probleme, die er gegen Schnitzlers Werk ausspielt, in diesem selbst (an die Auseinandersetzungen in *Der einsame Weg* sei erinnert) diskutiert werden:

Der fünfzigjährige Schnitzler ist nach vielen Seiten repräsentativ für die Seelenart einer zu Ende gehenden Epoche. Wesentliches einer Generation ist in seinem Werke zusammengeflossen, wie andererseits fast die ganze Generation, die in den neunziger Jahren zur Reife gekommen ist, irgendwie die Spuren seines Wesens trägt. Es war eine zartnervige, kluge und kultivierte Generation, von nicht eben starken Lebensinstinkten, melancholisch und ironisch, gläubig nur in der Unwandelbarkeit ihrer Skepsis, die doch eine tiefe Sehnsucht nach dem Unbedingten immer wieder wegzuschwemmen drohte. So waren die Gedichte ihrer Seele: ›frühgereift und zart und traurig‹. Diese Dichter waren die wahren Künder der Lebenszusammenhänge. Ihr menschlichster Ruhm war ihre begreifende Güte. Ihr Ruhm und ihre Schwäche. Denn vor dieser allzu steten Bereitwilligkeit des Begreifens begannen nicht

nur alle ethischen Abgrenzungen sich zu verwischen, sondern das tätige und
energische Leben selber sich in endlose Relativismen aufzulösen.

Heute scheint es, als ob wieder ein stärkeres, seines Willens und seiner
Triebe sicheres Geschlecht heraufkomme. Ein Geschlecht, das des Stückes
Barbarentum froh ist, das in seinem Blute sich reckt, und das sich mit herz-
hafterem Ja und Nein die ewigen Bedingtheiten vom Leibe hält, in die jenem
früheren Geschlecht das Leben auseinanderfiel. (*Die Aktion*, II, 27; 1912.
S. 844f.)

Währenddessen setzten Kritiker und Vertraute Arthur Schnitzlers, wie Felix Salten, die Mystifikation fort:

Irgendwie sind die jungen Männer, die Arthur Schnitzler in seinen späteren
Werken gezeichnet hat, dem Anatol immer noch verwandt. Und die jungen
Mädchen, die durch Schnitzlers reife Dramen wandeln, sind den kleinen
Vorstadtmädchen Anatols immer noch schwesterig verbunden. (*Fremden-
Blatt* vom 12.5.1912)

Der eigentliche Anstoß zu intensiver wissenschaftlicher Beschäftigung mit Arthur Schnitzler ging von der Psychoanalyse aus. 1913
veröffentlichten zwei Schüler Freuds, Hanns Sachs und Theodor
Reik, umfangreiche Motivanalysen. Reik begründete darin die
»Forderung, daß dem Totaleindruck nicht die Entscheidung über
die Autorschaft zufallen dürfe« und schließt sich der Behauptung an,
»daß sich gerade in der Zeichnung des Details das Charakteristische
und Kennzeichnende des Künstlers verrate«. (*Arthur Schnitzler als
Psycholog*. Minden 1913, S. V) Dabei gehen Reik und Sachs metho-
disch antiliterarisch vor:

Die folgende Untersuchung verzichtet von vornherein auf ästhetische Wer-
tungen und verfolgt nur wissenschaftliche Zwecke. Sie behandelt die Gestalten der Dichtungen Arthur Schnitzlers als Objekte psychologischer Analyse;
so, als wären sie wirklich lebende Menschen. Und das sind sie ja auch gewissermaßen: gelöste Teile seines Ichs, Abspaltungen seiner Persönlichkeit.
Die einzelnen Teile des Buches gehen von psychischen Details, von scheinbar
unwesentlichen Besonderheiten im Erleben der Schnitzlerschen Personen
aus und bemühen sich, von hier aus zu deren tiefsten, kompliziertesten und
verborgensten Regungen vorzudringen. (Reik, S. IV)

Die Germanistik schloß sich solch detaillierter Methode noch
nicht an, sondern blieb bei den üblichen Verallgemeinerungen. Wie
z. B. Robert Petsch:

Über Hofmannsthal ist auch *Arthur Schnitzler* nicht eigentlich hinausgekommen. Seine liebenswürdig-weltmännische Art, sein etwas blasierter Skeptizismus, seine Vertrautheit (als Mediziner) mit dem Tode und allem, was ihm in der Menschenseele vorangeht, befähigt ihn recht eigentlich zum impressionistischen Darsteller scharfumrissener oder sanft verschmelzender Szenen aus dem Leben »leichtsinniger Melancholiker« vom Schlage seines »Anatol«... *(Zeitschrift für den deutschen Unterricht.* XXVIII, 4, 1914. S.326)

Oskar Walzel hatte es gegen Ende des Ersten Weltkrieges schwer, Schnitzler für die Nachkriegszeit zu retten:

Romantische Ironie, Spiel mit der Wirklichkeit, Schweben und Gaukeln über den Dingen, bewußtes Verzichten auf ein sittlich wertendes Wort: all das ist der alljüngsten deutschen Dichtung fremd geworden. Sie sucht ein grundverschiedenes Verhältnis zur Welt. So enthüllt sich die gesamte Leistung Schnitzlers heute als der Inbegriff der Wünsche, die einer romantisch gewendeten Eindruckskunst eigneten, der Kunst, die um 1900 durch ungefähr zwei Jahrzehnte herrschte. Mir indes erschiene es als schwerer Irrtum, diese Kunst ohne weiteres für völlig überwunden zu erklären. Sie ist zu stark und reich, als daß sie durch die verheißungsvollsten Ansätze einer gegensätzlichen Kunst ganz in den Schatten gestellt würde. *(Der Zwinger.* Dresdner Zeitschrift für Theater und Kunst. II, 6; 1918. S.220)

Kasimir Edschmid hat nicht die Schwierigkeit, das Alte gegenüber dem Jungen verteidigen zu müssen. Er bereitet eine gerechtere Beurteilung vor, indem er Schnitzlers Werk von zeitbezogener Vergänglichkeit befreit:

Was auf ihn zu fallen hat, ist Beurteilung seiner Menschlichkeit. Da er zweifellos Liebe hat für die von ihm gezeichnete und vorgewiesene Kreatur, war demokratischer Atem in seinem Werk schon in noch sehr absolutistischer Zeit. Dies ist nun nicht mehr wichtig, aber es gibt die Linie des Anstandes zurückverwandelnd wieder. Dabei ist er kein ekstatischer Bekenner, kein Täter, kein Konsequenzen-Zieher. Sondern auch in der Opposition voll Reserve. Untadelig wie wenige, wie fast kaum einer seines Ranges, seines europäischen Ansehens während des Krieges. Die Haßschreie und der nationalistische Wahnsinn fanden in ihm keinen Trabanten. Auch im Künstlerischen war er nie nach Konjunktur aus, nie voll Wechsel wie Gerhard [!] Hauptmann. Tadellos, ein vornehmer Repräsentant nicht nur seiner Zeit und Stadt, sondern des künstlerischen Gewissens, geht er in die neue Zeit, deren Vorkämpfer und Führer wenig gemein haben mit seinem Werk, seiner Atmosphäre, deren große Wertschätzung und Verehrung, deren Gruß und Achtung ihm wie jedem echten Menschlichen gern und eifrig zukommt. *(Das Feuer.* Monatsschrift für Kunst und künstlerische Kultur. Weimar. I, 5; 1919. S.342)

Hier hätte genaue literaturwissenschaftliche Analyse ansetzen können. Statt dessen entstanden die größeren Arbeiten von Josef Körner, die die überkommenen unreflektierten Vorstellungen von den Absichten und Schwächen Arthur Schnitzlers ins Monographische monumentalisierten:

Für psychologische, für erotische Probleme zumal sind Skepsis und Ironie sehr gemäße Gemütshaltungen, kommt es doch bei ihnen gerade auf halbe Töne und Farben, auf unmerkliche Übergänge und Wechselwirkungen an. Wer in die Willenssphäre eingreifen soll, bedürfte stärkerer Affekte und Akzente, müßte aus der Skepsis zum Pathos sich erheben, blasse Ironie in blutrote Satire umfärben können. An der Tatsache, daß die gesamte Kritik viele Jahre hindurch und bis in die letzten Tage hinein von Schnitzler die große politische Komödie unserer Zeit erwartet und gefordert hat, mag man ermessen, wie schlecht es um die Erkenntnis seines wahren Wesens bisher bestellt war.
Doch nicht allein im Psychologischen liegt die Grenze von Schnitzlers Kunst; beschränkt ist sie auch im Stoffgebiet. (Josef Körner, *Arthur Schnitzlers Gestalten und Probleme*. Zürich/Leipzig/Wien 1921. S. 226)

Solche Urteile hatten zur Folge, daß Schnitzlers scheinbare Antiquiertheit in die Literaturübersichten einging.

In den Darstellungen anläßlich des 60. Geburtstages ebenso wie in den Nachrufen von 1931 wurde die Möglichkeit versäumt, Schnitzler für die jeweilige Gegenwart verbindlich zu machen. Auch Egon Friedell, dessen dritten Band der *Kulturgeschichte der Neuzeit* (1931) Arthur Schnitzler noch gelesen hat, betonte die historische Fixierung allzusehr:

Er hat bereits zu einer Zeit, wo diese Lehren noch im Werden begriffen waren, die Psychoanalyse dramatisiert. Und er hat in seinen Romanen und Theaterstücken das Wien des Fin de siècle eingefangen und für spätere Geschlechter konserviert: eine ganze Stadt mit ihrer einmaligen Kultur, mit dem von ihr genährten und entwickelten Menschenschlag, wie er sich in einem bestimmten Zeitpunkt der Reife und Überreife auslebte, ist in ihnen klingend und leuchtend geworden. Er hat damit etwas Analoges geleistet wie Nestroy für das Wien des Vormärz. (Neudruck. S. 1456)

Während des Krieges begannen die Erinnerungen der Zeitgenossen zu erscheinen, die die literarhistorischen Akzente zugunsten Schnitzlers zu setzen suchten:

Er war damals noch Arzt, da seine ersten literarischen Erfolge noch keineswegs Sicherung der Lebensexistenz zu verbürgen schienen; aber er galt schon
als Haupt des ›jungen Wien‹, und die noch Jüngeren wandten sich gern an ihn
um Rat und Urteil. (Stefan Zweig, *Die Welt von gestern*. Stockholm 1944.
Neuausgabe 1962, S. 53)
Er hat dargetan, daß der tragische Mensch, in seiner abgetragenen Maske von
Anmut, Schwermut, Heiterkeit, endlich der öffentlichen Tragik ganz entra-
ten kann, um als er selbst zu sterben. Die öffentlichen Dinge hatten ihn belä-
stigt, als es für ihn zu spät wurde. Er wußte nicht, wie ihm geschah, und litt
gewiß hilfloser, wenn nicht tiefer, als ein anderer, den die öffentlichen Dinge
gebrannt haben, bevor sie eine Welt anzündeten. (Heinrich Mann, *Ein Zeitalter wird besichtigt.* Berlin 1947. S.234)

Es dauerte lange, bis eine ernsthafte Beschäftigung der Literaturwissenschaft das Bild Arthur Schnitzlers an seinem Werk und nicht
an dessen vielfach gebrochenem Widerhall überprüfte. Etwa seit
1960 hat sich die Meinung durchgesetzt, daß Schnitzlers ethische Intention ernst zu nehmen sei (Anregungen Richard Alewyns und
William H. Reys folgend); sein Werk liegt vor, auch große Teile des
Nachlasses wurden publiziert. Schnitzlers Wirkung hat durch die
Verbreitung durch Film und Fernsehen gewonnen; in Österreich
sind seine Dramen zum festen Bestandteil der Spielpläne geworden.
    Gibt es auch einen vergleichbaren Aufführungsstil, gibt es Stil-
Konstanten, die für die Aufführung der Theaterstücke Arthur
Schnitzlers verbindlich wären? Die Frage scheint leicht zu beant-
worten zu sein, zumal in Wien, der Stadt, in der zwar nur die Hälfte
aller Stücke uraufgeführt, insgesamt aber mehr Aufführungen statt-
fanden als irgendwo sonst. Und im Zuge der Schnitzler-Renaissance
bemüht man sich hier, auch fragmentarische Stücke, unvollendete
Dramen aus dem Nachlaß auf die Bühne zu bringen (1969 *Das Wort*
am Theater in der Josefstadt und 1971 *Zug der Schatten* am Volkstheater), und das tut man nur, wenn die Neugier des Publikums auf
alles, was ein Autor geschrieben hat, der Bedeutung dieses Autors
entspricht. Die Antwort auf die Frage nach dem Aufführungsstil be-
trifft auch die Vorführung dieser Fragmente. Auch sie wurden *naturalistisch* gespielt. Naturalistisch meint: der gesellschaftlichen Wirklichkeit angenähert. Die Darsteller sind zeitgetreu kostümiert, die
Bühnenbilder entsprechen dem »schöneren Wohnen« der Jahrhundertwende. Was heißt »Naturalismus« sonst noch? Die meisten
Stücke Arthur Schnitzlers – und das sind alle die, die am häufigsten
aufgeführt werden – fordern ein genau definiertes Requisitenmate-
rial. Schnitzler hat seine Handlungen an genau bestimmten Orten

lokalisiert. Sie werden nicht nur deutlich beschrieben – sie spielen mit. Auch wenn man die Wände transparent macht und durch die dahinter erscheinenden Prospekte auf das Typische des Vorgangs hinweist, so muß man doch die Bühne mit der vorgeschriebenen Einrichtung eines Salons oder einer Vorstadtmansarde möblieren. Man kann versuchen zu typisieren, aber man kann nicht abstrahieren: Kostüme und Bühnenbild bleiben historisch fixiert. Im Vergleich dazu bedeutet naturalistischer Darstellungsstil: sich so zu benehmen, wie sich die Angehörigen einer bestimmten Gesellschaftsschicht der Jahrhundertwende benommen haben. Und hier beginnen die Probleme. Naturalismus hieße in diesem Fall: *historische* Echtheit der Darstellung im Spiegel *dramatischer* Reflexion. Am Beispiel von *Das weite Land*: die Personen der Gesellschaftsschicht dieses Stückes wurden zur *Contenance* erzogen. Die Menschen tragen Masken. Sie verbergen ihre Gefühle – man erwartet es von ihnen. Sie spielen alle, und wer es weiß, bildet sich etwas darauf ein. Contenance meint: das Gegenbild der eigenen Wahrhaftigkeit zur Schau tragen. Frau Genia macht Konversation, und man merkt nicht – man darf nicht merken – daß der Ton, den sie anschlägt, falsch ist. Je größer die Diskrepanz zwischen Haltung und Gefühl, zwischen Lüge und Affekt ist, desto größer ist der Effekt. Schnitzler-Regie ist das Gegenteil von Ausdrucksregie. Es geht nicht darum vorzuführen: seht, sie ist scheinbar ruhig, aber die Stimme zittert. Sondern: eigentlich müßte ihre Stimme zittern, der Text ließe es zu; aber seht, wie ruhig sie ist, man merkt es ihr nicht an. – Dabei handelt es sich nicht um understatement. Understatement ist Übertreibung des Wichtigen ins Beiläufige. Contenance dagegen ist Wahrung des falschen Gesichts. Was man hört, muß durch das, was man sieht, aufgehoben werden. Wie schwer das ist, kann man sich in den Wiener Theatern ansehen und in zahlreichen Fernsehproduktionen nach Schnitzler-Vorlagen. Daß man Schnitzleraufführungen und -filme sehen kann, zeigt, wieviel von dem, was er sagte, auch heute verbindlich ist, jenseits modischer Nostalgie.

»Er, der erst von morgen, dann von gestern schien, hat sich, hundert Jahre nach seiner Geburt, das permanente Heute erschlossen.« (Hans Weigel, *Das tausendjährige Kind*, Wien 1965, S.171)

1862   15. Mai: Arthur Schnitzler wird *Zu Wien in der Prater-*
        straße, damals Jägerzeile geheißen, im dritten Stockwerk
        des an das Hotel Europe grenzenden Hauses geboren.
        Vater: Johann Schnitzler (1835–1893), Laryngologe,
        Universitätsprofessor, Regierungsrat, von 1880–1893
        Direktor der Allgemeinen Wiener Poliklinik, Mit-
        arbeiter der *Wiener Medizinischen Presse,* Begründer
        der *Internationalen klinischen Rundschau* (seit 1887).
        Johann Schnitzler, Sohn eines Tischlers in Groß-Kanizsa
        (Südwestungarn), kam als Student nach Wien, wo er
        1860 promovierte.
        Mutter: Louise Schnitzler (1840–1911), Tochter des
        Dr. med. et phil. Philipp Markbreiter (1810–1892),
        Begründer der *Wiener Medizinal-Halle. Zeitschrift für*
        praktische Ärzte (seit 1860), von 1865–1906 unter dem
        Titel *Wiener Medizinische Presse. Organ für prak-*
        tische Ärzte.
        Hochzeit der Eltern: 2. Juni 1861

1865   13. Juli: Geburt des Bruders Julius (1865–1939),
        später Professor der Chirurgie und Primararzt des Wied-
        ner Krankenhauses (Wien IV. Bezirk).

1867   20. Dezember: Geburt der Schwester Gisela
        (1867–1953), heiratete 1889 den Studienkollegen
        Arthur Schnitzlers Marcus Hajek (1861–1941), spä-
        teren Professor der Laryngologie.

1871–79 Besuch des Akademischen Gymnasiums in Wien (seit
        1866 Historismus-Neubau am Beethovenplatz). In diese
        Schule gingen auch Peter Altenberg, Richard Beer-Hof-
        mann, Hugo von Hofmannsthal.

1879   8. Juli: Reifeprüfung (Matura) mit Auszeichnung
        30. August–15. September: Maturareise nach Amster-
        dam (über Frankfurt-Ems-Köln).
        Herbst: Beginn der Universitätsstudien (Medizin) in
        Wien.

1880   Juli: Der Vater stellt Arthur Schnitzler als Korrek-

tor seiner medizinischen Zeitschrift mit 20 fl. Monats-
gehalt an.
November: erste Veröffentlichung in der Zeitschrift
Der freie Landsbote, München, *Liebeslied der Ballerine*
und *Über den Patriotismus*.

1882   1. Oktober: Dienstantritt als Einjährig-Freiwilliger im
        Garnisonsspital Nr. 1 in Wien.

1885   30. Mai: Promotion zum »Doktor der gesamten
        Heilkunde«.
        August: »Doktorreise« nach Mailand.
        September: Hospitant in der Abteilung für Innere Medi-
        zin (Standthartner) des k.k. Allgemeinen Krankenhauses
        in Wien.
        Oktober: Aspirant in der Abteilung für Nervenpatho-
        logie (Benedikt) der Poliklinik.
        Beginn des Briefwechsels mit Theodor Herzl (1860
        bis 1904).

1886   6. Januar: Festspiel zum 25. Promotionsjubiläum des
        Vaters.
        April: Reise nach Meran mit Tuberkuloseverdacht.
        Dort lernt er das *Abenteuer seines Lebens*, Olga Waiss-
        nix (1862–1897), die Wirtin des Thalhofs in Reichenau,
        kennen.
        1. Juni: provisorischer Sekundararzt.
        1. November: Sekundararzt bei Theodor Meynert
        (Psychiatrie).
        November: Beginn regelmäßiger Veröffentlichungen
        von Gedichten, Prosa, Skizzen und Aphorismen in Zeit-
        schriften (*Deutsche Wochenschrift, An   der schönen
        blauen Donau*).

1887   1. Januar: Redakteur der von seinem Vater gegründeten
        Internationalen Klinischen Rundschau.
        1. April: Sekundararzt bei Isidor Neumann (Abteilung
        Hautkrankheiten und Syphilis).
        September: Reise mit dem Vater zum Naturforscher-
        kongreß in Wiesbaden.

1888   1. Januar: Chirurgische Abteilung (Joseph Weinlech-
        ner). Rudolf Lothar sorgt dafür, daß der Agent O. F.
        Eirich den Einakter *Das Abenteuer seines Lebens*
        in Vertrieb nimmt und auf Schnitzlers Kosten
        druckt.

5. April–12. Mai: Studienreise nach Berlin (Laryn-
goskopie bei Bernhard Fränkel). Erstes Zusammentreffen mit Josef Kainz. Besuch bei Karl Emil Franzos.
21. Mai–25. August: Studienreise nach London (über
Paris), bei der Rückreise Aufenthalt in Ostende.
Herbst: Assistent seines Vaters an der Allgemeinen
Poliklinik (bis 1893). Hypnotische Versuche.

1888–92 Arbeit am *Anatol*-Zyklus.

1889   *Über funktionelle Aphonie und ihre Behandlung durch
Hypnose und Suggestion.* In: *Internationale Klinische
Rundschau,* 3. Jahrgang.
Beginn des Verhältnisses mit Marie Glümer (1873 bis
1925) und der freundschaftlichen Beziehung zu Paul
Goldmann (1865–1935). In *An der schönen blauen
Donau* erscheinen die Erzählungen *Amerika, Der An-
dere, Mein Freund Ypsilon,* Gedichte und der *Anatol*-
Einakter *Episode.*

1890   *Alkandis Lied* erscheint in *An der schönen blauen Donau; Die Frage an das Schicksal* und *Anatols Hochzeitsmorgen* in *Moderne Dichtung.*
Schnitzler lernt Hugo von Hofmannsthal (1874–1929)
und Felix Salten (1869–1947) kennen, etwas später
Richard Beer-Hofmann (1866–1945) und Hermann
Bahr (1863–1934).

1891   13. Mai: *Das Abenteuer seines Lebens* wird am Theater
in der Josefstadt aufgeführt.
Veröffentlichungen: *Das Märchen* als Bühnenmanuskript; *Denksteine* und *Reichtum* in *Moderne Rundschau; Weihnachts-Einkäufe* in der Weihnachtsnummer der *Frankfurter Zeitung.*

1892   17.–22. September: Reise nach Venedig.
Erster Kontakt mit Karl Kraus (1874–1936).
Veröffentlichungen: *Der Sohn. Aus den Papieren eines
Arztes* in *Freie Bühne für den Entwicklungskampf der
Zeit.*
Im Oktober erscheint *Anatol* mit einem Prolog von Loris
(d. i. H. v. Hofmannsthal) im Verlag Bibliographisches
Bureau, Berlin (mit der Jahreszahl 1893).

1893   28. Februar–12. März: Reise nach Abbazia.
2. Mai: Tod des Vaters.
Ausscheiden aus der Poliklinik. Privatpraxis.

14. Juli: Uraufführung *Abschiedssouper* (aus *Anatol*) am Stadttheater Bad Ischl.

1. Dezember: Uraufführung *Das Märchen* am Deutschen Volkstheater, Wien.

1894   Beginn des Briefwechsels mit Georg Brandes (1842 bis 1927).

12. Juli: Erste Begegnung mit Marie Reinhard (geboren 1871), Gesangslehrerin, die als Patientin zu ihm kommt.

Veröffentlichungen: *Blumen* in *Neue Revue; Die drei Elixire* in *Moderner Musen-Almanach auf das Jahr 1894; Sterben* in *Neue Deutsche Rundschau,* Oktober–Dezember; *Der Witwer* in der Weihnachtsnummer der *Wiener Allgemeinen Zeitung.* Buchausgabe: *Das Märchen* bei E. Pierson, Dresden & Leipzig.

1895   Reise nach Prag, Karlsbad, Marienbad, Franzensbad.

Beginn der freundschaftlichen Beziehung zu Otto Brahm (1856–1912).

9. Oktober: Uraufführung *Liebelei* am Burgtheater, Wien (Direktion: Max Burkhard), zusammen mit dem Einakter *Rechte der Seele* von Giuseppe Giacosa.

Veröffentlichungen: Buchausgabe *Sterben* bei S. Fischer, Berlin; *Die kleine Komödie* in *Neue Deutsche Rundschau.*

1896   26. Januar: Erste öffentliche Aufführung *Die Frage an das Schicksal* (aus *Anatol*) im Carola-Theater, Leipzig (8. Matinee der Literarischen Gesellschaft Leipzig).

4. Februar: Berliner Erstaufführung *Liebelei,* zusammen mit Kleists *Der zerbrochene Krug* im Deutschen Theater (Direktion: Otto Brahm). In Berlin Beginn der Bekanntschaft mit Alfred Kerr (1867–1948).

4. Juli–29. August: Nordlandreise. Arbeit an *Freiwild.*

19. Juli: am Nordkap.

25./26. Juli: Besuche bei Ibsen in Christiania.

August: Kopenhagen. Besuche bei Georg Brandes und Peter Nansen.

3. November: Uraufführung *Freiwild* am Deutschen Theater, Berlin. Schnitzler ist vom 26. 10.–9. 11. in Berlin.

Veröffentlichungen: Buchausgabe *Liebelei* bei S. Fischer, Berlin; *Ein Abschied* in *Neue Deutsche Rundschau; Die überspannte Person* im *Simplicissimus.*

1897   7. April–2. Juni: Reise über München–Zürich nach
        Paris und (ab 24. 5.) London.
        4. November: Tod von Olga Waissnix.
        27. November: Prager Erstaufführung *Freiwild* in An-
        wesenheit Schnitzlers.
        Veröffentlichungen: *Die Frau des Weisen* in *Die Zeit;
        Der Ehrentag* in *Die Romanwelt; Halbzwei* in *Die Ge-
        sellschaft; Die Toten schweigen* in *Cosmopolis.*

1898   13. Januar: Uraufführung *Weihnachtseinkäufe* (aus
        Anatol), Sofiensäle, Wien.
        26. Juni: Uraufführung *Episode* (aus *Anatol*), Ibsen-
        Theater, Leipzig.
        11. Juli–3. September: Sommerreise, mit dem Fahrrad,
        durch Österreich, die Schweiz (zusammen mit Hof-
        mannsthal), Oberitalien.
        2.–13. Oktober: Reise nach Berlin.
        8. Oktober: Uraufführung *Das Vermächtnis*, Deutsches
        Theater, Berlin.
        30. November: Wiener Erstaufführung *Das Vermächt-
        nis*, Burgtheater.
        Beginn der Bekanntschaft mit Jakob Wassermann
        (1873–1934).
        Veröffentlichungen: Buchausgabe *Die Frau des Weisen.
        Novelletten* bei S. Fischer, Berlin (Inhalt: *Die Frau des
        Weisen, Ein Abschied, Der Ehrentag, Blumen, Die Toten
        schweigen*); *Freiwild* ebenfalls bei S. Fischer, Berlin.
        In *Cosmopolis* erscheint *Paracelsus.*

1899   1. März: Uraufführung des Zyklus *Der grüne Kakadu
        (Paracelsus, Die Gefährtin, Der grüne Kakadu)* im Burg-
        theater, Wien.
        18. März: Plötzlicher Tod Marie Reinhards (Sepsis nach
        Blinddarmdurchbruch).
        27. März: Verleihung des Bauernfeldpreises für »No-
        vellen und dramatische Arbeiten«.
        24. April–3. Mai: Reise nach Berlin.
        29. April: Berliner Erstaufführung der Einakter *Paracel-
        sus, Die Gefährtin, Der grüne Kakadu* am Deutschen
        Theater.
        11. Juli: Erste Begegnung mit der jungen Schauspielerin
        Olga Gussmann (1882–1970).

18. Juli–11. Oktober: Reise, teilweise mit dem Rad, zuerst nach Velden.

5.–14. August: Fußtour mit Beer-Hofmann und Wassermann nach Bozen–Innsbruck–Salzburg.

15. September: Besuch der Münchener *Vermächtnis*-Premiere.

19. September: Besuch bei Paul Goldmann in Frankfurt.

3.–11. Oktober: Reise nach Berlin.

Veröffentlichungen: *Der grüne Kakadu* in *Neue Deutsche Rundschau; Um eine Stunde* in der Weihnachtsausgabe der *Neuen Freien Presse*. Buchausgaben: *Das Vermächtnis* und *Der grüne Kakadu, Paracelsus, Die Gefährtin* bei S. Fischer, Berlin.

1900   27. März–8. April: Frühjahrsreise nach Triest–Ragusa–Abbazia (Treffen mit Robert Hirschfeld).

28. Juni – 31. August: Sommerreise durch Österreich (Ischl – Altaussee – Reichenau – Aussee – Ischl – Salzburg – Innsbruck). Mit Beer-Hofmann, Goldmann, Kerr, Vanjung: Bludenz–Schruns – über die Schweiz nach Meran.

22. November – 2. Dezember: Reise nach Breslau–Berlin–Breslau.

1. Dezember: Uraufführung *Der Schleier der Beatrice* am Lobe-Theater, Breslau.

Veröffentlichungen: Privatdruck des *Reigen* in 200 Exemplaren.

22. Dezember: *Der blinde Geronimo und sein Bruder* erscheint in *Die Zeit.* 25. Dezember: *Leutnant Gustl* erscheint in *Neue Freie Presse*.

1901   2.–10. März: Reise nach Berlin zur Uraufführung des Einakters *Marionetten* durch Wolzogens *Überbrettl* am 8. März.

25. März–19. April: Frühjahrsreise nach Rom (Nizza–Genua–Pisa–Rom–Florenz–Bologna–Wien).

11. Juni–29. August: Sommerreise nach Berchtesgaden und Südtirol.

14. Juni: Weil Arthur Schnitzler den *Leutnant Gustl* veröffentlicht hat, wird er vom k. k. Landwehroberkommando seines Offizierscharakters für verlustig erklärt.

13. Oktober: Uraufführung *Anatols Hochzeitsmorgen* im

Langenbeck-Haus in Berlin (Literarischer Abend der
gesellig-wissenschaftlichen Vereinigung *Herold*).
Veröffentlichungen: *Frau Berta Garlan* erscheint von
Januar bis März in der *Neuen Deutschen Rundschau*, wo
im Dezember der Erstdruck der *Lebendigen Stunden*
folgt; in der *Jugend* erscheint in zwei Folgen *Sylvesternacht. Ein Dialog;* Buchausgaben: bei S. Fischer erscheinen drei Bände: *Lieutenant Gustl, Der Schleier der
Beatrice* und *Frau Berta Garlan.*

1902   4. Januar: Uraufführung *Lebendige Stunden* (Zyklus),
Deutsches Theater, Berlin. Schnitzler war vom 27. Dezember 1901 bis 6. Januar 1902 in Berlin, änderte während der Proben *Die Frau mit dem Dolche.* Besuch bei
Maximilian Harden.
26. Juni–8. Juli: Sommerreise, Radpartie mit Hofmannsthal von Salzburg nach Innsbruck und über den
Brenner.
9. August: Geburt des Sohnes Heinrich.
12.–21. Oktober: Reise nach Berlin zur Premiere von
Maeterlincks *Monna Vanna.*
18.–20. Oktober: zusammen mit Otto Brahm Besuch
bei Gerhart Hauptmann in Agnetendorf.
7. Dezember: Premiere *Liebelei* und *Abschiedssouper,*
Theater in der Josefstadt, Wien.
Veröffentlichungen: *Die Fremde* erscheint in der Pfingst-
Beilage der *Neuen Freien Presse.* In der *Zeit* kommen im
Juli *Andreas Thameyers letzter Brief* und im September
Die griechische Tänzerin heraus. *Excentric* erscheint in
der *Jugend.* Buchausgabe: *Lebendige Stunden. Vier
Einakter* (außer dem Titel-Einakter sind *Die Frau mit
dem Dolche; Die letzten Masken; Literatur* Erstdrucke),
S. Fischer, Berlin.

1903   21. Februar–10. März: Reise nach Berlin.
7. März: Premiere *Der Schleier der Beatrice*, Deutsches
Theater, Berlin.
14. März: Erste Wiener Inszenierung *Lebendige Stunden*,
Deutsches Volkstheater.
17. März: Verleihung des Bauernfeldpreises für den
Zyklus *Lebendige Stunden.*
27. Mai–16. Juni: Pfingstreise mit Olga Gussmann nach
Venedig und Mailand.

25. Juni: Uraufführung des 4.–6. *Reigen*-Dialogs, Münchner Akademisch-Dramatischer Verein.

12.–22. August: Sommerreise, zum Teil mit dem Rad, nach Südtirol.

26. August: Arthur Schnitzler heiratet die Mutter seines Sohnes, Olga Gussmann.

12. September: Uraufführung *Der Puppenspieler* zusammen mit Rodenbachs *Trugbild*, Deutsches Theater, Berlin.

Veröffentlichungen: In der Pfingstbeilage der *Neuen Freien Presse* erscheint *Der Puppenspieler*. Diese *Studie in einem Akt* erscheint am 12. Juli auch in der *New Yorker Staats-Zeitung*. Im *Neuen Wiener Journal* wird am 25. Oktober *Die grüne Krawatte* veröffentlicht. Buchausgabe: Im Wiener Verlag erscheint die erste Buchausgabe des *Reigen* in 40 000 Exemplaren (bis 1931 104 000 Exemplare).

1904   4.–19. Februar: Reise nach Berlin.

13. Februar: Uraufführung *Der einsame Weg*, Deutsches Theater, Berlin.

16. März: Verbot der Buchausgabe des *Reigen* in Deutschland.

30. April–30. Mai: Reise nach Rom, Neapel (dort Besuch bei Karl Vollmöller), Sizilien.

12.–24. November: Reise nach Berlin.

22. November: Uraufführung *Der tapfere Cassian*, Kleines Theater, Berlin (Max Reinhardt), zugleich wird *Der grüne Kakadu* aufgeführt. Der dritte für den *Burlesken Abend* vorgesehene Einakter *Das Haus Delorme* ist vor der Premiere von der Zensur verboten worden.

Veröffentlichungen: *Der tapfere Cassian* (im Februar), *Das Schicksal des Freiherrn von Leisenbohg* (im Juli) in *Neue Rundschau*; Buchausgabe: *Der einsame Weg*, S. Fischer, Berlin.

1905   28. Januar: Erste Wiener Inszenierung *Freiwild*, Deutsches Volkstheater.

3.–18. März: Schiffsreise Genua – Neapel – Sizilien – Korfu – Ragusa (dort Zusammentreffen mit Hofmannsthal und Burckhard) – Abbazia – Fiume.

12. Oktober: Uraufführung *Zwischenspiel*, Burgtheater, Wien.

14. Oktober: Premiere *Der grüne Kakadu,* Volkstheater, Wien, zusammen mit Kleists *Der zerbrochene
Krug.*
4.–7. November: Vorlesungsreise nach Prag und Teplitz.
18.–28. November: Reise nach Berlin.
25. November: Berliner Premiere *Zwischenspiel* bei
Otto Brahm.
Veröffentlichungen: In der Osterbeilage der *Neuen
Freien Presse* erscheint *Das neue Lied,* in der Weihnachtsbeilage *Die Weissagung;* in der Osterbeilage der
Zeit kommt die Burleske *Zum großen Wurstel* heraus.
Buchausgabe: *Die griechische Tänzerin. Novellen,* Wiener Verlag (Inhalt: *Der blinde Geronimo und sein
Bruder. Andreas Thameyers letzter Brief. Exzentrik. Die
griechische Tänzerin.*)

1906   3.–7. Februar: Reise nach Berlin zu den Proben von
Der Ruf des Lebens und zu Brahms 50. Geburtstag
(5. Februar).
16.–28. Februar: Reise nach Berlin.
24. Februar: Uraufführung *Der Ruf des Lebens,* Lessingtheater, Berlin (Otto Brahm).
16. März: Uraufführung *Zum großen Wurstel,* Lustspieltheater, Wien (im Prater).
4. April: Übernahme von *Zum großen Wurstel* ins
Theater in der Josefstadt (Josef Jarno, der den *Unbekannten* spielte, war der Direktor beider Häuser).
26. Juni–21. August: Sommerreise nach Marienlyst
(Dänemark). Rückreise über Kopenhagen, Berlin,
Weimar, Eisenach, Nürnberg.
2. Juli: Besuch bei Brandes in Kopenhagen.
Veröffentlichungen: Drei Buchausgaben bei S. Fischer,
Berlin: *Zwischenspiel; Der Ruf des Lebens; Marionetten.
Drei Einakter (Der Puppenspieler, Der tapfere Cassian,
Zum großen Wurstel).*

1907   26. Juni–12. September: Sommerreise nach Welsberg
im Pustertal (Südtirol) vom 14.–24. Juli zusammen
mit Hofmannsthal. Abschließende Arbeit am Roman
Der Weg ins Freie.
Veröffentlichungen: *Die Geschichte eines Genies* in der
Berliner Zeitschrift *Arena; Der tote Gabriel* in der
Pfingstbeilage der *Neuen Freien Presse.* Buchausgabe:

Dämmerseelen. Novellen, S. Fischer, Berlin (Inhalt: *Das Schicksal des Freiherrn von Leisenbohg. Die Weissagung. Das neue Lied. Die Fremde. Andreas Thameyers letzter Brief.*)

1908   15. Januar: Verleihung des Grillparzerpreises für die Komödie *Zwischenspiel* (Preisrichterkollegium: Minor, Schlenther, Hevesi, Burckhard, Erich Schmidt).
25. April–14. Mai: Reise über den Gardasee, Südtirol nach München.
19. Juni–14. September: Sommerreise nach Seis am Schlern (Südtirol) vom 10.–30. Juli zusammen mit Otto Brahm. Heimreise über München.
Veröffentlichungen: *Komtesse Mizzi oder Der Familientag* in der Osterbeilage der *Neuen Freien Presse; Der Tod des Junggesellen* in der *Österreichischen Rundschau.* Von Januar bis Juni erscheint der Roman *Der Weg ins Freie* in der *Neuen Rundschau* in sechs Fortsetzungen. Buchausgabe: *Der Weg ins Freie. Roman.* S. Fischer, Berlin (Erstauflage: 20 000 Exemplare; bis 1929 erschienen 136 000).

1909   »Schnitzler-Jahr« des Deutschen Volkstheaters, Wien: 5. Januar: Uraufführung *Komtesse Mizzi oder Der Familientag,* wird zusammen mit *Liebelei* gespielt. 16. Januar: *Anatols Hochzeitsmorgen,* österreichische Erstaufführung. 11. Dezember: *Der Ruf des Lebens,* österreichische Erstaufführung.
13. September: Geburt der Tochter Lili.
30. Oktober: Uraufführung *Der tapfere Kassian. Singspiel.* Musik von Oscar Straus, Neues Stadttheater, Leipzig.
Veröffentlichungen: *Der tapfere Kassian* erscheint mit neugeschriebenem Text als Singspiel (Musik von Oscar Straus) bei Ludwig Doblinger, Leipzig & Wien.

1910   20.–24. Januar: Reise nach Dresden.
22. Januar: Uraufführung der Pantomime *Der Schleier der Pierrette,* Musik von Ernst von Dohnányi. Königliches Opernhaus, Dresden.
18. Mai–2. Juni: Reise in die Schweiz.
Sommer: Kauf des Hauses Sternwartestraße 71 im 18. Wiener Gemeindebezirk (Einzug am 17. Juli).
15.–20. September: Reise nach Frankfurt.

18. September: Uraufführung der Oper *Liebelei* von
Franz Neumann, Frankfurt am Main.
20. September: Josef Kainz gestorben (Schnitzler hatte
ihn während seiner langen Krankheit oft besucht).
24. November: Uraufführung der dramatischen Historie
Der junge Medardus, Burgtheater, Wien.
3. Dezember: Uraufführung des *Anatol*-Zyklus (ohne
Denksteine und *Agonie*) zugleich am Lessingtheater,
Berlin (Otto Brahm) und am Deutschen Volkstheater,
Wien.
Veröffentlichungen: *Der junge Medardus* erscheint als
Buchausgabe bei S. Fischer, Berlin. Die *Bastei-Szene* war
in der *Neuen Freien Presse*, das *Vorspiel* in der *Neuen
Rundschau* vorabgedruckt worden. Als Libretto zu der
Musik von Ernst von Dohnányi erscheint bei L. Doblin-
ger, Wien & Leipzig *Der Schleier der Pierrette. Panto-
mime in drei Bildern.*

1911   Beginn des freundschaftlichen Briefwechsels mit Hein-
              rich Mann (1871–1950).
              22. Februar–1. März: Reise nach Berlin
              23. Februar: Liederabend Olga Schnitzlers in Berlin.
              10. April–3. Mai: Reise über München – Mailand –
              Genua nach Mentone. Über München zurück.
              9. September: Tod der Mutter.
              14. Oktober: Uraufführung der Tragikomödie *Das weite
              Land* gleichzeitig an den Theatern: Lessingtheater, Ber-
              lin; Lobe-Theater, Breslau; Residenztheater, München;
              Deutsches Landestheater, Prag; Altes Stadttheater,
              Leipzig; Schauburg, Hannover; Stadttheater, Bochum;
              Burgtheater, Wien.
              29. Oktober–17. November: Reise nach Prag, Berlin,
              Hamburg, München (Lesungen und Besuche der Auf-
              führungen von *Das weite Land*).
              Veröffentlichungen: In der Pfingstausgabe der *Zeit*
              erscheint *Die dreifache Warnung* (auch im S. Fischer
              Almanach *Das XXV. Jahr*); in der Pfingstbeilage der
              Neuen Freien Presse Der Mörder; Die Hirtenflöte in
              Neue Rundschau; Das Tagebuch der Redegonda in
              Süddeutsche Monatshefte. Buchausgabe: *Das weite Land.
              Tragikomödie* in fünf Akten, S. Fischer, Berlin.

1912   10. Februar: Uraufführung des Zyklus *Marionetten* (*Der Puppenspieler, Der tapfere Cassian, Zum großen Wurstel*), Deutsches Volkstheater, Wien.
10.–23. Mai: Reise nach Triest und Venedig.
15. Mai: Zur Feier des 50. Geburtstages 26 Schnitzleraufführungen an deutschsprachigen Bühnen: ein Zyklus (Prag), 10 Neueinstudierungen, 15 Repertoirevorstellungen. In Wien werden an diesem Abend *Liebelei* und *Der grüne Kakadu* (Deutsches Volkstheater) und *Das Vermächtnis* (Theater in der Josefstadt) gespielt.
20. Juli–8. September: Sommeraufenthalt auf der Insel Brioni. Rückkehr über München.
13. Oktober: Uraufführung *Reigen* (in ungarischer Sprache) in Budapest, polizeilich verboten.
25. Oktober: Verbot einer Aufführung von *Professor Bernhardi* am Deutschen Volkstheater, Wien, durch die Zensur.
23. November–1. Dezember: Reise nach Berlin.
28. November: Uraufführung *Professor Bernhardi*, Kleines Theater, Berlin (Viktor Barnowsky). Am gleichen Abend stirbt Otto Brahm.
Veröffentlichungen: Buchausgaben bei S. Fischer, Berlin: *Professor Bernhardi. Komödie* in fünf Akten und *Masken und Wunder. Novellen* (Inhalt: *Die Hirtenflöte. Der Tod des Junggesellen. Der Mörder. Der tote Gabriel. Das Tagebuch der Redegonda. Die dreifache Warnung*). Außerdem erscheinen anläßlich des 50. Geburtstages die *Gesammelten Werke in zwei Abteilungen* (drei Bände *Erzählende Schriften* und vier Bände *Theaterstücke*).

1913   16. April: Reise nach Budapest zur Aufführung des *Professor Bernhardi.*
23. Juli–12. September: Sommeraufenthalt auf der Insel Brioni. Rückkehr über Venedig, München.
14. Oktober: Wiener Premiere der Oper *Liebelei*, Volksoper.
Veröffentlichungen: In der *Neuen Rundschau* von Februar bis April erscheint *Frau Beate und ihr Sohn*, danach auch als Buchausgabe bei S. Fischer, Berlin.

1914   22. Januar: Premiere des ersten (Stumm-)Films zu einer Vorlage Arthur Schnitzlers *Elskovsleg* (nach *Liebelei*),

Kopenhagen. Drehbuch: Arthur Schnitzler und Holger Madsen, der auch Regie führte.

31. Januar: Das Burgtheater, Wien, führt *Literatur* auf, zusammen mit Courtelines *Bourbouroche* und Wedekinds *Kammersänger.*

19. Februar: Wiener Erstinszenierung *Der einsame Weg,* Burgtheater.

27. März: Verleihung des (seit 1908 nicht vergebenen) Raimundpreises für *Der junge Medardus.*

2. Mai–7. Juni: Reise nach Florenz – Genua – Algier – Gibraltar – Lissabon – Southampton – Antwerpen – Amsterdam – Haag – Köln – Tutzing (zur Schwägerin Liesl Steinrück, wie oft in den vergangenen Jahren).

17. Juli–2. September: Sommerreise in die Schweiz. Durch die Kriegserklärungen schwierige, langwierige Heimreise.

10. Oktober: Neueinstudierung *Der Ruf des Lebens* am Deutschen Volkstheater, Wien.

21.–28. Oktober: Reise nach Berlin.

24. Oktober: Premiere *Der junge Medardus,* Lessingtheater, Berlin.

Veröffentlichungen: Buchausgabe *Die griechische Tänzerin und andere Novellen,* S. Fischer, Berlin. (Inhalt: *Der blinde Geronimo und sein Bruder. Die Toten schweigen. Die Weissagung. Das neue Lied. Die griechische Tänzerin.)*

1915   12. Oktober: Uraufführung *Komödie der Worte* zugleich Burgtheater, Wien; Hoftheater, Darmstadt; Neues Theater, Frankfurt am Main.

Veröffentlichung: Buchausgabe *Komödie der Worte.* Drei Einakter. S. Fischer, Berlin. (Inhalt: *Stunde des Erkennens, Große Szene. Das Bacchusfest.)*

1917   14. November: Uraufführung *Fink und Fliederbusch,* Deutsches Volkstheater, Wien.

Veröffentlichungen: Im *Berliner Tageblatt* erscheint in 31 Fortsetzungen im Februar und März die Erzählung *Doktor Gräsler, Badearzt,* im gleichen Jahr von S. Fischer, Berlin, als Buch verlegt. Bei S. Fischer erscheint ebenfalls die Buchausgabe der Komödie in drei Akten *Fink und Fliederbusch.*

1918   21. Dezember: Wiener Erstaufführung *Professor Bern-hardi*, Volkstheater (Wiedereröffnung des Theaters sechs Wochen nach dem Zusammenbruch der Monarchie, deren Zensurbehörde die Aufführung für Wien verboten hatte).
Veröffentlichungen: In der *Neuen Rundschau* erscheint von Juli bis September die Novelle *Casanovas Heimfahrt*, im gleichen Jahr bei S. Fischer, Berlin als Buchausgabe.

1919   Veröffentlichungen: Die *Deutsche Rundschau* veröffentlicht im Oktober die *Drei Akte in einem Die Schwestern oder Casanova in Spa*, das im gleichen Jahr auch als Buchausgabe bei S. Fischer, Berlin, herauskommt.

1920   12. März: Einakterabend am Deutschen Volkstheater, Wien, mit *Der Puppenspieler, Der grüne Kakadu, Komtesse Mizzi*.
26. März: Uraufführung *Die Schwestern oder Casanova in Spa*, Burgtheater, Wien.
8. Oktober: Verleihung des Volkstheaterpreises für *Professor Bernhardi*.
23. Dezember: Uraufführung *Reigen*, Kleines Schauspielhaus, Berlin (die Aufführung war verboten worden. Die einstweilige Verfügung wurde am 3. Januar 1921 aufgehoben).

1921   1. Februar: Wiener Erstaufführung *Reigen*, Kammerspiele des Deutschen Volkstheaters.
17. Februar: Saalschlacht während einer *Reigen*-Aufführung in Wien. Verbot weiterer Aufführungen (am 17. Februar 1922 aufgehoben) »aus Gründen der öffentlichen Ruhe und Ordnung«.
22. Februar: Organisierter Skandal während einer Berliner *Reigen*-Aufführung.
26. Juni: Scheidung der Ehe.
11. September: Premiere des Stummfilms *The Affairs of Anatol* (USA), Regie: Cecil B. deMille.
September: Anklage der Staatsanwaltschaft gegen Direktion, Regisseur und Schauspieler des Kleinen Schauspielhauses Berlin wegen Erregung öffentlichen Ärgernisses.
8. November: Der *Reigen*-Prozeß endet nach fünf Verhandlungstagen mit Freispruch.

1922   19. April–19. Mai: Reise nach Holland (Vorlesungen).
Rückkehr über Berlin, München.
16. Juni: erste längere Begegnung mit Sigmund Freud,
nachdem beide sich *bisher nur ein paar Mal flüchtig gesprochen* hatten.
7. August–15. September: Sommerreise nach Berchtesgaden.
Veröffentlichungen: Zum 60. Geburtstag ergänzt S. Fischer die *Erzählenden Schriften* von 1912 um einen
vierten Band (Inhalt: *Frau Beate und ihr Sohn. Doktor
Gräsler, Badearzt. Casanovas Heimfahrt.*) und die
Theaterstücke um einen fünften Band (Inhalt: *Professor
Bernhardi. Komödie der Worte. Fink und Fliederbusch.
Die Schwestern oder Casanova in Spa.*).

1923   7.–27. Mai: Reise über Berlin nach Kopenhagen, Stockholm (Lesungen).
3. August–15. September: Sommerreise nach Baden-
Baden und in die Schweiz (Celerina).
5. Oktober: Premiere des Stummfilms *Der junge Medardus* in Wien. Drehbuch: Arthur Schnitzler, Ladislaus
Vajda. Regie: Michael Kertesz.

1924   6. August–4. September: Sommerreise in die Schweiz.
11. Oktober: Uraufführung *Komödie der Verführung,*
Burgtheater, Wien.
Veröffentlichungen: In der Osterbeilage der *Neuen
Freien Presse* erscheinen Szenen aus der *Komödie der
Verführung,* die bei S. Fischer, Berlin, als Buchausgabe
herauskommt; im Oktober bringt die *Neue Rundschau*
den Vorabdruck von *Fräulein Else.* Die Buchausgabe
erscheint nicht bei S. Fischer, sondern bei Paul Zsolnay,
Berlin, Wien, Leipzig. Reclams Universal-Bibliothek
bringt als Nr. 6458 eine Auswahl der Novellen: *Die dreifache Warnung* (Inhalt: *Die Frau des Weisen. Die dreifache Warnung. Der blinde Geronimo und sein Bruder.*).

1925   7. Januar–2. Februar: Vorlesungsreise durch Süddeutschland und die Schweiz (anschließend Aufenthalt
in St. Moritz).
3. März: Aufführung des *Anatol*-Zyklus am Theater in
der Josefstadt, Wien, das Max Reinhardt 1924 übernommen hatte.
13.–25. März: Reise nach Berlin.

23. Mai: Neuinszenierung *Der Schleier der Beatrice*, Burgtheater, Wien.

16. Juni–4. Juli: Reise nach Baden-Baden und Südtirol.

Juli: Gastspiel des Moskauer Kammertheaters (Tairow) mit der Pantomime *Der Schleier der Pierrette* (Musik: v. Dohnányi); Arthur Schnitzler sieht die Aufführung am 5. Juli.

5. August–21. September: Reise nach Südtirol, in die Schweiz und nach Mailand – Florenz – Venedig.

4. September: Premiere *Das weite Land*, Deutsches Volkstheater, Wien.

11.–21. Oktober: Reise nach Berlin.

14. November: Premiere *Der einsame Weg*, Deutsches Volkstheater, Wien.

Veröffentlichungen: Im August erscheint *Die Frau des Richters* in der *Vossischen Zeitung;* darauf als Buchausgabe im Propyläen-Verlag, Berlin. Im Dezember beginnt der Vorabdruck der *Traumnovelle* in der Zeitschrift *Die Dame* zu erscheinen (bis März 1926).

1926   15. Januar: Premiere *Komödie der Worte*, Deutsches Volkstheater, Wien.

5.–17. Februar: Reise nach Berlin.

15. April–20. Mai: Seereise in Begleitung seiner Tochter nach Triest – Palermo – Neapel – Gibraltar – Lissabon – Las Palmas – Hamburg. Weiterfahrt nach Berlin.

21. Juni: Überreichung des Burgtheaterringes, gestiftet vom Journalisten- und Schriftstellerverein *Concordia*.

27. Juli–12. September: Sommerreise in die Schweiz.

23. Dezember–5. Januar 1927: Reise nach Berlin (dort am 27. Dezember letztes, zufälliges Zusammentreffen mit Sigmund Freud).

31. Dezember: Uraufführung *Sylvesternacht*, einmalige Sylvesternachtsvorstellung der »Schauspieler des Theaters in der Josefstadt«, Wien.

Veröffentlichungen: Die *Dramatische Dichtung in fünf Aufzügen Der Gang zum Weiher* erscheint als Buchausgabe bei S. Fischer, Berlin, ebenso die *Traumnovelle*. Im Dezember beginnt die *Berliner Illustrirte Zeitung* mit dem Vorabdruck der Novelle *Spiel im Morgengrauen* (bis 9. Januar 1927).

1927   15. März: Premiere des Stummfilms *Liebelei* in Berlin. Drehbuch: Arthur Schnitzler, Herbert Juttke, Georg C. Klaren. Regie: Jakob und Luise Fleck.
21. April–1. Mai: Reise nach Venedig.
30. Juni: Lili Schnitzler heiratet den italienischen Offizier Arnoldo Cappellini.
10. August–15. September: Reise nach Südtirol, Venedig (Rückflug nach Wien).
28. November–10. Dezember: Reise nach Berlin.
Veröffentlichungen: Buchausgabe *Spiel im Morgengrauen*. S. Fischer, Berlin. Im Wiener Phaidon-Verlag erscheinen die Aphorismen und Fragmente *Buch der Sprüche und Bedenken*. S. Fischer bringt die philosophischen Diagramme *Der Geist im Wort und der Geist in der Tat* heraus.

1928   März: Premiere des Stummfilms *Freiwild* in Berlin. Drehbuch: Arthur Schnitzler, Herbert Juttke, Georg C. Klaren. Regie: Holger Madsen.
12. April–4. Mai: Schiffsreise Triest-Konstantinopel – Rhodos – Venedig mit der Tochter Lili und dem Schwiegersohn.
11.–21. Juni: Reise nach Bad Ischl.
26. Juli: Selbstmord der Tochter Lili in Venedig.
27.–31. Juli: Flug nach Venedig zum Begräbnis der Tochter.
16. August–3.September: Reise nach Hohenschwangau.
6.–22. Oktober: Reise nach Berlin.
26. Dezember–7. Januar 1929: Reise nach Berlin.
Veröffentlichungen: S. Fischer, Berlin, ergänzt die *Erzählenden Schriften* um zwei Bände: Band V enthält die Erstausgabe des Romans *Therese. Chronik eines Frauenlebens;* Band VI unter dem Sammeltitel *Die Erwachenden* die Novellen *Fräulein Else, Die Frau des Richters, Traumnovelle.*

1929   12.–28. März: Reise nach Berlin.
20. August–23. September: Reise in die Schweiz, dann Marienbad.
Produktion des Stummfilms *Fräulein Else.* Drehbuch: Arthur Schnitzler, Paul Czinner. Regie: Paul Czinner. Hauptdarstellerin: Elisabeth Bergner.
21. Dezember: Uraufführung *Im Spiel der Sommerlüfte,*

Deutsches Volkstheater, Wien.

27. Dezember–15. Januar: Reise nach Berlin.

1930   16. Juli–11. August: Reise nach St. Moritz.

26. August–9. September: Reise nach Marienbad.

10.–21. November: Reise nach Berlin.

Veröffentlichung: S. Fischer, Berlin, bringt die Buchausgabe *Im Spiel der Sommerlüfte* heraus.

1931   14. Februar: Uraufführung *Der Gang zum Weiher*, Burgtheater, Wien.

6.–25. August: Reise nach Gmunden.

19. September: Premiere des Tonfilms *Daybreak* (Metro-Goldwyn-Mayer-Corp., USA). Drehbuch: Arthur Schnitzler (nach *Spiel im Morgengrauen*), Ruth Cummings, Zelda Sears. Regie: Jacques Feyder. Hauptdarsteller: Ramon Novarro.

21. Oktober: Arthur Schnitzler stirbt in Wien an den Folgen einer Gehirnblutung.

Begräbnis auf dem Wiener Zentralfriedhof.

Veröffentlichungen: Im Mai erscheint in der *Vossischen Zeitung* der Vorabdruck der Novelle *Flucht in die Finsternis,* ein Nachdruck erscheint im Juli/August im *Neuen Wiener Tagblatt.* Die Buchausgabe folgt im Herbst bei S. Fischer, Berlin, der auch einen Novellen-Auswahlband herausbringt: *Traum und Schicksal* (Inhalt: *Traumnovelle. Spiel im Morgengrauen. Frau Beate und ihr Sohn. Der blinde Geronimo und sein Bruder. Die Hirtenflöte. Die Fremde. Das Schicksal des Freiherrn von Leisenbohg.*).

KOMMENTAR

Im folgenden wird das erzählende und dramatische Werk berücksichtigt, soweit es von der Frankfurter Gesamtausgabe von 1962/63 erfaßt ist. Auch die Reihenfolge der hier kommentierten Werke richtet sich nach dieser Ausgabe. Spätere Nachlaßeditionen schließen meist eine vorläufig ausreichende Kommentierung ein, oder sie sind so ungenügend (wie im Falle der Nachlaßdramen *Das Wort* und *Zug der Schatten*) daß eine verbesserte Edition einer Kommentierung vorausgehen müßte.

Der Kommentar bringt Daten zur Entstehung der Werke bei, die bisher noch nirgendwo in dieser Ausführlichkeit genannt worden sind; dies ist erst möglich, seit die Tagebücher Arthur Schnitzlers – den testamentarischen Bestimmungen gemäß und mit Erlaubnis Heinrich Schnitzlers – zugänglich sind. Gewiß sind bei der Entstehungsgeschichte noch viele Fragen offen und manche Übergänge noch nicht lückenlos nachgewiesen. Dies wird erst nach der kritischen Aufarbeitung und möglicherweise auch Edition der umfangreichen Tagebücher möglich sein. Bis dahin mag der Kommentar als Behelf dienen und die Nachlaßforscher zur Ergänzung reizen.

Während der Arbeit an den Kommentaren zum dramatischen Werk stellte sich heraus, daß es von mehreren Stücken verschiedene gedruckte Fassungen gibt; daß dies bisher noch kaum bemerkt wurde, liegt daran, daß die Bühnenmanuskripte, die die Varianten vom späteren endgültigen Text der Einzel- und Gesamtausgaben enthalten, üblicherweise bibliographisch nicht erfaßt werden. Solche Varianten, die zwar gedruckt, aber doch weitgehend unbekannt sind, beizubringen, macht neben den Entstehungsdaten den Vorteil dieses Kommentars aus. Dafür ist Herrn Professor Heinrich Schnitzler aufrichtig zu danken, ohne dessen unermüdliches Entgegenkommen es diesen Kommentar nicht gäbe. Des weiteren wird auf die Wirkung und die Interpretationen, die es von einzelnen Werken bisher gibt, bibliographisch und knapp annotierend verwiesen. Bei den Dramen werden die Daten der Uraufführungen nicht wiederholt (sie stehen in der Zeittafel). Nur Besonderheiten der Aufführungsgeschichte werden vermerkt (grundsätzlich sei für die Theatergeschichte auf die Briefwechsel Schnitzlers mit Brahm und Reinhardt und auf die Daten bei Urbach und Wagner/Vacha hingewiesen).

Bei den Erläuterungen zu einzelnen Namen und Sachen in den Werken wird versucht, die Mitte zwischen Notwendigem und Überflüssigem zu halten. Es muß aber darauf Rücksicht genommen werden, daß Schnitzler nicht nur von Kennern Wiens gelesen wird oder gelesen werden sollte –, daher die vielen topographischen und dialekterklärenden Anmerkungen, die dem Unkundigen die Orientierung ermöglichen und sie dem Kundigen erleichtern sollen. Daß dabei auch Geläufiges und Beiläufiges vorkommt, mag damit entschuldigt werden, daß sich der Kommentator stets dümmer stellt, als der Benützer ist.

ABKÜRZUNGEN UND SIGLEN

AE	=	Arthur Schnitzler, *Ausgewählte Erzählungen*, Frankfurt 1950.
Allen	=	Richard H. Allen, *An Annotated Arthur Schnitzler Bibliography. Editions and Criticism in German, French and English.* 1879–1965, The University of North Carolina Press 1966.
AS	=	Arthur Schnitzler.
austr.	=	austriazistisch.
AWB	=	Arthur Schnitzler, *Ausgewählte Werke. Liebelei und andere Bühnenwerke* (Vorwort: Johann A. Boeck), Buchgemeinschaftsausgabe, Wien-Stuttgart-Salzburg-Bern o.J (1967).
AWE	=	Arthur Schnitzler, *Ausgewählte Werke. Leutnant Gustl und andere Erzählungen*, Buchgemeinschaftsausgabe, Wien-Stuttgart-Salzburg-Bern o.J. (1967).
D	=	Arthur Schnitzler, *Die Dramatischen Werke*, 2 Bände, Frankfurt 1962.
DdW	=	Arthur Schnitzler, *Die dreifache Warnung. Novellen* (Nachwort: Oswald Brüll), Reclams Universalbibliothek 6458, Leipzig 1924.
DgT	=	Arthur Schnitzler, *Die griechische Tänzerin. Novellen*, Wien und Leipzig 1905. Arthur Schnitzler, *Die griechische Tänzerin und andere Novellen*, Fischers Bibliothek zeitgenössischer Romane, 6. Reihe, Band 1, Berlin 1914.
Dr	=	Arthur Schnitzler, *Dramen* (Nachwort: Manfred Diersch), Berlin und Weimar 1968.
Ds	=	Arthur Schnitzler, *Dämmerseelen. Novellen*, Berlin 1907.
E	=	Arthur Schnitzler, *Die Erzählenden Schriften*, 2 Bände, Frankfurt 1961.
EA	=	Erstausgabe in Buchform.
ED	=	Erstdruck.
EN	=	Entstehung.
ES	=	Arthur Schnitzler, *Erzählende Schriften*, Band I-III, Berlin 1912; *Erzählende Schriften*, Band IV, Berlin 1922; *Erzählende Schriften*, Band V/VI, Berlin 1928.
FdW	=	Arthur Schnitzler, *Die Frau des Weisen. Novelletten*, Berlin 1898.
FT	=	Arthur Schnitzler, *Casanovas Heimfahrt. Erzählungen*, Fischer Taschenbuch 1343, Frankfurt 1973.

I	=	Interpretation.
it., ital.	=	italienisch.
J	=	Arthur Schnitzler, *Jugend in Wien. Eine Autobiographie* (Hgg. Therese Nickl, Heinrich Schnitzler), Wien-München-Zürich 1968.
JIASRA	=	*Journal of the International Arthur Schnitzler Research Association.*
Just	=	Gottfried Just, *Ironie und Sentimentalität in den erzählenden Dichtungen Arthur Schnitzlers*, Berlin 1968.
Kilian	=	Klaus Kilian, *Die Komödien Arthur Schnitzlers*, Düsseldorf 1972.
KK	=	Arthur Schnitzler, *Die kleine Komödie. Frühe Novellen* (Nachwort: Otto P. Schinnerer), Berlin 1932.
Liptzin	=	Sol Liptzin, *Arthur Schnitzler*, New York 1932.
M	=	Arthur Schnitzler, *Meisterdramen*, Frankfurt 1955.
MAL	=	*Modern Austrian Literature.* Journal of the International Arthur Schnitzler Research Association, Binghamton, New York.
MD	=	Arthur Schnitzler, *Meisterdramen*, Frankfurt 1971.
ME	=	Arthur Schnitzler, *Meistererzählungen*, Frankfurt 1969.
MuW	=	Arthur Schnitzler, *Masken und Wunder. Novellen*, Berlin 1912.
Offermanns	=	Ernst Ludwig Offermanns, *Arthur Schnitzler, Das Komödienwerk als Kritik des Impressionismus*, München 1973.
PMLA	=	*Publications of the Modern Language Association.*
Rey	=	William H. Rey, *Arthur Schnitzler. Die späte Prosa als Gipfel seines Schaffens*, Berlin 1968.
Swales	=	Martin Swales, *Arthur Schnitzler. A Critical Study*, Oxford 1971.
T	=	Arthur Schnitzler, *Die Theaterstücke*, Band I-IV, Berlin 1912; Band V, Berlin 1922.
TuS	=	Arthur Schnitzler, *Traum und Schicksal. Sieben Novellen*, Berlin 1931.
Ü	=	Überlieferung.
ung.	=	ungarisch.
Urbach	=	Reinhard Urbach, *Arthur Schnitzler*, Friedrichs Dramatiker des Welttheaters 56, Velber 1968 (zitiert wird nach der 2. Auflage, 1972); amerikanische Übersetzung (von Donald G. Daviau) New York 1973.
Wagner/ Vacha	=	Renate Wagner/Brigitte Vacha, *Wiener Schnitzler-Aufführungen* 1891–1970, München 1971.

WELCH EINE MELODIE

EN: 1885; das Motiv erinnert an die Pick-Erfahrung, von AS erzählt in
J 238: *Gustav Pick verfaßte auch Couplets in wienerischer Art, zu denen er
hübsche Tanzmelodien komponierte; am berühmtesten wurde sein Fiaker-
lied, das Girardi bei irgendeinem Wohltätigkeitsfest zuerst in die Öffentlichkeit brachte und das dem geschickten Verleger Hunderttausende, dem Dich-
terkomponisten aber gar nichts eintrug, worüber er sich noch als Achtziger,
nicht mit Unrecht, immer wieder bitter zu beklagen pflegte.*
Ü: Von AS nicht zum Druck vorgesehen. Aus dem Nachlaß veröffentlicht: *Neue Rundschau* 43, Mai 1932, S. 659-663. – Abdrucke: KK 44-49; E I
7-10.

Skalen: Tonleitern. – *Kratzefüße:* Krickelei. – *Exerzitienblättchen:*
Übungsblatt. – *Musik der Sphären:* pythagoreischer Terminus.

ER WARTET AUF DEN VAZIERENDEN GOTT

EN: 1886; eine der ersten Darstellungen der »Kaffeehausecke« als literari-
schem Ort, als locus amoenus dilettierender Literaten. Vorwegnahme der
Attitüde Peter Altenbergs als *Genie des Fragments.* Vgl. J 269.
Ü: ED als *Skizze*, gezeichnet mit *Arth. Sch.*, in *Deutsche Wochenschrift* 4,
Heft 50 vom 12. Dezember 1886, S. 644. – Abdrucke: KK 13-18; E I 11-14.

vazierenden: vazieren – dienstfrei, ohne Anstellung sein. – *Epitheton:*
schmückendes Beiwort. – *Brouillons:* Entwürfe. – *strabanzt:* straw/ban-
zen – wienerisch für müßig schlendern, von ital. stravagere. – *Apercu:*
geistreicher Einfall.

AMERIKA

EN: 1887; Urbild der Anna: Jeannette (vgl. J 320).
Ü: ED: als *Skizze* in *An der schönen blauen Donau* 4, Heft 9 vom 1. Juni
1889, S. 197. – Abdrucke: KK 9-12; E I 15-17.

küsse sie auf diese süße, weiße Hautstelle hinter dem Ohre: vgl. *Frau
Berta Garlan*, E I 507: *Ich grüße Dich und küsse die süße Stelle hinter Deinem Ohr, die ich am meisten liebe.*

ERBSCHAFT

EN: Am 19.10.1887 notiert AS in sein Tagebuch: *Zwei Skizzen geschrieben »Erbschaft«, »Der Wahnsinn meines Freundes Y.« Zu solchen novellistischen Skizzen noch massenhaft Ideen, vielleicht dann als Brief. Papa will nicht, daß ich in Zeitungen mit meinem Namen novellistisches veröffentliche, keiner würde mich dann als Arzt ernst nehmen...?* – Die Notiz bezieht sich auf die vorangegangenen Wochen, nicht auf den 19.10. im besonderen.

Ü: Von AS nicht zum Druck bestimmt. Aus dem Nachlaß veröffentlicht: KK 165-171. – Abdruck: E I 18-22.

I: Die *Skizze* wurde bisher noch kaum beachtet, obwohl sie eine Vorstudie zu *Liebelei* und *Leutnant Gustl* abgibt: der Mechanismus des Todes und der Ehre funktioniert und wird in seiner Absurdität erkannt und dargestellt. – Theodore W. Alexander (Schnitzler and the Inner Monologue: A Study in Technique. In: *JIASRA* 6, Heft 2, 1967, S.4-20) konstatiert in der Skizze: »The earliest example of a direct inner monologue« (S.5).

Café Impérial: Café an der Ringstraße, dem Nobelhotel Imperial angeschlossen. – *Havanna:* gebräuchliche Zigarrensorte (Kuba exportierte jährlich 180 Mill. Stück davon in alle Welt). – *Achter-Husaren:* Husarenregiment Nr. 8. – *Karambole:* Billard. – *Fiaker:* zweispänniger Platzlohnwagen. – *Pferdebahngeklingel:* Pferdebahn – Wiener öffentliches Verkehrsmittel von 1866 bis zur Jahrhundertwende.

DER FÜRST IST IM HAUSE

EN: 1888.

Ü: aus dem Nachlaß zum 70. Geburtstag ASs in der Wiener *Arbeiter-Zeitung* vom 15.Mai 1932 veröffentlicht. Abdrucke: KK 158-164; E I 23-27; *Erzählungen* (Berlin und Weimar 1965), 5-10; *Die Toten schweigen und andere Erzählungen* (Edited by Robin Sawers with an introduction by Richard Thieberger, London-Toronto-Wellington-Sydney 1968, 21-25).

I: Die Publikationsorte (*Arbeiter-Zeitung* und DDR-Auswahl) weisen auf das sozialkritische Interesse hin, das man dieser Erzählung entgegenbringen kann. Im Nachwort der *Erzählungen* (geschrieben von Eduard Zak und Rudolf Walbiner) heißt es: »Der Verlust an menschlichen Beziehungen, wie ihn die spätbürgerliche Gesellschaftsform in zunehmendem Maße verursacht hat, findet auch in der Einsamkeit vieler Schnitzlerscher Figuren beklemmenden Ausdruck. Die Zugehörigkeit zu einer Gemeinschaft ist oft nur äußerlich und zufällig. Es fehlt an innerer Bindung selbst zu den nächsten Menschen. Darum ist der Tod des Flötisten Florian Wendelmayer in ›Der Fürst ist im Hause‹ nichts als ein fataler Zwischenfall, den man möglichst verschweigt und über den man schnell hinweggeht.« (S.338) – Swales urteilt: »It would be difficult to claim that this story is one of Schnitzler's masterpieces; it is an immature work and reveals its immaturity in the heavy-handed irony that colours the whole of its narration.« (S.255)

»Der Müller ist um ihn gegangen«: austr. für »Der Müller holt ihn.«

MEIN FREUND YPSILON *Aus den Papieren eines Arztes*

EN: 1887; s. o. *Erbschaft;* im Freundeskreis ASs wurde die Gestalt des Ypsilon zum Prototyp des bemühten Dichters. Hofmannsthal an Schnitzler über den unbekannten »Dichter« Hans Wagner (17.1.1901): »Er ist gewiß ein Dichter, d. h. ein Mensch mit einem Fieber der Phantasie, so wie ›mein Freund Y.‹.«
Ü: ED: *An der schönen blauen Donau* 4, Heft 2, 1889, S.25-28. Weitere Abdrucke: *Illustrierter österreichischer Volks-Kalender für das Jahr 1906,* Wien 1906, S.23-30; *Illustriertes Wiener Extrablatt* vom 25.12.1912. – Schnitzler ließ also Nachdrucke zu, nahm die Erzählung aber nicht in seine erste Gesamtausgabe von 1912 auf. Veröffentlichungen in Buchform: KK 134-150; E I 28-39 (Da in E I/II die Anordnung chronologisch nach der Entstehungszeit erfolgt, müßte diese Erzählung weiter vorn stehen; das in E I 991 angegebene Entstehungsdatum ist hiermit von 1889 auf 1887 korrigiert worden).

Immortellen: Strohblumen. – *Fauteuil:* wienerisch für Sessel. – *Sessel:* wienerisch für Stuhl.

DER ANDERE *Aus dem Tagebuch eines Hinterbliebenen*

EN: 1889; frühes Beispiel für den »inneren Monolog« als Darstellungsmittel ASs.
Ü: ED: *An der schönen blauen Donau* 4, Heft 21, 1889, S.490-492. – Abdrucke: KK 34-43; E I 40-46; *Erzählungen* (Bibliothek Suhrkamp Band 149, Frankfurt 1965), 7-15.
I: ausführlich Just 40-45: »Thema ist, über das Motiv des Zweifels, die Eifersucht.« (S.40)

Konterfei: Bildnis.

REICHTUM

EN: AS im Tagebuch vom 8.9.1889: *Zwei Erzählungen entstanden im Sommer, Reichtum, Der Sohn, sowie Gedichte.* AS an Hofmannsthal am 11.9.1891: *der Anfang vom Reichtum ist abscheulich – Sie kennen ja die Moderne Rundschau! – plötzlich wurde das Ding gesetzt, obwohl es ausgemacht war, daß die ersten Capitel vorher verändert werden müßten. Jedenfalls änder' ich für den Separatabdruck.* – Hofmannsthal hebt *Reichtum* in seiner Würdigung ASs anläßlich des 60. Geburtstages 1922 hervor (Prosa IV, Frankfurt 1955. S.99f.): »Es ist ein erstaunlicher Gedanke, daß die kleinen Szenen aus dem Leben einer erfundenen Figur ›Anatol‹, die heute aller Welt in Europa und über Europa hinaus geläufig ist, und eine kurze, in ihrer Art

vollkommen reife und meisterhafte Erzählung ›Reichtum‹ das erste waren,
womit er vor so vielen Jahren hervortrat.«

Ü: ED der ersten Fassung: *Moderne Rundschau* 3, Heft 11 vom 1. September
1891, S. 385-391; Heft 12 vom 15. September 1891, S. 417-423; 4, Heft 1
vom 1. Oktober 1891, S. 1-7; Heft 2 vom 15. Oktober 1891, S. 34-40.

ED der zweiten Fassung: Separatdruck der *Modernen Rundschau*. – Abdrucke: KK 202-248; E I 47-78.

> *Zins:* wienerisch für Miete. – *Akademie:* Akademie der Bildenden Kün-
> ste, gegründet 1692; seit 1877 im Theophil-Hansen-Bau am Schillerplatz
> im Ersten Wiener Gemeindebezirk. – *Bésigue:* französisches Kartenspiel
> für zwei Personen mit zwei Spielen (64 Karten). – *Löwenbrücke:* Brücke
> am Eingang des Donaukanals (Wien, XIX. Bezirk).

Zur ersten Fassung:
Die Änderungen, von denen AS in seinem Brief an Hofmannsthal spricht,
wurden sehr umfangreich. Hier die ersten drei Kapitel der ersten Fassung,
die dem ersten Kapitel der zweiten Fassung entsprechen (der *Graf Spaun* der
zweiten Fassung heißt hier *Graf Treuen*), es handelt sich um die erste Folge
und die erste Hälfte der zweiten Folge des Abdrucks in der *Modernen Rundschau*.

I.

*Zwei junge adelige Herren spazierten an einem schönen Frühlingsabende
vor fünfundzwanzig Jahren in den Straßen der Residenz hin und her. Während sie plauderten, ohne auf den Weg zu achten, entfernten sie sich aus dem
Bereiche der hell erleuchteten Hauptstraßen und gerieten in eine stille Vorstadt, wo schon längst die Nacht hereingebrochen schien. Nur wenige Leute
begegneten ihnen, Arbeiter, Fabriksmädchen, zärtliche Paare, die im Schatten der Häuser wandelten. Aus einzelnen Fenstern nur kam ein schwacher
Lichtschimmer. Auch die Gasthäuser, deren sie an manchen vorüberschrit-
ten, waren spärlich erleuchtet und wenig besucht. Die Thüren standen offen,
man ließ die milde Abendluft gerne in die niedrigen und rauchigen Stuben.
Einige Bürgersleute saßen vor ihrem Glase Wein, schauten auf die verlassene
Straße und rauchten ihre Pfeife. In einer Ecke saßen sie wohl auch zu zweien
oder dreien und spielten Karten. Je weiter die jungen Leute vorwärtsschrit-
ten, desto engere und übler aussehende Gäßchen durchwanderten sie, bis sie
endlich in einer Sackgasse ankamen, wo ihr Gespräch jählings innehielt.*

*»Jetzt müssen wir doch wohl zurück,« sagte der eine; »es ist spät genug, und
ich brauche lange Zeit, um mich von meinem gestrigen Verluste am Spieltisch
zu erholen.«*

*»Wo sind wir nur?« sprach der ältere und blickte um sich. »In einer ganz
anderen Welt!«*

»Ach, eine andere Welt,« sagte der junge. »Es ist ja doch dieselbe…«

»Es wäre recht langweilig, wenn du Recht hättest.«

*»Und ich habe Recht, dieselben Menschen, dieselben Leidenschaften, das-
selbe Glück, dasselbe Unglück, dieselbe Welt…«*

»*Glaubst du?*...«

»*Empfinden diese da nicht dasselbe, wenn sie lieben, wie wir? Haben sie nicht das Gefühl der Sättigung nach ihrem einfachen Mahle, wie wir nach unseren ausgesuchten Gerichten? Berauschen sie sich nicht an Schnaps, wie wir am Champagner, lieben uns unsere Maitressen anders, als diese da ihre Dirnen? Und wenn sie sich zu den Karten setzen, derselbe Wahnsinn, der uns packt; freilich sind wir gewohnt, mitten in diesem Wahnsinn die Kaltblütigen zu spielen. Und wo wäre der Reiz der Karten, wenn wir wirklich ruhig wären...«*

»*Sieh doch,*« rief der ältere in diesem Augenblicke aus.

Sie waren am Ende der Sackgasse angelangt und befanden sich vor der offenen Thür einer trüb erleuchteten, schlecht gehaltenen, beinahe leeren Wirthsstube. Und nahe der Thür saß eine Gesellschaft ärmlich gekleideter Männer, welche Karten spielten.

Eine übel riechende qualmende Lampe stand auf dem Tisch, neben derselben lag ziemlich viel kleine Münze. Man spielte Hazard. Mit ihrem Arbeitslohne gaben die Leute Bank und machten ihre Einsätze; man sah es ihnen an, daß sie um ein Vermögen spielten. Der Wirt lehnte in einer Ecke, der Thür gegenüber, ganz teilnahmslos. Als er die zwei eleganten Herren bemerkte, gab er den Spielern mit den Augen einen Wink... Die Leute drehten sich flüchtig um und derjenige, der eben die Karten in der Hand hielt, teilte in einer Weise ab, als wenn es irgend eines der gewöhnlichen harmlosen Spiele gälte. Die zwei Herren aber traten herzu und der junge sagte: »*Keine Angst, meine Lieben, wir sind nicht von der Polizei.*«

»*Wir haben auch vor der Polizei keine Angst,*« gab einer darauf zurück. – *Der Wirth war aufgestanden und herzugetreten.* »*Sie thun ja kein Unrecht,*« brummte er. *Einer, der kein Geld mehr vor sich liegen hatte, flüsterte:* »*Spielen wir ruhig weiter, es hat keine Gefahr.*«

»*Womit kann ich im übrigen dienen,*« fragte der Wirth die zwei Herren, welche lächelnd zuschauten, wie das Spiel von neuem begann.

»*...Eine Flasche Wein...*« erwiderte der Jüngere... und, zu den Spielern gewendet: »*Ist es gestattet, zuzusehen?*«

Die Spieler murmelten nur: »*Warum nicht... O ja.*« *Das Spiel war recht einfach. Die Einsätze waren gering; die beiden Zuschauer sahen sich lächelnd an, wenn eine Bank gesprengt wurde, die ein paar Silbermünzen enthielt. Trotzdem malte sich auf den Gesichtern der Leute eine starke Aufregung, ihre Bewegungen waren hastig, die Augen glühten ihnen, und der eine, der schon sein ganzes Geld verloren hatte, fuhr sich in die Haare, wischte sich den Schweiß von der Stirn...* »*Ich setze...*« rief er aus.

»*Nichts,*« schrie der Bankhalter... »*Geld heraus.*«

»*Ich habe keines mehr.*«

»*Geh nach Hause.*«

»*Leih mir lieber was.*«

Die beiden Fremden sahen sich lächelnd an.

»*Ei freilich, leihen... Da könnte man leicht spielen...*« *Und er gab die Karten weiter, ohne sich um den Zugrundegerichteten zu kümmern. Dieser blieb auf seinem Platze sitzen und trommelte ungeduldig mit den Fingern auf dem Tische. Dann fuhr er sich wieder durch seine Haare, durch seinen schwarzen krausen Bart... Mit zuckenden Lippen saß er da und schaute auf die rechts und links fallenden Blätter. Was lag nicht alles in diesen Karten! Diese hätte er bekommen, wenn er noch von der Partie gewesen wäre und... oh... gewonnen... er hätte wieder weiter spielen, vieles zurückgewinnen können. Und die nächste Karte... er hätte wieder gewonnen... und wieder... alles zurückgewonnen!*

»Also du gibst mir keine Karte mehr?«... fragte er nochmals den Bankhalter. Keine Antwort; der Angesprochene teilte weiter und kümmerte sich nicht um ihn... »Mein Wort darauf,« rief ihm der Aufgeregte zu, »du bekommst das Geld morgen.«

In diesem Augenblicke nahm der jüngere von den zwei Herren, die mit stillem Lächeln zugeschaut hatten, die Börse aus der Tasche, und indem er sie vor den unglücklichen Spieler hin auf den Tisch legte, sagte er: »Erlauben Sie, daß ich mich Ihnen zur Verfügung stelle...« Alle sahen den Fremden verwundert an; der aber, vor dem die Geldbörse lag, legte rasch die Hand darauf, indem er einfach sagte: »Sie sind sehr gütig, mein Herr...« Dann öffnete er die Börse und ließ eine Menge kleiner Silbermünzen auf den Tisch rollen... »Gibst du mir jetzt eine Karte?« wandte er sich an den Bankhalter. Dieser warf ihm ein Blatt hin, indem er fragte: »Was setzest du?«

»...Die Bank!« erwiderte der andere.

»Die ganze?«

Jetzt richtete der kühne Spieler einen fragenden Blick auf den jungen Mann, der ihm das Geld geliehen. Dieser nickte. »Die Bank... ich hab es gesagt!«

Sein Blatt fiel günstig, die Bank gehörte ihm... Der Verlierende warf die Karte ärgerlich auf den Tisch; dann griff er in seine Hosentasche, um mit einigen neuen Silbermünzen sein Glück zu versuchen. Aber nun rollte alles Geld zu dem Schwarzbärtigen, der die Bank übernommen hatte. Nach Verlauf einer Viertelstunde hatte er die Silbermünzen aller Mitspielenden vor sich liegen. Nichtsdestoweniger fuhr er fort, Karten zu geben. »Was setzest du?« fragte er den, welcher die Bank früher gehalten hatte.

»Die Hälfte der Bank«... erwiderte dieser.

»Die Hälfte der Bank... ganz gut... aber wo ist das Geld?«

»Du wirst es mir kreditieren.«

»Das werde ich nicht!«

»Nicht?!...«

»Nein, keinen Groschen! – Und du?« wandte er sich an den nächsten.

»Ich habe ja auch kein Geld mehr.«

»Und du?« fragte er den Dritten...» Auch du hast nichts mehr? Nun, dann können wir ja aufhören... Guten Abend!« Er warf die Karten auf den Tisch, steckte sein Geld ein, stand auf und wandte sich zu den zwei jungen Adeligen, die eben das Geld für ihren Wein, den sie nicht berührt hatten, dem Wirte auf die Hand zählten.

»Ich danke!«... sagte er. »Ihr Geld hat mir Glück gebracht. Wem bin ich es

eigentlich schuldig?« – Er erinnerte sich nicht, welcher der beiden Herren es ihm vorgestreckt hatte.

»Kommen Sie mit uns,« erwiderte der Jüngere, »wir werden das auf der Straße ausgleichen... ich möchte noch mit Ihnen reden...«

Der Schwarzbärtige nahm seinen Hut vom Nagel. – Ohne ein Erstaunen über das Abenteuer zu äußern, nickte er seinen Spielgenossen zu, die, verdrossen genug, seinen Gruß nicht erwiderten, und, indem er den zwei Fremden den Vortritt ließ, trat er auf die Straße...

Die anderen, der Wirt nicht minder, sahen den dreien befremdet und ärgerlich nach.

»Es ist an der Zeit,« sagte der Schwarzbärtige, als er mit den zwei Herren draußen stand, »daß Sie erfahren, wem Sie eigentlich zu Hilfe gekommen sind. Ich heiße Karl Weldein, bin verheiratet, Vater eines sechsjährigen Jungen, war einmal Maler und bin jetzt Anstreicher... Und nun... wie viel befand sich in der Börse, welche Sie mir zur Verfügung gestellt haben?«

»Gleich wollen wir davon reden; aber erfahren Sie erst, wer wir sind,« meinte der junge Adelige, »Graf Treuen... hier mein Freund Freiherr v. Reutern.«

»O,« sagte Karl Weldein... »da dürfte ich mir wohl die Frage erlauben, wie sich Eure Gnaden in unser Wirtshaus verirrt haben?«

»Wir kamen ganz zufällig in diese Vorstadt,« erwiderte Treuen, »und da blieben wir aus Neugier vor der offenen Thür stehen, durch die wir eine Spielgesellschaft gewahrten. Dann traten wir ein und interessirten uns für Ihr Schicksal.«

»Ja, ich hatte Unglück heute,« sagte der Anstreicher... »es kommt mir eigentlich wie ein Wunder vor, daß Sie mir plötzlich als Hilfe in der Not erschienen. Klingt das nicht wie ein Märchen, daß plötzlich ein Graf erscheint und einem die volle Börse nur so hinwirft?«

Der Graf lachte... »Sie hätten es wohl schwer empfunden, wenn Sie Ihr ganzes Geld den Kameraden gelassen hätten.«

»Aufrichtig, Herr Graf, ja... Ich hatte nichts, gar nichts mehr. Auch mit der Arbeit geht's jetzt nicht eben gut. Ich habe Ihnen schon erzählt, daß ich früher Maler war... ich war Dekorationsmaler in einem Theater; man entließ mich, es kamen Leute, die mehr Talent hatten als ich, das ist ja leider wahr. Kurz vor meiner Entlassung hatte ich geheiratet; ich konnte nicht warten, ich mußte verdienen. Und da nahm ich, was sich darbot. So bin ich jetzt Anstreicher; damit bringe ich uns, mich, die Frau und den Jungen, so leidlich fort...«

»Hm«... meinte der Graf. »Sie spielen!«

»Selten,« erwiderte Karl Weldein im Tone vollster Aufrichtigkeit; »ebenso wie ich selten trinke... Aber wenn ich einmal trinke... oder spiele...« Er unterbrach sich.

»Nun?« fragte der Graf.

»Nun – da bin ich nicht mehr ich selber, dann bin ich irgend einer, den ich nicht mehr kenne. Mein Verstand geht mir durch... ich bin einfach verrückt... Das ist traurig, werden Sie sagen, und ich sollte eben nicht spielen und nicht trinken.«

»Ich kann das schwerlich sagen, mein lieber Herr Weldein – –«

…Sie waren so im Reden aus der engen Gasse herausgekommen – eine breite Straße lag vor ihnen.

»Nun werd ich die Herren wohl verlassen,« sagte Weldein, indem er seinen ärmlichen Anzug ansah… *»Ich erlaube mir noch einmal zu fragen, wem ich das Geld schuldig bin… und wie viel die Summe ausmacht.«*

»Einen Augenblick noch!« sagte Graf Treuen, *»mir kommt eine lustige Idee.«*

Weldein sah ihn fragend an.

»Sie haben in der letzten Minute ein merkwürdiges Glück gehabt. Wenn es Ihnen weiter treu geblieben wäre und Sie entsprechende Gegenspieler gefunden hätten, so hätten Sie ein Vermögen gewinnen können.«

»Das ist schon wahr,« sagte Weldein.

»Und es gibt Tage, wo einen das Glück nicht verläßt,« setzte der Graf fort… *»Vielleicht ist ein solcher Tag heute für Sie… Wollen Sie Ihr Glück weiter versuchen?«*

»Und wenn ich wollte?«

»Nun, wenn Sie wollten, so möchte ich Sie in unsern Klub führen, wo Sie sehr viel gewinnen können.«

»Eine sonderbare Idee,« sagte der Freiherr v. Reutern.

»Aber Herr Graf,« meinte Weldein.

»Ich bitte –« erwiderte der Graf – *»die Sache ist so einfach, wie nur möglich. Das Spielerglück und dessen geheimnisvolle Launen interessiren mich. Betrachten Sie die Sache als einen Versuch, zu dem ich Sie, Herr Weldein, benötige. Sie begleiten mich jetzt – ein Gewand von mir wird Ihnen wohl passen – ich führe Sie als einen Freund aus… meinetwegen aus Amerika ein, der morgen wieder abreist. Sie setzen sich mit mir an den Tisch; Sie machen einen kleinen Einsatz und gewinnen.«*

»Oder verlieren,« sagte Weldein.

»Oder verlieren… nun, dann machen Sie einen zweiten Einsatz und gewinnen.«

»Oder verlieren wieder…«

»Nun, wenn Sie verlieren, so gehen Sie ruhig Ihrer Wege und der Versuch ist zu Ende. Ich nehme aber den Fall an, Sie hätten gleich vom Anfang an Glück; dann verlange ich nur, daß Sie Ihre Einsätze in entsprechendem Ausmaß vergrößern und nicht früher aufstehen, bevor Sie die Bank gesprengt haben.«

»Köstlich,« sagte Herr v. Reutern.

»Sind Sie einverstanden, Herr Weldein?« fragte der Graf.

»Ob ich es bin?… Gewiß, Herr Graf… Aber Ihre Freunde?«

»Der Mann hat Recht,« meinte der Freiherr, *»man wird dir den Spaß übel nehmen.«*

»Das wird man nicht,« sagte der Graf, *»denn mein Amerikaner befindet sich nur auf der Durchreise hier, verläßt morgen früh die Stadt.«*

»Ich fürchte jedoch,« sagte der Freiherr mit einem sauersüßen Lächeln, *»daß der Ton der Gesellschaft –«*

»O, Herr Baron,« unterbrach ihn Weldein mit einer gewissen Würde...
»ich sehe zwar nicht besonders nobel aus... aber zu meiner guten Zeit, als ich
noch Dekorationen malte und nicht Küchenwände anstrich, da hab ich... zu-
weilen doch in besseren Kreisen verkehrt...«

»Lieber Reutern,« meinte der Graf, »in der Hinsicht bin ich auch ruhig. Es
frägt sich also nur, ob Herr Weldein einverstanden ist.« Der Gefragte zögerte
nur einen Augenblick. Dann sagte er rasch: »Ich bin es...«

»Das freut mich sehr,« rief der Graf. Er winkte einen Wagen herbei, der
eben leer vorbeifuhr und, während der Kutscher stille hielt, reichte er dem
Freiherrn die Hand zum Abschied mit den Worten:

»Also auf Wiedersehen in einer Stunde im Klub.«

Dann öffnete er den Wagenschlag, ließ den Anstreicher zuerst einsteigen
und rief dem Kutscher zu: »Palais Treuen!«...

Der Wagen fuhr davon.

II.

An dem breiten grünen Tische im Klub saßen die Spieler. Keiner ließ sich
stören, als Graf Treuen eine Stunde vor Mitternacht in Begleitung eines frem-
den Herrn eintrat. Der Freiherr v. Reutern, der heute nicht spielte, war bei
der Thür gestanden und hatte für die neu Ankommenden ein verständnisvol-
les Lächeln.

Karl Weldein sah in dem Frack, den ihm der Graf geliehen, gar nicht so
übel aus. Ein Friseur hatte das Notwendige gethan, um den Mann vollkom-
men gesellschaftsfähig zu machen. Eine halbe Flasche Champagner hatte ihm
Ueberlegenheit und Unbefangenheit gegeben.

Der Graf trat mit Weldein zum Spieltisch. »Guten Abend, meine Her-
ren...« Einige erwiderten laut den Gruß, andere nickten nur leicht mit dem
Kopfe... »Ich erlaube mir, den Herren meinen Freund, Herrn v. Wildmann
aus San Francisco, vorzustellen... ein Deutscher von Geburt, unser Lands-
mann.« »Sehr erfreut,« sagten einige, die meisten antworteten nicht; eben
stand auf einer Karte ein Satz, der das Sein oder Nichtsein der Bank entschei-
den mußte. Die Bank gewann... Der unglückliche Spieler stand auf, lä-
chelnd, als wäre nichts geschehen... Der Bankhalter, auf den freien Platz
deutend, sagte, zu dem Grafen Treuen gewendet... »Will vielleicht Herr...
Herr...«

»Wildmann,« sagte der Graf.

»Herr Wildmann aus San Francisco«... er gab die Karten aus... »sein
Glück versuchen.«

»Was ist das für ein Spiel?« frug Weldein.

»Baccarat... Mackao...« erläuterte der Graf.

»Nun, wenn die Herren erlauben...«

Weldein setzte sich auf den frei gewordenen Stuhl; man kümmerte sich wei-
ter nicht um ihn, nur die beiden nebensitzenden Herren stellten sich ihm vor;
der eine, ein Herr v. Winkburg, sagte: »Sie zeigen Mut, wenn Sie sich auf die-
sen Platz setzen...«

»Warum?« fragte Weldein. In diesem Augenblicke erhielt er eine Karte und setzte einen kleinen Betrag darauf.

»Nun, Baron Glonski, der vor Ihnen hiersaß, verlor eine Riesensumme.« Wildmanns Karte gewann unterdessen; Treuen, der hinter ihm stand, lächelte.

»Sie lassen den Gewinn stehen?« fragte der Nachbar Weldeins.

»Ja.«

»Und abgesehen von Baron Glonski... vor drei Tagen saß ein anderer, der junge Sandorpf da... der hat sich am Morgen darauf erschossen.«

»So, so,« antwortete Weldein.

Und wieder hatte seine Karte gewonnen.

»Sie lassen den Gewinn wieder stehen?« fragte der Nachbar, als Weldein keine Hand rührte.

»Gewiß,« erwiderte dieser.

»Und dann,« fuhr Herr von Winkburg lachend fort... »es hat noch keiner gewonnen, dem Graf Treuen in die Karten geschaut hat.«

»So?«

»Ja... keiner... Sie werden schon sehen.« Zum drittenmal hatte Weldein gewonnen.

»Hm, hm,« meinte der Nachbar, »nun würde ich an Ihrer Stelle einen Teil Ihres Einsatzes zurückziehen.«

»Ich nicht,« sagte Weldein mit so unübertrefflicher Ruhe, daß Treuen lachen mußte.

»Nun, wir werden sehen, ob Sie Recht behalten.«

Weldeins Karte gewann zum viertenmale.

Die Summe, die dalag, wuchs beträchtlich an. Winkburg sagte:

»Sie haben wirklich Glück«... und sich zu Treuen wendend, leise... »du, dein Franciscaner da hat ein Heidenglück!«

»So?« sagte Treuen, als wenn er nicht zugeschaut hätte. Dann wandte er sich weg und spazierte ein bischen in den anderen Sälen umher. Der Freiherr v. Reutern schloß sich ihm an.

»Ich sehe es kaum,« sagte Reutern, »du wirst Herrn Weldein Geld leihen müssen, damit er nicht ärmer, als du ihn hergebracht, nach Hause geht.«

»Ich glaube nicht,« erwiderte Graf Treuen. Sie kamen in's Billardzimmer und spielten eine Partie miteinander, welche sie so interessirte, daß sie ihren Amerikaner fast vergaßen. Als Graf Treuen den letzten Stoß gemacht und gewonnen hatte, sagte er: »Jetzt wollen wir doch wieder zu Herrn Weldein schauen.«

Sie wandten sich dem Spielsaale zu. Als sie eintraten, that Weldein eben einen tiefen Zug aus einem Wasserglase, in welchem Champagner schäumte. Neben ihm, auf einem Sessel, in einem Eiskübel, stand eine Flasche. Eben brachte ein Klubdiener eine neue herein. Während Herr v. Reutern wieder in einer gewissen Entfernung stehen blieb, trat der Graf zu seinem Schützling und gewahrte zu seinem Erstaunen, daß Weldein eine große Summe in Banknoten und Goldstücken vor sich liegen hatte. Herr v. Winkburg wandte sich um und sagte: »Du – dein Franciscaner hat ein Glück!«

Auch Weldein wandte den Kopf und gewahrte den Grafen. Seine Augen glühten, sein Antlitz war blaß...

»Sie haben Glück, Herr Wildmann?« fragte Treuen.

Karl Weldein lachte. »Ja, Glück,« lallte er. Er lachte heiser. Er war betrunken.

Die Bank war beinahe gesprengt.

»Ich nehme den Rest,« sagte Weldein. »Den Rest,« wiederholte der Bankhalter. Er gab die Karten aus. Nach einer Secunde wanderte die letzte Banknote zu dem glücklichen Spieler hinüber. Der Bankhalter stand auf... »Ich danke, meine Herren... Wer übernimmt den Platz?« Irgend einer aus der Gesellschaft stand auf und setzte sich hin. Während die Sessel gerückt wurden, raunte der Graf dem Anstreicher zu: »Kommen Sie.«

Dieser lachte und stand auf. »Ja, ich komme. O, ich habe Glück gehabt.«

»Stecken Sie doch Ihr Geld ein...«

»Sie spielen nicht mehr?« fragte Winkburg.

»Mein Freund,« sagte Treuen lächelnd, »will nicht Sandorpfs Los teilen... Für heute ist's wohl genug.«

»Es ist genug, ja, ja,« lachte Weldein. Er hielt sich ganz gut aufrecht. Der Graf reichte ihm den Arm und beeilte sich, mit ihm in einen anderen Saal zu kommen. Das Abenteuer wurde ihm unangenehm. »Wenn er mir jetzt zusammenfällt, der Kerl!« dachte er. Und während er ein unendlich verbindliches Gesicht machte, flüsterte er: »Jetzt schauen Sie, daß Sie fort kommen... ich führe Sie... bis zur Thür. Nein, nein, bis hinunter zum Thor.« Der andere lachte immer fort. In der Garderobe nahm er den Mantel um; der Graf warf den seinen einfach um die Schultern und rief dem Freiherrn, der den beiden gefolgt war, zu: »Bleibe, ich komme gleich zurück.« Und nun führte er den Anstreicher über die breite mit Teppichen bedeckte Treppe hinab, ohne ein Wort mit ihm zu sprechen. Er hatte ein Gefühl des Widerwillens, das er sich nicht recht erklären konnte. Er haßte diesen Menschen, den er reich gemacht. Sie standen unten beim offenen Thore. Die Straße vor ihnen war menschenleer. Die Laternen brannten hell, eine herrliche, milde Luft wehte durch die Nacht.

»Gehen Sie... Herr Weldein... gehen Sie nach Hause...,« sagte der Graf. Und Weldein stand auf der Straße, allein – mit einem Vermögen in der Tasche. Er wandte sich um, sein hochgeborener Freund verschwand eben im Stiegenhause, ohne sich noch einmal umzusehen... Die Flammen in den Straßenlaternen tanzten, Weldein schwankte davon. Er bog um eine Ecke, kam in eine Gasse, die schlecht erleuchtet war und die er nicht kannte. Wohin mußte er denn nur gehen?... Nach Hause... »Und das Geld? Das Geld... Wo soll ich es denn hinthun. Ich muß es ja...« Seine Gedanken verwirrten sich, ein Wagen rollte vorüber, es war ein Lärm, wie von einem langen knarrenden rasenden Wagenzug...

»Verstecken muß ich das Geld... meine Frau... die Nachbarn... ja, ja... verstecken...«

Und er schwankte weiter durch die unbekannte Gasse...

III.

Früh morgens hörte Weldein noch im Traume die Stimme seiner Frau an sein Ohr dringen. Sie stand zum Fortgehen angekleidet neben seinem Bette und sagte: »Guten Morgen, Karl, ich muß in die Arbeit.« *Sie nähte außer dem Hause. Weldein zog die Decke bis über das Kinn, er erinnerte sich dunkel, daß er sich angekleidet ins Bett geworfen hatte.* »Guten Morgen,« *erwiderte er. Sie sah ihn an, mitleidig, resignirt.* »Der Kleine ist schon in der Schule... und was machst denn du?«

»Hab heute keine Arbeit. Laß mich schlafen.«

Sie ging. Alles das war ihr nichts Neues. Bei der Thüre wandte sie sich um. »Vergiß nicht, heute ist der Zins zu zahlen. Das Geld liegt abgezählt in der Lade.« *Und sie sah ihren Mann an, schien sich eines andern zu besinnen. Sie schritt zu dem Wäschkasten, öffnete die Lade und nahm Geld heraus...* »Ich will es lieber selber zahlen.«

»Gut, zahl es selber,« *lachte er.*

Sie ging mit einem letzten traurigen Blicke. Und Karl Weldein lag da, allein, halb wachend, mit offenen Augen. Das Zimmer sah ärmlich, aber wohlgehalten aus. Durch die zwei blanken Fenster blitzten die Morgenstrahlen der Frühlingssonne. Die Wanduhr schlug in einförmigem Tick-Tack...

Plötzlich sprang Weldein aus dem Bette. Er stand da in Frack und weißer Kravate; das Hemd zerknittert, die Schuhe bestaubt, die kurzgeschnittenen Haare wirr, die Augen rotgerändert. Er trat zu dem einfachen Wandspiegel, der über der Kommode hing. Er sah sich an und lächelte. »Guten Morgen, Herr Weldein,« *sagte er,* »guten Morgen.« *Dann tänzelte er im Zimmer umher und begann ein Lied zu pfeifen. Dann setzte er sich auf den Bettrand, schlug die Beine über einander und dachte:* »Was werden wir nun thun? Vor allem werden wir uns diesen Anzug vom Leibe schaffen und unser Alltagsgewand anziehen. Die heutige Nacht bleibt unser Geheimnis... denn diese Nacht ist nur der Anfang... In einigen Tagen verschwinden wir aus der Stadt, ja wohl, wir verschwinden aus der Stadt... Wir lassen einen Brief zurück. Madame Weldein mag ohne Sorge sein, wir werden ihr schreiben, wohin sie uns nachzukommen habe. Unterdessen befinden wir uns... im Süden – – und sprengen eine Bank... Ja wohl, die Bank in Monte Carlo... Dann lassen wir uns irgendwo nieder, wo wir nicht der Anstreicher Weldein sind, sondern irgend ein reicher Privatmann, der von seinen Renten lebt...« *Er versank in Sinnen.*

»Gut, sehr gut...« *Er warf den Frack ab, that ihn sammt dem übrigen Zubehör seiner eleganten Person von gestern in ein Bündel. Er begann nun sich anzukleiden.* »Ade, Anstreicherkunst! Nun wird man endlich nach seinem Belieben leben können in irgend einem Winkel dieser schönen Erde.« *Er war ganz angekleidet und stand im Arbeitsgewande vor dem Spiegel. Er lachte wieder...* »Guten Morgen, Herr Weldein,« *rief er laut, jubelnd beinahe. Er trat zum Fenster, schaute auf die Straße. Ein sonniger Frühlingstag! Er öffnete beide Flügel. Lind wehte der Morgen um seine Stirn. Er that einen tiefen Athemzug, mit einem stolzen erobernden Blicke schaute er in die Höhe...*

Drüben im Nachbarhause war alles wie sonst; bei einigen Fenstern noch die Vorhänge herabgelassen; bei anderen sah man Frauen im Morgenkleid putzen und abstauben, dann wieder ganz im Hintergrunde der Zimmer verschwinden. Unten bei der geöffneten Ladenthür hämmerte der Schuster... Alle waren fleißig, waren bei der Arbeit.

Karl Weldein trat vom Fenster zurück, zündete sich eine Cigarre an und legte sich der Länge nach aufs Bett. Er war reich, er war glücklich. Er ruhte vielleicht eine Stunde lang, die Cigarre lag neben dem Bette ausgebrannt auf dem Boden, als er erwachte. Mit einem dumpfen Gefühl im Kopfe erhob er sich... Es war ihm etwas Wichtiges eingefallen. Er hatte ja sein Geld versteckt; mußte es ja wieder holen. Freilich nicht jetzt..., erst in der Nacht. In der Nacht mußte er hingehen... hingehen... hingehen... Er griff sich an die Stirn... Wohin gehn?... Nun ja... von dem Gebäude des adeligen Klubs aus durch jene Straße... und dann... ja, wohin dann... ja, links... und dann... Ja, wohin? Wohin war er gegangen?... Links... links... links... Und Weldein suchte in seinem Gedächtnisse. Er fuhr sich mit beiden Händen durchs Haar. Er stampfte auf den Boden. Er murmelte... Wohin... Er schrie... Wohin? Er ging mit gesenktem Haupte im Zimmer hin und her, im Kreise. Er fing an, in singendem Tone vor sich hinzusagen: Wohin... wohin... wohin?

Nun stand er wieder beim offenen Fenster. Wagen rasselten vorbei. Er schlug die Flügel wieder zu. – Wagenrasseln. Das hatte er auch heute nachts gehört, kurz vorher... »Nun, nur Ruhe,« sagte er sich. »Also... die Wagen rasselten in der Straße... gut... und dann ging ich links.« Er stand still da; die Stirn am Fensterkreuz und grübelte. Er erinnerte sich genau an die dunkle lange Straße..., dann kam eine Kreuzung – er war zur linken Hand weitergegangen – und von da an... wohin...

Er stand da, minutenlang, totenblaß, den Schweiß auf der Stirn. Es war, um toll zu werden! Er nahm seinen Hut, der auf dem Tische lag und setzte ihn auf. Er stürzte die Thür hinaus, die Treppe hinunter und fort, fort – dorthin!

Der letzte Absatz stimmt mit der zweiten Fassung überein, die nun mit ihrem zweiten Kapitel fortsetzt. Die Fortsetzung der ersten Fassung enthält wenige Korrekturen. Nur der letzte Absatz unterscheidet sich von dem der zweiten Fassung:

Der alte Weldein! Der junge hielt sich für den alten. Der Wahnsinn war über ihn gekommen. Und nun wimmerte er leise, während er mit trockenen Augen in die Luft starrte: »Mein Sohn, mein armer Sohn!« (Moderne Rundschau 4, 2, S. 40).

DIE DREI ELIXIRE

EN: 1890; erwähnt in einem Brief am Hofmannsthal vom 27.3.1892. Endgültige Fassung 1894.

Ü: ED: *Moderner Musen-Almanach auf das Jahr 1894. Ein Jahrbuch deutscher Kunst* 2, 1894, S. 44-49. – Abdrucke: KK 151-157; E I 79-83.

I: Schinnerer (KK 329): »Hier wird mit paradigmatischer Einfachheit das Problem der Eifersucht dargelegt, das den Dichter in seiner Jugend unablässig beschäftigte und das in ›Anatol‹, ›Märchen‹ und besonders in den Gedichten immer wieder abgewandelt wird.«

DIE BRAUT   *Studie*

EN: 1891/Anfang 1892 (am 22.1.1892 notiert AS im Tagebuch: *neulich* »*Die Braut*«... *vollendet*). 14.2.1894 als Drama geplant. – Anderer Plan: *Der Stoff der Braut monologisch in der Art des Gustl. zu verarbeiten.*

Ü: Im Mai 1893 schickte AS *Die Braut* an die *Freie Bühne*, deren Redakteur Wilhelm Bölsche das Manuskript im Juni 1893 retournierte.

ED aus dem Nachlaß: KK 108-116. – Abdruck: E I 84-89.

Zu ASs frühen Gattungsbezeichnungen vgl.: Roy C. Cowen, *Der Naturalismus. Kommentar zu einer Epoche*, München 1973. S. 106f.: »Der Terminus ›Studie‹ impliziert Beobachtung, nicht Schöpfung. Wo etwa der Wahnsinn, eines der häufigsten Themen solcher Studien, als physiologisches und gesellschaftliches Phänomen aufgefaßt wird, wo er also nichts mehr mit universalen Wahrheiten oder ästhetischen Maßstäben zu schaffen hat, wird er nicht mehr ›gestaltet‹, sondern ›studiert‹, d. h. beobachtet und beschrieben. Wo der Mensch quantitativ verstanden ist, also als Produkt von bestimmten Einflüssen, da kann er als ›Skizze‹ erscheinen, denn alle Faktoren lassen sich nicht erwähnen oder gar zeigen... Die Skizze als Gattung verdankt ihre Existenz einem nur quantitativen Maßstab.«

DER SOHN   *Aus den Papieren eines Arztes*

EN: Sommer 1889; vgl. oben *Reichtum*. Vorstudie zu dem Roman *Therese*.

Ü: ED: *Freie Bühne für den Entwicklungskampf der Zeit* 3, Heft 1, Januar 1892, S. 89-94.

Abdrucke: KK 172-183; *Der goldene Schnitt. Große Erzähler der Neuen Rundschau 1890-1960*, Frankfurt 1959, S. 153-159; E I 90-97 (gemäß der hier zum erstenmal richtig angegebenen Entstehungszeit müßte *Der Sohn* hinter *Reichtum* plaziert werden); *Literatur für den Deutschunterricht*. Zweite Stufe. New York 1964, S. 18-32; *Spiel im Morgengrauen und acht andere Erzählungen* (Hg. Hans Weigel), Zürich 1965, S. 15-33; *Erzählungen*, Berlin und Weimar 1965, S. 11-19; *Prosa des Naturalismus* (Hg. von Gerhard Schulz), Reclams Universal-Bibliothek 9471-74, Stuttgart 1973, S. 197-206.

Schallplatte: gelesen von Vilma Degischer, Preiser Records LW 4 (gemeinsam mit *Die Fremde*, gelesen von Heinrich Schnitzler und *Halbzwei*, gesprochen von Vilma Degischer und Heinrich Schnitzler).

Hofzimmer: Zimmer mit dem Fenster auf den Hinterhof hinaus. –
In der Schule tat er kein gut: austr. im Sinne von »hat er sich schlecht benommen«.

STERBEN

EN: 4. Februar bis 27. Juli 1892. (Skizze schon 1891.) Ursprünglicher Titel: *Naher Tod.* Skrupel bei der Lektüre am 2.10.1892: *Werde glaube ich
manches streichen müssen. Auf mich selbst blieb es fast wirkungslos; bisher
hielt ichs für besser.* AS bot die Erzählung der *Frankfurter Zeitung* an, ohne
Erfolg (vgl. Brief v. 7.4.1893 an Olga Waissnix). S. Fischer nimmt im März
1894 *Sterben* an.

Ü: ED: *Neue Deutsche Rundschau* 5, Heft 10, Oktober 1894, S.969-988;
Heft 11, November 1894, S.1073-1101; Heft 12, Dezember 1894,
S.1179-1191.

EA: S. Fischer, Berlin 1895. Bis 1911 acht Auflagen.

AS nahm *Sterben* als erste seiner frühen Erzählungen in die erste Gesamtausgabe von 1912 auf: ES I 9-117 (ebenso in den Gesamtausgaben von 1922
und 1928).

Weitere Abdrucke: AE 7-80; E I 98-175; *Erzählungen.* Bibliothek Suhrkamp 149, Frankfurt 1965, S.16-114; AWE 7-84; ME 7-80.

Literatur: Theodor von Sosnosky, Rezension in: *Deutsche Revue* 20,
Band 3 von 1895, S.123-24 (Vergleich mit Marriot, *Geistlicher Tod*); Richard
Maria Werner, Tod und Sterben. In: *Vollendete und Ringende. Dichter und
Dichtungen der Neuzeit.* Minden i. Westf. 1900, S.270-279 (Vergleich mit J.
J. David, *Das Höferecht*); Reinhard Urbach (Hg.): Arthur Schnitzler –
Franz Nabl. Briefwechsel. *Studium Generale* 24, 1971, S.1256-1270 (Ver-
gleich mit Franz Nabl, *Der Schwur des Martin Krist*). – Rey 15, versteht die
Novelle als »Anti-Tristan«, »eine Krankengeschichte, dargestellt mit gera-
dezu klinischem Realismus.«

Zeitraum: 1890/1891. Es wird ein Datum (12.6.1890) genannt (E I 113).

Orte der Handlung: Wien, Salzkammergut, Meran.

Augarten: mittelgroßer Park, zwischen Donaukanal und Donau (»Au«),
von Ferdinand III. angelegt, von Josef II. 1775 der Allgemeinheit zugänglich gemacht. – *Prater:* weiter zur Donau hin gelegener und wesentlich
größerer (als der Augarten) Jagd-Park; im Unterschied zum Augarten
nicht von einer Mauer umgeben. 1766 von Josef II. der allgemeinen Be-
nützung übergeben. An seiner vorderen, der Stadt zugewandten Seite
Vergnügungspark: Wurstel-Prater. – *Mizzel:* ebenso wie *Mizzi* Koseform für Marie. Felix assoziiert dazu auch *Miez* (Koseform für Katze). –
Pfeifen und Klingeln der Trams: Pferdebahn. – *Stadtpark:* Park auf dem
Gelände des ehemaligen Wasserglacis (an der Wien), entstanden beim Bau
der Ringstraße; I. Bezirk, Parkring; 1862 eröffnet. – *Karlskirche:* im IV.-
Bezirk, am Karlsplatz; dem heiligen Karl Borromäus geweiht; Karl VI.

gelobte in der Pestzeit (1713) den Bau einer Kirche; gebaut von Fischer von Erlach (Vater und Sohn) zwischen 1716 und 1739; seit 1783 kaiserliche Patronatspfarre. – *Plaid:* schott. Überwurf, Reisedecke. – *Mönchsberg:* einer der Salzburger Stadtberge, im Zentrum. – *mit der feierlichen Heiterkeit einer Polonaise:* Schreittanz. – *Servus:* vertrauter Wiener Gruß, im Unterschied zum ähnlichen, aber unterwürfigen: »Gehorsamster Diener«. – *Schopenhauer und Nietzsche:* Felix liest also zeitgenössische, noch nicht historische, Philosophie. – *Sokrates:* Felix relativiert auch die historische Philosophie (die Philosophie überhaupt) durch die *Psychologie der Sterbenden.* – *Schierlingsbecher:* durch Tollkraut vollzogene Hinrichtungsart in Athen; von Plato im *Phaidon* als Todesart des Sokrates beschrieben. – *Hypochonder:* eingebildeter Kranker. – *Sie ging auf den Ring hinaus:* Marie läßt sich auf der Ringstraße in Richtung Burgtheater, Universität spazierenfahren. – *Volksgarten:* nachdem die Franzosen die Wallanlagen um die Burg 1809 bei ihrem Abzug zerstört hatten, wurde statt dessen 1821-23 ein Park angelegt, 1823 eröffnet, 1862 nach der Füllung des Stadtgrabens erweitert; heute zwischen Hofburg und Burgtheater gelegen; im Kaffeesalon konzertierten Strauß, Lanner und Militärkapellen (eine solche hört Marie *herausklingen).* – *dort das feierliche Theater:* Burgtheater. – *Rathauspark:* zu beiden Seiten der Zufahrt vom Ring zum Rathaus. – *Kaffeehaus:* heute noch bestehendes Café Landtmann am Ring auf der Seite des Burgtheaters. – *Meran:* üblicher Südtiroler Luftkurort der Monarchie; AS kurierte sich im Frühjahr 1886 in Meran aus und lernte dort Olga Waissnix kennen. – *Semmering:* Gebirgspaß zwischen Niederösterreich und Steiermark an der Südbahnstrecke; beliebter Höhenkurort. – *von Somnambulen gelesen:* Schlafwandler. – *Blutsturz:* Bluthusten.

DIE KLEINE KOMÖDIE

EN: bisher noch nicht genau zu bestimmen. Beginn vermutlich 1892. Am 11.1.1893 schreibt AS an Hofmannsthal: *Schreibe jetzt »Verwandlungen«, Novellette in Briefen, u gehe heut Abend auf die Redoute, weil ich ein Lebemann bin.* – Hofmannsthal blieb offenbar weiter mit dem Fortschreiten der Novelle vertraut, er schreibt am 19.7.1893 an AS: »Ich freue mich schon recht sehr auf die Parallel-novelle.« Schnitzler antwortete darauf am 2.8.93: *Die »lustige« Novelle hab ich bis auf wenige Zeilen beendet.* Und nochmals am 11.8.93: *Meine kleine Novelle ist bis auf wenige Zeilen fertig.* Im Tagebuch werden später (11.7.1895) Korrekturen für die Druckfassung erwähnt.

Vorlage: Theodor Körners Erzählung *Die Reise nach Schandau. Eine Erzählung in Briefen (1810).* Ob AS diese Erzählung gelesen hat, konnte noch nicht nachgewiesen werden.

Ü: ED: *Neue Deutsche Rundschau* 6, Heft 8, August 1895, S.779-798.

Nachdrucke: erst nach Schnitzlers Tod; KK 276-321 (Titelerzählung); E I 176-207; *Erzählungen* (Berlin und Weimar 1965), 20-55; *Der kleine Salon.*

Szenen und Prosa des Wiener Fin de Siècle. (Hg. Hansjörg Graf), Stuttgart 1970, 7–47.

I: Hansjörg Graf (a. a. O. 293) versteht die Novelle als »Dokument einer Krise: Der Verlust der ›Unschuld‹ ist unabänderlich, die Verwandlung gelingt nicht mehr. Man trennt sich nach Spielschluß; sie mit einem Seufzer der Resignation, er mit einem Seufzer der Erleichterung. Schnitzlers Überzeugung von der ›Constanz‹ der Verhältnisse und des Menschen ist stärker als der Glaube, daß man dem *ennui* der Wiederholung entrinnen könne.«

der Kahlenberg vom Leopoldiberg gesehen: Aussichtsberge im NW Wiens, 483 bzw. 423 m hoch, Ausläufer des Wienerwaldes, noch zu Wien gehörig (19. Bezirk). – *Rückfahrt vom Derby:* die beiden Rennplätze Wiens, Krieau (Traber) und Freudenau (Galopper) liegen in den Praterauen. Über ASs eigene Rennplatzerlebnisse vgl. J 160 ff. – *Mupipusserln:* herablassende Koseform für anziehende Mädchen (von Busserl – Küßchen), Privatprägung Alfreds. – *Konstantinhügel:* im Prater, anläßlich der Weltausstellung 1873 künstlich aufgeschütteter Hügel, benannt nach dem Obersthofmeister Fürst Constantin Hohenlohe-Schillingsfürst; Restaurant. – *Wurstlprater:* Vergnügungspark im Prater. – *encanaillieren:* sich absichtlich und mit Vergnügen in schlechte Gesellschaft bringen. – *vor'n Wurstl hinstellen:* Kasperltheater. – *und wenn sie den Juden totschlagen:* beliebtes Motiv der improvisierten Kasperltheatervorstellungen. – *Velozipedzirkus:* grotestk-komische Vorführungen mit Damen auf Frühformen des Fahrrads. – *Calafatti:* berühmtes Karussell um einen sich drehenden Chinesen herum (der noch heute als Wahrzeichen des Praters gilt). – *steig' beim Stadtpark aus…steig' beim Museum wieder ein:* Spaziergang auf dem Ring, vorbei an der Hofoper, Dauer etwa 20 Minuten. – *um den ganzen Quai und Ring herum:* beide Straßen umschließen den I. Bezirk. – *Pepi:* Koseform für Josefine. – *Ich mach' drauf einen Schnabel:* trotzig vorgeschobene Lippen. – *die erste Zeit auf der Wieden:* Josefine hat ihre Kurtisanenkarriere als Choristin im Theater an der Wien, wo man damals Operetten und Boulevardkomödien spielte, begonnen. – *»Kurze« rauchen:* billige Zigarren, – im Unterschied zu den *Pfosten à 2,50,* die Alfred sich leistet. – *Girardi:* Volkskomiker (1850–1918), als er kurz vor seinem Tod ans Burgtheater engagiert wurde, spielte er dort den alten Weiring in ASs *Liebelei* und spendete aus diesem Anlaß AS das größte Lob, dessen er fähig war, als er ihm sagte: »Sie sind mein Raimund«. (AS im Tagebuch). – *krakauerische Couplets:* im polnisch-deutschen Dialekt. – *die reizend chaussierten Fußerln:* chaussiert – beschuht. – *Pussel:* Küßchen, von lat. Busillus – klein; das Bussel unterscheidet vom Kuß, daß es aus nur leichter Berührung des Partners (welches seiner Körperteile auch immer) mit den Lippen besteht; was die *Kleine vom Fritz* hier macht *(spüre ihre Zahnderln* – Diminutiv für Zähne – *an meinen Lippen),* geht also über diese Definition des Busserls hinaus. – *so dunkel, daß man seine eigene Geliebte nicht sehen kann:* Abwandlung der Redensart, daß man die Hand vor Augen nicht sehen könne. –

zum Sacher,...ins Separee: Sacher-Hotel im I. Bezirk, hinter der Oper,
Nobelhotel; Separee – abgeschlossene Loge, Extrazimmer. – *auf dem
Bock:* Kutschbock. –»*'s Herz von an echten Weana«:* berühmtes Wiener-
lied, Text von Carl Lorens, Musik von Johann Schrammel. Refrain:

> 'S Herz von an echten Weana,
> Da laßt sich manches lerna,
> 'S kennt gar kein' Stolz
> Und so g'fühlvoll liegt's drin,
> B'sonders für Wien,
> Da hat's an Sinn,
> Kennt kane faden Sachen,
> Tut über Alles lachen,
> An Walzer wo hör'n,
> So hamurisch, voll Schneid
> Das ist in Weana sei Freud. –

Pirouetten: komische Tanzfiguren. – *die Cereale:* Luigia Cerale [!], geb.
1859, berühmte Primaballerina, seit 1879 als erste Solotänzerin an der
Hofoper. – *die Rathner:* Wilhelmine Rathner, geb. 1864, als Solotänzerin
an der Wiener Hofoper engagiert seit 1878. – *Mäderl aus der Vorstadt:*
spätestens seit Nestroys *Das Mädel aus der Vorstadt* (1841) gebräuchlicher Terminus für den hier näher bestimmten liebenswerten Menschenschlag. – *Mariahilf oder Fünfhaus:* Wiener Vorstädte. – *Brasselett von einem Gulden:* billiges Armband. – *Fahrten im Omnibus von Hietzing herein:* im Pferde-Omnibus; Hietzing – Vorort Wiens (XIII. Bezirk). –
Weidlingau: Ausflugsort im Wienerwald. – *Alservorstadt:* IX. Bezirk. –
im Theater: Theater an der Wien, an dem Girardi engagiert war. – *Flit-
scherln:* leichtsinniges Mädchen, Flittchen (von flitzen, Flitter). – *über die
Linie hinaus:* Linienwall – ehemalige Stadtgrenze. Die *Linie* trennt die
Vorstädte von den Vororten. – *eingetäpscht:* eingedrückt. – *schlamperte
Weiber:* nachlässig in Kleidung und Betragen. – *auf den Wällen:* Reste des
Linienwalls. – *Weltblatt:* Neuigkeits-Weltblatt, Wiener Boulevard-Ta-
geszeitung. – *den Herrn Vattern:* wienerisch für Vater. – *Währinger
Hauptstraße:* im XIX. Bezirk. – *soigniert:* gepflegt. – *frugal:* mäßig, ein-
fach. – *Veigerln:* wienerisch für Veilchen. – *Einspänner:* Lohnkutsche mit
einem Pferd (Comfortable). – *Schwarzen:* kleiner Mocca. – *Drahereien:*
Nachtschwärmerei; drahn – die Nacht zum Tag machen, umdrehen. –
Pötzleinsdorf: Vorort, XVIII. Bezirk. – *Comfortable:* s.o. Einspänner. –
vor dem Glas »Gespritzten«: Wein, mit Sodawasser verdünnt. – *unter
Bäumen, süß zu Träumen, wie der Dichter der Gräfin Melanie sagt:* Zitat
aus der Johann Strauß-Operette *Der lustige Krieg* (Text von Zell und Ge-
née), Uraufführung mit Girardi am 25. 11. 1881. Am berühmtesten daraus
wurde Girardis Walzerlied: »Nur für Natur hegte sie Sympathie, unter
Bäumen, süßes Träumen, liebte Gräfin Melanie…«. – *Helentscherl:* Diminutiv (aus dem Tschechischen) für Helene. – *Lixl:* Koseform für Felix. – *Echarpe um 8 Gulden:* kostbare Hals-Binde. – *Lusthaus:* Pavillon-
Restaurant im Prater, am Ende der 4½ km langen Hauptallee, erbaut im

18. Jahrhundert. – *Akquisition:* vorteilhafte Erwerbung. – *Dieppe:* französischer Badeort am Ärmelkanal.

KOMÖDIANTINNEN

Helene – Fritzi

EN: beide Erzählungen im Oktober 1893. – *Helene* wurde am 15.10.1893 beendet.
Ü: ED: KK 184-201. – Nachdruck: E I 208-219.

reizendes Grisettenköpferl: leichtfertiges, leichtsinniges Mädchen. – *Konservatoristin:* Gesangsschülerin am Konservatorium. – *Das Ringtheater* · *brennt:* 1874 am Schottring, I. Wiener Gemeinde-Bezirk, als Komische Oper eröffnet; brannte am 8.12.1881 kurz vor einer Vorstellung von Offenbachs Oper *Hoffmanns Erzählungen* ab. 386 Todesopfer; Skandal; in jüngster Zeit in dem Dokumentarspiel von Carl Merz und Helmut Qualtinger *Alles gerettet* wiederaufgegriffen. – *frappiert:* befremdet. – *auf die sie reist:* austr. für »mit der sie reist« oder »die sie überall zum besten gibt«.

BLUMEN

EN: erste Fassung November 1893; wird im Tagebuch dann wieder am 28.2.1894 erwähnt.
Ü: ED: Wiener *Neue Revue* 5, Heft 33 vom 1. August 1894, S.151-157. – AS nahm die Erzählung in seine erste Sammlung von *Novelletten: Die Frau des Weisen,* Berlin 1898, S.113-133 auf.
Nachdrucke: ES I 118-129; *Stories and Plays* (Hg. Allan W. Porterfield); Boston 1930 (auch London 1934), S.87-98; AE 81-88; E I 220-228; *Novellen aus Wien* (Hg. Richard H. Lawson), New York 1964, 5-15; *Erzählungen,* Berlin und Weimar 1965, 56-65; AWE 85-95; *Die Toten schweigen und andere Erzählungen,* London etc. 1968, S.26-34; ME 81-88.
I: Just 46-52; dazu Swales 99-103, beide unter dem Aspekt der Sentimentalität. »Im schwelgerischen Selbstbezug seines Gefühls löst er sich aus der Gesamtheit des Lebens, wie es für die Sentimentalität typisch ist.« (Just 46).

DER WITWER

EN: beendet am 10.8.1894; das Thema später für den Einakter *Die Gefährtin* (1899) verwendet.
Ü: ED: *Wiener Allgemeine Zeitung* vom 25.Dezember 1894, S.3-4;
Nachdrucke nach Schnitzlers Tod: KK 19-33; *Aus unserer Zeit.* Dichter des zwanzigsten Jahrhunderts, New York 1956, S.169-183; E I 229-238;

Spiel im Morgengrauen und acht andere Erzählungen (Hg. Hans Weigel), Zürich 1965, S.35-55; *Erzählungen*, Berlin und Weimar 1965, S.66-77.

das schlanke Petschaft: Siegel. – *Onyxgriff:* Halbedelstein.

EIN ABSCHIED

EN: begonnen in Ischl am 7.8.1895.
Ü: ED: *Neue Deutsche Rundschau* 7, Heft 2, Februar 1896, S.115-124
Nachdrucke: *Meisterwerke der zeitgenössischen Novellistik* (Hg. Lothar Schmidt), Breslau – Leipzig – Wien 1897, S.7-26; FdW 37-71; ES I 130-151; AE 89-103; E I 239-254.

desparat: verzweifelt.

DER EMPFINDSAME   *Eine Burleske*

EN: 1895.
Ü: aus dem Nachlaß; ED: *Neue Rundschau* 43, Heft 5, Mai 1932, S.663-669
Nachdrucke: KK 50-59; E I 255-61.

DIE FRAU DES WEISEN

EN: Erste Fassung 1894. Am 5.12.1895 notiert AS, daß er den *Weisen* neu begonnen habe; am 24.9.1896: »*Weisen« zum 3.Mal begonnen.*
Ü: ED: in drei Folgen der Wiener Wochenzeitschrift *Die Zeit* 10, Nr. 118 vom 2.1.1897, S.15-16; Nr. 119 vom 9.1.1897, S.31-32; Nr. 120 vom 16.1.1897, S.47-48.
Titelnovellette der Sammlung FdW 1-36.
Nachdrucke: ES I 152-172; DdW 3-26; AE 105-119; E I 262-277; *Novellen aus Wien* (Hg. Richard H. Lawson), New York 1964, S.17-35; *Erzählungen*, Berlin und Weimar 1965, S.78-95; ME 89-104; *Österreichisches Erlebnis.* Stichproben der österreichischen Erzählkunst des 20.Jahrhunderts, Moskau 1973, S.21-37.
Kritik: Verzeichnis der Kritiken zur Novellettensammlung FdW bei Allen 89.
Urteil: s. Brief Hofmannsthals an AS vom 16.1.1897.

DER EHRENTAG

EN: Endgültige Fassung begonnen am 12.3.1897.
Ü: ED: *Die Romanwelt* 5, 1.Band, Heft 16, 1897, S.507-516; Abdrucke:

FdW 73-112; ES I 173-196; *Der Strom* 3, Heft 12, März 1914, S. 359-372; *Die Weltliteratur*. Die besten Romane und Novellen aller Zeiten und Völker. München 1917, Nr. 19; *Stories and Plays* (Hg. Allen W. Porterfield), Boston 1930 (= London 1934), S. 34-57; *Große Szene* (Hg. Herbert Foltinek), Stiasny-Bücherei 53, Graz und Wien 1959, S. 37-60; E I 278-295; *Spiel im Morgengrauen und acht andere Erzählungen* (Hg. Hans Weigel), Zürich 1965, S. 57-93; *Erzählungen*, Berlin und Weimar 1965, S. 96-116; *Die Toten schweigen und andere Erzählungen*, London etc. 1968, S. 106-123.

Urteil: Otto Brahm schreibt an AS am 15. 6. 1898: »Unbekannt war mir der famos vorgetragene *Ehrentag*, dem ich noch besonders anrechne, daß er, obgleich doch in erster Linie auf die »Geschichte« angelegt, selbst Nebenpersonen so hübsch charakterisiert wie die drei Freunde in ihren Abstufungen von dumm, gemein und vernünftig.«

Ort der Erzählung: Carltheater, Vorstadttheater im II. Bezirk, für Boulevard- und Dialektkomödien und Operetten.

Marqueur: Kellner. – *Melange:* Milchkaffee. – *Cabinet particulier:* abgeteilter Raum im Restaurant (= Chambre Separée).

DIE TOTEN SCHWEIGEN

EN: Entwürfe 1896; endgültige Fassung begonnen am 22. 3. 1897.
Ü: ED: *Cosmopolis* 8, Heft 22, Oktober 1897, S. 193-211.
Nachdrucke: FdW 135-170; ES I 197-219; DgT 53-84; AE 121-136; *Die schönsten Erzählungen aus Österreich*. Hausbuch unvergänglicher Prosa, Wien 1958, S. 215-228; E I 296-312; *Deutschland erzählt* (Hg. Benno von Wiese), Fischer Bücherei 500, Frankfurt 1962, S. 19-33; *Spiel im Morgengrauen und acht andere Erzählungen* (Hg. Hans Weigel), Zürich 1965, S. 95-129; *Erzählungen*, Berlin und Weimar 1965, S. 117-135; AWE 97-114; *Die Toten schweigen und andere Erzählungen*, London etc. 1968, S. 124-140; ME 105-120.

I: Benno von Wiese in *Die deutsche Novelle von Goethe bis Kafka. Interpretationen* II, Düsseldorf 1962, S. 261-279. »Der Ehebruch wird innerhalb einer lässigen, sittlich indifferenter gewordenen modernen Gesellschaft bereits als Faktum hingenommen. Aber er erhält, zumal wenn er von der Frau ausgeht, den Charakter des privaten Geheimnisses. Die öffentliche Bloßstellung kann nach wie vor bis zur Vernichtung der persönlichen Existenz führen.« (S. 265).

Praterstraße: im II. Bezirk, führt vom Donaukanal zum Praterstern, vormals Jägerzeile, hier wurde AS geboren. – *Nepomukkirche:* Johann Nepomuk-Kirche, in der Mitte der Praterstraße, Historismusbau (1841-1846 erbaut). – *Karltheater:* recte Carltheater, Vorstadtbühne für Operette und leichte Komödien; Ort der Handlung der Novelle *Der Ehrentag*. – *Gnä' Herr:* gnädiger Herr (Anrede). – *i bin:* ich bin. – *Wohin fahr'n mer denn:* mer – wir. – *Prater-Lusthaus:* am Ende der Hauptallee, Restaurant. – *Tegetthoff-Monument:* am Praterstern, 1886 für den siegreichsten österreichischen Admiral errichtet. – *Reichsbrücke:* über die Donau nach Nordosten. – *»Auf die Reichsstraßen?«:* nicht Plural, sondern austr. Akkusativ singular. – *zur großen Donau:* im Unterschied zur »kleinen Donau« – dem Donaukanal. – *Krampen:* schwächlicher Gaul. – *Schoderhaufen:* Schotter. – *brochen:* kaputt. – *zug'richt:* zusammengebrochen. – *im Franz Josefsland:* Augegend jenseits der Donau, benannt nach einem Wirtshaus, das sich nach dem von Payer und Weybrecht auf ihrer Nordpolexpedition 1874 entdeckten »Franz Josefs-Land« »Zum Franz Josefs-Land« nannte. – *Rettungsgesellschaft:* Wiener Freiwillige Rettungsgesellschaft, begründet 1888 nach dem Ringtheaterbrand (s.o. *Komödiantinnen*) als Sanitätsstation, bekam 1889 ihr eigenes Haus im III. Bezirk. – *da in der Finstern:* im Finstern, in der Dunkelheit.

UM EINE STUNDE

EN: vermutlich 1899, von AS vorschnell aus der Hand gegeben, weil er Theodor Herzl, dem Feuilletonredakteur der *Neuen Freien Presse,* eine Erzählung für die Weihnachts-Beilage versprochen hatte. AS notiert am 25.12.1899 im Tagebuch: *Verstimmend der Abdruck meiner schwächlichen Arbeit in der N. Fr. Pr. (dem großen Publikum gefällts). – Äußerung Wassermanns »Ich ärgere mich über Sie« – Allerdings gehört er zu den Leuten, die gern unangenehmes sagen;* – Am 3.1.1900: »*Um eine Stunde« hätt ich nur veröffentlichen dürfen, wenn es künstlerisch vollendet gewesen wäre. So hat es keine Entschuldigung. Unbehaglich.* – Und nochmals am 25.1.1900: *Vorm(ittags) Lola B. Sie machte mir Vorwürfe wegen »Um eine Stunde«, besonders wegen des scheinbar getrösteten Schlusses; sie traf eine wunde Stelle, da ich selbst nachträglich die Sache als unvornehm empfand.*
Ü: ED: *Neue Freie Presse* vom 24. Dezember 1899, S.29. – Trotz seiner Ablehnung der Geschichte ließ AS den Nachdruck in *Wiener Bilder* 12, Heft 1 vom 2. Januar 1907 zu. Spätere Abdrucke: KK 89-97; E I 313-318; *Die Toten schweigen und andere Erzählungen,* London etc. 1968, S.72-77.

DIE NÄCHSTE

EN: begonnen am 15.3.1899; am 6.7.1899 wurde die Erzählung *vorläufig beendet.* Dabei blieb es.
Ü: ED: postum in der Osterbeilage der *Neuen Freien Presse* vom 27.3.1932, S.33-39; Nachdrucke: KK 249-275; E I 319-336; *Die Toten schweigen und andere Erzählungen,* London etc. 1968, S.78-95.

Dornbacher Park: Park im NW Wiens, im XVII. Bezirk, am Rande des Wienerwaldes. – *Sophienalpe:* Berg im Wienerwald (XVII. Bezirk), hat ihren Namen nach der Mutter des Kaisers Franz Joseph. – *hinter dem Staket:* (it. Lehnwort) Lattenzaun. – *plauschen:* sich unterhalten, plaudern. – *Wollzeile:* Straße im 1. Wiener Gemeinde-Bezirk, führt von der Rotenturmstraße in der Nähe des Stephansplatzes zum Stadtpark.

LEUTNANT GUSTL

EN: Felix Salten erzählte von einem Vorfall, der einem Bekannten im Foyer des Musikvereinssaals passiert sei; AS skizziert am 27.5.1900 die *Leutnantsgeschichte.* – Niederschrift vom 14.-19.7.1900 im Kurhaus von Bad Reichenau (*Empfindung, daß es ein Meisterwerk*).

Ü: ED: *Neue Freie Presse* vom 25. Dezember 1900 unter dem Titel *Lieutenant Gustl.* – Unter gleichem Titel, mit dem Zusatz *Novelle* Einzelausgabe bei S. Fischer, illustriert von M. Coschell, Berlin 1901 (bis 1919 21 Auflagen dieser Ausgabe).

Nachdrucke: ES I 261-302; Einzelausgabe bei S. Fischer (Fischers Illustrierte Bücher), Berlin 1926; *Stories and Plays* (Hg. Allen W. Porterfield), Boston 1930 (= London 1934), S. 99-125; AE 189-216; *Schnitzler, Kafka, Mann* (Hgg. Henry Hatfield, Jack M. Stein), Boston 1953, S. 7-48; *Unsere Zeit.* Die schönsten Erzählungen des zwanzigsten Jahrhunderts (Hg. Hermann Kesten), Köln-Berlin 1956, S. 24-50; E I 337-366; Einzelausgabe (Hg. Hermann Kesten, Köln-Berlin 1956, S. 25-50; E I 337-366; Einzelausgabe (Hg. Heinz Politzer), S. Fischer Schulausgaben Moderner Autoren, Berlin 1962; *Spiel im Morgengrauen und acht andere Erzählungen* (Hg. Hans Weigel), Zürich 1965, S. 131-193; *Erzählungen,* Berlin und Weimar 1965, S. 136-169; *Liebelei, Leutnant Gustl, Die letzten Masken* (Hg. J. P. Stern), Cambridge 1966, S. 107-145; AWE 115-145; ME 149-176; *Dichtung aus Österreich.* Prosa. 2. Teilband (Hg. Robert Mühlher), Wien und München 1969, S. 50-72; FT 29-56. –

Schallplatte: gelesen von Heinrich Schnitzler, Amadeo AVRS 1024. –

Wirkung: Entrüstung antisemitischer und militärischer Kreise. Ein »Ehrenrätlicher Ausschuß« erklärt am 26.4.1901 AS seines »Offizierscharakters für verlustig«. Dokumente zur Affäre: Otto P. Schinnerer, Schnitzler and the Military Censorship. Unpublished Correspondence. *Germanic Review* 5, Nr. 3, Juli 1930, S. 238-246. – Theodor v. Sosnosky, Unveröffentlichte Schnitzler-Briefe über die »Leutnant Gustl«-Affäre. Eine Sensation vor dreißig Jahren. *Neues Wiener Journal* vom 26.10.1931. – Die Wahrheit über »Leutnant Gustl«. Eine Novelle, die einst zu einer »Affäre« wurde. *Die Presse* vom 25. Dezember 1959, S. 9 [Dokumentation, hg. v. Heinrich Schnitzler].

Kritik: Verzeichnis der zeitgenössischen Kritik bei Allen 25.

Urteile: Rainer Maria Rilke schreibt AS am 24. Juni 1901: »Es kommt bei alledem im ›Lieutenant Gustl‹ etwas zum Ausdruck, was man in Österreich schwer verträgt: eine Verurteilung jeder Lebensspielerei und ein Bedürfnis nach Ernst, welches den bevorzugten Ständen jedesmal, wo es auch auftreten mag, als Gefahr erscheint und als Angriff. Wenn eine Gemeinschaft, die sich so eng faßt und so ängstlich schließt, schließlich merkt, daß man außerhalb ihres Kreises steht und das laut erklärt, ist das für sie auch ein Fortschritt, eine Zunahme an Einsicht, über welche jeder unbetheiligte Beobachter sich freuen kann. – Es ist viel Wehleidigkeit in unserem Vaterlande, so daß, wenn einer sich nur einmal frei bewegt, alle Nachbarn, an die er rührt, sich geschlagen fühlen!«

Karl Kraus schreibt Mitte Juni 1901 in der *Fackel* 80, S. 20-24 über die Affäre. Er behauptet, wenn die Erzählung nicht in der *Neuen Freien Presse*, sondern an einem weniger öffentlichen Ort erschienen wäre, hätte es keinen Skandal gegeben und schließt (S. 24): »Herr Schnitzler ist gestrichen worden, weil er nicht höflich genug war, vor dem Offiziersehrenrath zu erscheinen und dort zu erklären, daß ihm eine gehässige Tendenz gegen den Stand, dem er sich freiwillig angegliedert hat, ferne gelegen sei und daß er für die Anrüchigkeit des Ortes, an den er sich mit einer psychologischen Studie ahnungslos begeben, nicht verantwortlich gemacht werden wollte.«

Spezialstudien: Richard H. Lawson, A Reinterpretation of Schnitzler's »Leutnant Gustl«. *JIASRA* 1, Heft 2, 1962, S. 4-19. – Manfred Jäger, Schnitzlers »Leutnant Gustl«. *Wirkendes Wort* 15, September/Oktober 1965, S. 308-316. – Theodor W. and Beatrice W. Alexander, Schnitzler's »Leutnant Gustl« and Dujardin's »Les Lauriers sont coupés«. *MAL* 2, Heft 2, 1969, S. 7-15. – Hans Ulrich Lindken, *Interpretationen zu Arthur Schnitzler. Drei Erzählungen*. München 1970, S. 76-99.

Zum »Inneren Monolog«:

AS las Dujardins *Les Lauriers sont coupés* am 2.10.1898 (vermutlich in der Ausgabe von 1897). Er korrespondierte mit Brandes darüber. – Edouard Dujardin, *Le Monologue intérieur, son apparition, ses origines, sa place dans l'oeuvre de James Joyce*. Paris 1931. – Werner Neuse, »Erlebte Rede« und »innerer Monolog« in den erzählenden Schriften Arthur Schnitzlers. *PMLA* 49, 1934, S. 327-355. – Richard Plant, Notes on Arthur Schnitzler's Literary Technique. *Germanic Review* 25, 1950, S. 13-25. – Helene Bissinger, *Die »erlebte Rede«, der »erlebte innere Monolog« und der »innere Monolog« in den Werken von Hermann Bahr, Richard Beer-Hofmann und Arthur Schnitzler*, Dissertation Köln 1953. – Gerhard Storz, Über den »monologue intérieur« oder die »Erlebte Rede«. *Der Deutschunterricht* 1955, Heft 1, S. 41-50. – Theodor W. Alexander, Schnitzler and the Inner Monologue. A Study in Technique. *JIASRA* 6, Heft 2, 1967, S. 4-20.

Chronik des 4. April 1900:

Leutnant Gustl spielt am Mittwoch vor der Karwoche. Ostern fiel auf den 15./16.4. (Die Interpretation des *Leutnant Gustl* als travestierter »Osterspaziergang« wäre verlockend). AS befand sich auf einer dalmatinischen Reise und kam an diesem Tag in Abbazia (jetzt Opatija) an. Er scheint sich nachträglich die Zeitungen um den 4.4.1900 angeschaut zu haben. – Anfang April ging ein Prozeß gegen den Kindesmörder Joseph Kopetzky durch die Zeitungen, daher der Name des Kameraden Gustls? – An diesem Abend führte der Evangelische Singverein (1818 von Andreas Streicher, dem Fluchtfreund Schillers in Wien gegründet, bestand bis in die 1920er Jahre) im Musikvereinssaal das »Oratorium nach Worten der heiligen Schrift« *Paulus* auf, op. 36 von Felix Mendelssohn-Bartholdy von 1836. – Andere Veranstaltungen: Im Theater an der Wien gastierte Eleonora Duse mit d'Annunzios *La Gioconda*. – Das Deutsche Volkstheater spielte den Schwank von Schönthan/Kadelburg *Der Herr Senator*; das Carl-Theater *Die Verliebten* von Maurice Donnay; das Theater in der Josefstadt den Schwank *Mamselle Tourbillon* von Kraatz/-Stobitzer (mit Hansi Niese und Josef Jarno); das Raimund-Theater das Lebensbild von Joseph Melbourn *Lola*.

Was ist es denn eigentlich?: Paulus; s.o. Chronik. – *Alt: Fräulein Walker:* Edith Walker, geboren 1870 in New York, Orgel-Alt, 1895 Debut an der Hofoper, sang auch Donna Elvira, Brünnhilde; »Meisterin des Oratoriengesanges«, bedeutendste Altistin der Zeit. – *Sopran: Fräulein Michalek:* Margarete Merlitschek, geb. Michalek, geboren 1875 in Wien (gestorben 1944), 1897 an die Hofoper als Soubrette engagiert (bis 1910); Rollen: Zerline, Nedda, Papagena. – *zur »Traviata«:* Giuseppe Verdi, *La Traviata*, Oper in vier Aufzügen (1853). – *tote Leiche:* wienerischer Pleonasmus. – *Singverein:* Evangelischer Singverein, s.o. Chronik. – *beim »Grünen Tor«:* »Zum Grünen Tor« – im letzten Viertel des 19. Jahrhunderts (bis 1904) Vergnügungslokal im VIII. Bezirk (Lerchenfelderstraße 14). – *Virginia:* lange Zigarre der Österreichischen Tabakregie, Mundstück aus Stroh. – *vorlamentieren:* (ironisch) wehklagen. – *ewige Abschreiberei:* meint, daß sie ihm abgesagt (abgeschrieben) hat. – *nachtmahlen:* zu Abend essen. – *Gartenbaugesellschaft:* seit 1864, vornehmes Lokal für (anfangs geschlossene) gesellige Veranstaltungen am Parkring (I. Bezirk). – *hab' mich gestern so gegiftet!:* wienerisch – geärgert (Gift=Ärger, Zorn). – *Hundertsechzig Gulden auf einem Sitz verspielt:* durchschnittlicher Monatslohn eines Arbeiters; bzw. halbes Monatseinkommen eines kleinen Beamten. – *Sustentation:* Unterstützung, Beihilfe. – *um jeden Kreuzer:* kleinste Währungseinheit in Österreich-Ungarn (bis 1892); 100 Kreuzer = 1 Gulden. Dem Leutnant ist die Umstellung der Gulden- auf Kronen/Heller-Währung von 1892 noch nicht ins Bewußtsein gedrungen, bzw.: er gebraucht die Phrase als Redensart. – *zum Onkel fahren:* der Onkel ist offenbar Gutsbesitzer in Ungarn. – *»Madame Sans-Gêne«:* Lustspiel von Victorien Sardou und Emile Moreau; Wiener Erstaufführung am Deutschen Volkstheater (13.1.1894) mit Helene Odilon in der Hauptrolle. Helene Odilon, geboren 1864, eine der eindrucksvollsten Schauspielerinnen ihrer Zeit, wäre also 1900 37 Jahre alt gewesen, so alt, wie Gustl *die Maretti* schätzt. – *Landwehr:* stehendes Nationalheer als Reserve der k.u.k. Armee. – *wenn die Chinesen über die kommen:* um die Jahrhundertwende aufgekommenes Gespenst der »gelben Gefahr«, von Gustl unkritisch übernommen. – *Blödisten:* dumme Menschen. – *»Ihr, seine Engel, lobet den Herrn«:* Nr. 45 = Schlußchor des Oratoriums *Paulus*. – *stad:* still. – *rabiat:* wütend. – *stante pede:* stehenden Fußes, sofort. – *Sechserl:* Sechskreuzermünze, später wurde das Zwanzigheller-stück so genannt. – *Tapper:* auch »Tappen« – Kartenspiel zu dritt, 36 Blatt, skatähnlich. – *quittieren:* den Dienst aufgeben. – *Freiwillige:* Militärdienst der Maturanten: »freiwilliges« Jahr. – *Beisl:* kleines Gasthaus. – *Jagendorfer:* bekannter Ringkämpfer der Zeit. – *Aspernbrücke:* Brücke über den Donaukanal. – *Kagran:* Vorort, jenseits der Donau, mit Wien verbunden durch die Reichsbrücke. – *Ronacher:* Vergnügungsetablissement an der Stelle des abgebrannten Stadttheaters, 1887/8 errichtet, vereinigte Theater, Ballsaal, Hotel, Restaurant, Kaffeehaus. – *Stellvertreter:* Offiziersstellvertreter. – *Distinktion:* Auszeichnung, Stand. – *Was scher ich mich:* sich scheren – sich kümmern. – *Steeple-Chase:* Hindernisrennen. – *Przemysl:* galizisische Garnisonsstadt. – *Sambor:* galizische Kreisstadt. – *Gußhausstraße:* im IV. Bezirk, hinter der Karlskirche. – *Pflanz:* Großtuerei. – *das zweite Kaffeehaus:* in der Hauptallee des Prater gab es seit dem Ende des 18. Jahrhunderts drei Kaffeehäuser. – *Kappl:* Schirmmütze der Leutnants-Uniform. – *die Leich:* das Begräbnis. – *Kombattant:* Mitkämpfer, hier: Gegner. – *dieses Mensch:* (abschätzig) Frauenzimmer. – *Cour machen:* den Hof machen. – *Armes Hascherl:* armes Kind, arme Person (von mhd. haeschen – schluchzen). – *mit meinem Burschen:* Offiziersdiener. – *Rackerei:* Plage. – *Karenz der Gebühren:* unbezahlt. – *Gummiradler:* Pferdegespann mit Gummireifen. – *hübsches Zeugl:* Pferdegespann. – *Lohengrin:* Heinz Politzer erklärt (a. a. O., S. 52): »Gustl ist ›zwölfmal drin gewesen‹, weil er sich mit dem Schwanenritter identifiziert.« – *Fischamend:* Ort donauabwärts von Wien, scheint zum Fluch *Donnerwetter ... Fischamend* zu gehören. – *Zündhölzeln:* Streichhölzer. – *Krampen:* Mähre, Gaul. – *Veigerl:* Veilchen. – *Schubiak:* gemeiner Mensch. – *Weingartl:* beim Weinbauern, beim Heurigen. – *wenn ich abkratz':* abkratzen – sterben. – *Adel:* Adele. – *eine solche Raunzen:* weinerlich-lästige Frau. – *dann wär' Rest:* dann wäre es zu Ende. – *und gespieben hat:* wienerisch speiben – erbrechen. – *Nordbahnhof:* Kaiser-Ferdinands-Nordbahn, in Prater-Nähe, Zugverkehr in Richtung Brünn; 1944/5 zerstört. – *Tegetthoffsäule:* Denkmal auf dem Praterstern zu Ehren des österreichischen Admirals Wilhelm Freiherr von Tegetthoff (1827-1871), Siegers von Helgoland (1864) gegen die Dänen, von Lissa (1866) gegen die Italiener; Marmorsäule (11 m), durch bronzene Schiffsschnäbel durchbrochen (Architektur: Carl Hasenauer), darauf bronzene Statue (3,5 m), modelliert von Karl Kundmann. Wegen der herausragenden Schiffsschnäbel Spitzname: Kleiderstock (vgl. den Vers: »Das Tegetthoff-Denkmal/ A Schütz [ein Jäger, der aus der Provinz nach Wien gekommen ist] sieht sich an / Und denkt si, »dös muß wohl / A Kladerstock san.« 1898). – *ob ich mich um sieben nach Bahnzeit oder nach Wiener Zeit erschieß'?:* Wiener Zeit – Wiener Ortszeit; Bahnzeit – richtete sich nach der Wiener Zeit und unterschied sich in den entfernteren Gegenden der Monarchie erheblich von der Ortszeit (die Bahnzeit machte also die lokale Zeitverschiebung nicht mit). – *Melange:* Milchkaffee. – *Kipfel:* halbmondförmiges Weißgebäck (Hörnchen). – *dem wird der Knopf aufgehen:*

Knopf – austr. für Knoten, meint: der wird es verstehen. – *insultiert:* beleidigt. – *Fallot:* auch Falott, – Lump (von lat. fallere – betrügen). – *Vierundvierziger:* 44. Ungarisches Infanterieregiment. – *Zug:* militärische Unterabteilung, die noch von einem Offizier geführt wird. – *Komfortabel:* Einspänner-Mietwagen. – *Kontenance:* Haltung. – *Nachtkastelladel:* Schublade des Nachttischchens. – *Was mir das schon aufliegt:* aufliegen – bekümmern, auf der Seele liegen. – *Makulatur:* zum Einstampfen bestimmtes Altpapier. – *»Durch Nacht und Eis«:* Fridtjof Nansen, *In Nacht und Eis. Die norwegische Polarexpedition 1893-96.* Zwei Bände, Leipzig 1897. – *Kirche:* Gustl geht, von der Praterstraße kommend, quer durch die Innere Stadt in Richtung VIII. Bezirk. Also ist die Kirche, die er besucht, vermutlich die Stephanskirche. –
Krempel: Kram. – *Britannikas:* Zigarren zu 14 Heller das Stück, etwas billiger als die später erwähnte Trabucco. – *Rapport:* Meldung einer Disziplinlosigkeit. – *Burghof:* Innenhof der kaiserlichen Hofburg. – *Bosniaken:* Regiment aus Bosnien-Herzegowina. – *78er Jahr:* auf Grund der Beschlüsse des Berliner Kongresses besetzten österreichisch-ungarische Truppen Bosnien und die Herzegowina und brachten beide Länder unter österreichisch-ungarische Verwaltung (1908 folgte die förmliche Annexion). – *Volksgarten:* Parkanlage an der Ringstraße, zwischen Hofburg und Burgtheater. – *Strozzigasse:* im VIII. Bezirk. – *aus guter Familie mit Kaution:* finanziell sichergestellt. – *Florianigasse:* im VIII. Bezirk. – *Tarok:* Tarock – Kartenspiel zu dritt mit 54 Karten. – *schlieft:* ahd. sliofan – schlüpfen. – *Melange mit Haut:* Milchkaffee (halb Milch, halb Kaffee) mit Milchhaut. – *doch kein leerer Wahn:* Und die Treue, sie ist doch kein leerer Wahn (Schiller, Die Bürgschaft). – *neben die Herren Offiziere:* austr. Akkusativ. – *mit'n:* mit dem. – *vis-a-vis:* gegenüber. – *aufs Billard spring':* auf den Billardtisch. – *und nichts ist g'scheh'n!:* gebräuchliche Wiener Redensart: gut is's 'gangen, nix is g'schehn. – *g'hört wieder mein:* gehört wieder mir. – *Trabucco: die* bessere Mittelklassezigarre der Österreichischen Tabakregie (klein, hell, leicht), Stückpreis: 16 Heller. – *Und wenn's Graz gilt!:* Redensart des Kaisers Ferdinand II.: »Und wanns Graz kost't«, meint: um jeden Preis. – *Krenfleisch:* kleingeschnittenes Rindfleisch mit Kren- (= Meerrettich-) Soße.

DER BLINDE GERONIMO UND SEIN BRUDER

EN: Am 19.10.1900 notiert AS im Tagebuch: *Baden. Begann »Hieronymus«.* – Am 27.10.1900 folgt die Notiz: *Hieronymus beendet.*
Ü: ED: *Der blinde Hieronymo und sein Bruder. Die Zeit,* Nr. 325 vom 22.12.1900, S.190-191; Nr. 326 vom 29.12.1900, S.207-208; Nr. 327 vom 5.1.1901, S.15-16; Nr. 328 vom 12.1.1901, S.31-32.
Nachdrucke: AS nahm die Erzählung in seine beiden Sammlungen unter dem Titel *Die griechische Tänzerin* von 1905 und 1914 auf. Außerdem ES I 229-260; S. Fischer veranstaltete 1915 »zu Gunsten der im Felde Erblinde-

ten« eine Sonderausgabe mit einer Originalradierung von Ferdinand Schmutzer. – Weitere Nachdrucke bis zu ASs Tod: *Österreichische Dichter* (Hg. Adolf Mayer) Wien o. J. (ca. 1906); *Die Weltliteratur*. Die besten Romane und Novellen aller Zeiten und Völker, München 1917 (Nr. 19); im Reclamheft Nr. 6458: *Die dreifache Warnung*. Novellen (Nachwort: Oswald Brüll), Leipzig 1924, S. 34-69; ebenfalls bei Reclam: *Österreichische Erzähler*, Leipzig 1924; *Die Welt in Novellen*. Eine Auswahl für die Jugend (Deutsche, Nordländer, Angelsachsen), Wien – Leipzig 1925, S. 21-60; *Wiesbadener Volksbücher* Nr. 214 (Einleitung: Robert Reinhard), Wiesbaden 1928; TuS 327-360.

Weitere Schulausgaben: Einzelausgabe (Hg. Lawrence M. Price) Chicago 1929; *Zwei Tiroler Novellen* (Hg. A. S. Macpherson), London 1929 (enthält außerdem *Die Weissagung*); *Stories and Plays* (Hg. Allen W. Porterfield), Boston 1930 (London 1934), S. 3-33; *Modern German Prose*. Short Stories by ten Representative Authors (Hgg. E. P. Appelt, Erich Funke), Boston 1936, S. 71-100; *Two Modern German Stories* (Hgg. Hans und Marian Pollack), Crawley 1946, S. 17-43 (enthält außerdem Thomas Manns *Das Wunderkind); Der blinde Geronimo und sein Bruder. Die Hirtenflöte*. Zwei Erzählungen (Nachwort: Fritz Martini), S. Fischer Schulausgaben Moderner Autoren, Berlin und Frankfurt 1956, S. 3-33; *German Stories*. Deutsche Novellen. Stories in the Original German (Hg. Harry Steinhauer), A Bantam Dual-Language Book, New York 1961, S. 188-238.

Weitere Nachdrucke: AE 167-188; *Deutsche Erzähler des 20. Jahrhunderts* (Hgg. Kurt Böttcher, Paul Günther Krohn), Band I, Berlin (Ost) 1957, S. 84-109; E I 367-389; *Erzählungen*, Bibliothek Suhrkamp Bd. 149, Frankfurt 1965, S. 115-144; *Erzählungen*, Berlin und Weimar 1965, S. 170-196; AWE 147-171; ME 127-148; FT 7-28.

Spezialstudien: außer den ausführlichen Besprechungen in den Monographien und den Vor- und Nachworten der verschiedenen Ausgaben: Friedrich W. Kaufmann, Arthur Schnitzler – Der blinde Geronimo und sein Bruder. *Monatshefte für deutschen Unterricht* 26, Heft 6, Oktober 1934, S. 190-196. Hans Ulrich Lindken, *Interpretationen zu Arthur Schnitzler. Drei Erzählungen*. München 1970, S. 54-75. – William K. Cook, Arthur Schnitzler's *Der blinde Geronimo und sein Bruder: A Critical Discussion. MAL* 5, Heft 3/4, 1972, S. 120-137.

Urteil Hofmannsthals: an AS, Januar 1901: »der Schluß des ›blinden Geronimo‹ in der gegenwärtigen Form mangelhaft, enttäuschend. Es muß aber sehr leicht zu ändern sein. Aber ich irre mich nicht, denn ich habs wieder gelesen.«

Dazu Lindken, a.a.O. S. 71: Das von Geronimo »selbst gewebte Gespinst vom vermeintlichen Betrug, Diebstahl und von Lüge wird durch einen wirklichen Diebstahl, der zugleich eine Opfertat ist, zerrissen. Die sinnfälligste Dokumentation dieses Vorgangs vollzieht sich konsequenterweise in absoluter Stummheit, in pantominischer Gestik, ohne die Möglichkeit der bis zum äußersten desavouierten Sprache. So ist es im tiefsten Sinne das Problem der Unmöglichkeit der Mitteilung, der Unsäglichkeit der Wahrheit, wie der Un-

möglichkeit des Verstehens, der Kommunikation, was diese Brüder wie
blind und im tiefsten Grunde stumm, aneinandergekettet durch das zufällige
Schicksal der Bruderschaft, nebeneinandergehen läßt, der Welt die Clowne-
rie der brüderlichen Zweisamkeit vorgaukelnd. Es bedarf eines solch drastisch dreinschlagenden Schicksals, um den Menschen die Trugbilder und Il-
lusionen voneinander zu zerstören, um sich als Brüder zu erkennen; die ein
halbes Menschenalter gelebte scheinbare Bruderschaft enthüllt sich als Farce.
Erst der letzte Satz der Novelle verdeutlicht, was Schnitzler unter Bruderschaft und Brüderlichkeit im vollen Sinne versteht: Er hatte seinen Bruder
wieder... Nein, er hatte ihn zum erstenmal... Dieser mit höchstem Raffine-
ment gesetzte Schlußsatz weckt die Illusion eines offenen Schlusses, rundet
aber in Wirklichkeit die Novelle mit unübertrefflicher Präzision ab, so daß
auch hier noch einmal die paradoxe Doppelbödigkeit des Erzählens ins Auge
springt. Die lapidare Feststellung von der wiedergewonnenen Bruderschaft
wird in einem Satzrücksprung, der in syntaktischer Parallelität verläuft, kon-
tradiktorisch verfestigt. So ist die Parabel von den beiden bettelnden Brüdern
zu Ende, und es beginnt die ungeschriebene Geschichte von der Brüderlichkeit.«

Zum Namen *Geronimo* vgl. Lindken a.a.O., S.55: »Der Name des Bett-
lers erinnert an den Anachoreten Hieronymus. Die Abkapselung von der
Welt (im Gehäuse) ist beiden Gestalten gemeinsam. Der Name träfe jedoch,
das scheint eine ironische Umkehr der Verhältnisse, viel besser für Geroni-
mos Bruder zu.«

Stilfserjoch: Passo dello Stelvio. Paß zwischen Spölalpen und Ortler-
gruppe, 2757 m hoch; der Bau der Paßstraße wurde 1820-24 von der
österreichischen Regierung veranlaßt; damals höchste Straße Europas. –
Bonne: Kinderfrau. – *Poschiavo:* Ort im Kanton Graubünden. – *Tola:*
Ort im Veltlin, Italien. – *Bormio:* erster italienischer Ort nach dem Joch
(1225 m). – *Tirano – Edole – Breno – an den See von Iseo:* eine Fußreise
von etwa 180 km. – *Boladore:* Ort auf dem halben Wege nach Tirano.

FRAU BERTA GARLAN

EN: autobiographische Anregung: »Fännchen«, die erste Liebe (J 64ff.). –
1899 Wiederbegegnung mit Fännchen im Sommer. Am 1.1.1900 beginnt AS
eine Novelle (vorläufiger Titel: Jugendliebe). Am 16.4. notiert er: *Oster-
montag. – Brief von Fännchen nach langer Zeit – sie wird nach Wien übersie-
deln, ganz entsprechend dem Brief in der Novelle. Diese Novelle (begonnen
1.1.) schloß ich heute Nachm[ittag] ab.* – Am 25.5.1900 findet sich noch die
Notiz, *Berta Garlan* korrigierend durchgesehen zu haben.

Ü: ED: *Neue Deutsche Rundschau* 12, Heft 1, Januar 1901, S.41-64; Heft
2, Februar 1901, S.181-206; Heft 3, März 1901, S.237-272. – Buchausgabe
bei S. Fischer, Berlin 1901, bis 1908 sieben Auflagen.

Abdruck in der *New Yorker Staats-Zeitung*, Mai 1901. – Billige Sonderausgabe in Fischers Bibliothek zeitgenössischer Romane, 4.Reihe, 9.Band,
Berlin 1912.
Nachdrucke: ES II 9-181; E I 390-513.
Urteil Hofmannsthals: Januar 1901: »finde es wunderschön, so reif, reich
und leicht, voll Ruhe und Fülle, in zarten Farben, voll Luft, *sehr* schön.« –
Am 8.12.1903: »Ich habe in der Zwischenzeit ›Frau Bertha Garlan‹ wieder
gelesen, mit noch viel intensiverem Vergnügen als das erstemal, ja mit unge-
trübtem Genuß. Dieses Buch und das neue Stück [*Der einsame Weg*] sind
wohl Ihre schönsten Arbeiten. Kaum zu glauben, daß das von einer Hand ist,
mit einem so dürren quälenden Buch wie ›Sterben‹ einem Buch, wie es deren
eigentlich keine geben dürfte. Soviel Kraft und Wärme, Übersicht, Tact,
Weltgefühl und Herzenskenntnis steckt in dieser ›Bertha Garlan‹, so schön
zusammengehalten ist es und so gut und gescheit dabei.«
Spezialstudie: Beverly R. Driver, Arthur Schnitzler's Frau Berta Garlan:
A Study in Form. *The Germanic Review* 46, Heft 4, 1971, S.285-298. (Versuch, das oben zitierte Hofmannsthal-Diktum mit einer Strukturanalyse des
Verhältnisses Erzähler-Heldin zu belegen.)

Besuch des Konservatoriums: Konservatorium für Musik und darstel-
lende Kunst, geführt von der »Gesellschaft der Musikfreunde«, seit 1822.
– *Doktor Rellinger:* Hinweis auf den Arzt Relling in Ibsens *Wildente?* –
Tabaktrafikantin: Tabaktrafik – staatlicher Tabakkleinhandel. – *Vorarl-
berg:* damals Teil des österreichischen Kronlandes Tirol, heute österreichisches Bundesland. – *vierte Galerie im Burgtheater:* gemeint ist das alte
Burgtheater am Michaelerplatz (am 13.10.1888 geschlossen). – *die Kreis-
leriana:* Phantasien op. 16 von Robert Schumann (1838). – *Lieder ohne
Worte:* beliebte Klavierkompositionen von Felix Mendelssohn-Bartholdy. – *Teniers:* David Teniers d. J. (1610-1690) Brüsseler Hofmaler,
flämische Genre-Szenen. – *das Original hängt im Haag:* im Mauritshuis.
– *Ostade:* Adriaen von Ostade (1610-1684), Haarlemer Maler. – *Falcken-
borgh:* Frederik van Valckenborch (ca. 1570-1623). – *Kohlmarkt:* vornehme Geschäftsstraße im I.Bezirk. – *Foulard:* weicher bedruckter Sei-
denstoff. – *Riemerstraße:* eigentlich Riemergasse, I.Bezirk. – *Schweizer-
haus:* Restaurant im Prater. – *auf der Wieden:* IV.Bezirk. – *Paulanerkir-
che:* IV.Bezirk, Ordenskirche der Paulaner (aufgehoben 1784), seit 1783
Pfarrkirche. – *Elisabethbrücke:* führte über den Wien-Fluß, von der
Kärntnerstraße zur Wiedner Hauptstraße, abgerissen im Zuge der Wien-
flußregulierung Ende der 90er Jahre. – *halbfertige Geleise:* Bau der Stadt-
bahn im Bett des regulierten Wienflusses. – *Brahms' Violinkonzert:* op.
77, D-Dur, von 1879. – *Aspernbrücke:* Verbindung von Ring und Praterstraße, führt über den Donaukanal. – *Gerstäcker:* Friedrich Gerstäcker
(1816-1872), Verfasser von Abenteuerromanen und Reiseberichten. –
Franz-Josefs-Bahnhof: IX.Bezirk, 1870 eröffnet, Verkehr in Richtung
Eger und Prag. – *Theseus-Tempel:* im Volksgarten, erbaut 1820-1823 als
Nachbildung des antiken Theseions in Athen. – *Museum:* Kunsthistori-

sches Museum am Burgring, erbaut 1872-1881. – *das ungeheure Marmor-standbild des Theseus, der den Minotaurus erschlägt:* 1819 von Franz II. in Rom gekaufte Gruppe von Antonio Canova, sollte ursprünglich im Theseus-Tempel aufgestellt werden, kam 1890 ins Treppenhaus des Kunsthistorischen Museums. – *Mendelssohn-Konzert:* Violinkonzert e-moll, op. 64, (1838-44). – *Maria-Theresia-Denkmal:* zwischen dem Kunsthistorischen und Naturhistorischen Museum, entstanden 1874-1887 (Kaspar von Zumbusch), Sockel von Carl Hasenauer. – *Votiv-kirche:* I.Bezirk, jetzt Rooseveltplatz. Kirche zum Gedächtnis an das mißlungene Attentat auf Kaiser Franz Joseph (1853). Erbaut von Heinrich Ferstel 1856-79 im Stil der französischen Kathedralgotik. – *Kärnth-nerstraße:* Kärntnerstraße, vornehme Geschäftsstraße im I.Bezirk, führt vom Stefansdom zur Oper. – *Lerchenfelder Kirche:* Altlerchenfelder Kirche, VII.Bezirk, romanisierender Neubau, eingeweiht 1861. – *Neces-saire:* Toilettenköfferchen. – *gut akkreditierten:* gut angeschrieben, geschätzt. – *»die süße Stelle hinter Deinem Ohr, die ich am meisten liebe:* vgl. *Amerika.* – *Sekundarius:* Sekundararzt, Assistent, Vertreter des Spitalsvorstandes.

ANDREAS THAMEYERS LETZTER BRIEF

EN: 7.-9.2.1900.

Quelle: Gerhard von Welsenburg, *Das Versehen der Frauen in Vergangenheit und Gegenwart und die Anschauungen der Ärzte, Naturforscher und Philosophen darüber.* Leipzig 1899 (Exemplar in ASs Bibliothek). Weitere, nicht von Welsenburg, aber von Thameyer genannte Quellen: Hamberg, Limböck.

Ü: ED: *Die Zeit* 8, Band 32, Nr. 408 vom 26.Juli 1902. – Von AS in die Auswahlsammlungen DgT von 1905 und Ds von 1907 aufgenommen.

Nachdrucke: *Die Quelle* 4, Heft 9/10 vom 1.6.1911, S.9-13. ES I 220-228; AE 161-166; E I 514-520; ME 121-126.

Zum Namen *Thameyer:* bei Welsenburg (a.a.O., S.50f.) fand AS die Namen zweier Mediziner des 17.Jahrhunderts, die sich mit dem Problem des »Versehens« beschäftigten: Teichmeyer und Thamm; sie haben ihn vermutlich zur Namensbildung *Thameyer* veranlaßt.

I: Maja D. Reid, »Andreas Thameyers letzter Brief« and »Der letzte Brief eines Literaten«: Two Neglected Schnitzler Stories, *German Quarterly* 42, 1972, S.443-60.

Malebranche: Nicole Malebranche (1638-1715), französischer Philosoph, Hauptwerk: Zur Erforschung der Wahrheit, 3 Bände, 1776-80. Thameyer bezieht sich auf Welsenburg a.a.O., S.41. – *der ein Nachfolger des berühmten Philosophen Cartesius war:* vgl. Welsenburg a.a.O., S.40. – *Luther nämlich:* vgl. Welsenburg a.a.O., S.22. – *Helio-dor:* vgl. Welsenburg a.a.O., S.11f. – *die folgende Geschichte, die sich im*

Jahre 1637 in Frankreich zutrug: vgl. Welsenburg a. a. O., S. 50. – *Dornbach:* Vorort im XVII. Bezirk, im Wiener Wald. – *Hernalser Hauptstraße:* XVII. Bezirk. – *Spezereihändler:* Gewürzwarenhändler. – *Stellwagen:* Pferdeomnibus (er benutzt die billige Beförderung von der Inneren Stadt nach Hernals). – *diese unheimlichen Schwarzen:* im Tiergarten im Prater war im Rahmen der Jagdausstellung ein Lager der Aschanti-Neger aufgebaut. Vgl. Peter Altenberg, *Aschantee.* Berlin 1897. – *Preuß:* weitere Quelle, von Welsenburg in seinem Vorwort erwähnt, a. a. O., S. I: »Der unterzeichnete Verfasser hat es unternommen, auf Grundlage der 1892 erschienen kleinen, aber sehr unvollständigen und wenig lesbaren Arbeit von Dr. J. Preuß die geschichtliche Entwicklung der Lehre vom Versehen in ausführlicher, vor allem vollständiger und lückenloser Weise für einen größeren Leserkreis darzustellen.«

WOHLTATEN, STILL UND REIN GEGEBEN

EN: als Entstehungszeit wird 1900 vermutet. Im Tagebuch fand sich am 8. 3. 1902 die Eintragung: *Schreibe »Bettler«.* – ; könnte auf diese Erzählung Bezug nehmen.

Ü: ED: *Neues Wiener Tagblatt* vom 25. 12. 1931, S. 27-28 (Weihnachtsbeilage).

Abdrucke: KK 98-107; E I 521-527.

Zum Titel: Hans-Albrecht Koch, Ein Matthias-Claudius-Zitat bei Arthur Schnitzler. *Germanisch-romanische Monatsschrift.* Neue Folge. Band 22, Heft 4, 1972, S. 435 f. Vgl. Matthias Claudius, *Sämtliche Werke* (Hg. J. Perfahl), München 1968, S. 540:

»Wohltaten, still und rein gegeben,
Sind Tote, die im Grabe leben –;«

Woher Schnitzler dieses Gedicht kannte, ist noch nicht erwiesen. –

Sophiensaal: III. Bezirk, Tanzsaal, der auch als Bad Verwendung fand. – *inskribiert:* eingeschrieben. – *um Unterstützung einkommen:* sie beantragen. – *Brigittenau:* Vorstadt jenseits des Donaukanals. Seit 1900 XX. Bezirk.

EIN ERFOLG

EN: 1900; am 24. 5. 1900 notiert AS: *Vorläufiger Abschluß des »Ehrgeiz[igen] Sicherheitswachmann«.* –

AS hob sich auch einen Ausschnitt aus dem *Hamburger Fremdenblatt* vom 30. Juli 1912 auf, mit dem handschriftlichen Vermerk: *Ein Erfolg!!* – Die Meldung trägt den Titel »Warum der Gendarm seine eigene Frau anzeigte.« Ein Gendarm auf einer schleswig-holsteinischen Nordseeinsel wird von seinem Amtsvorsteher gerügt, weil keine einzige Anzeige wegen Übertretung

eingehe. Der Gendarm befiehlt daraufhin seiner Frau, auf dem Trottoir rad-
zufahren, um sie anzeigen zu können. – Am 7.7.1927 las AS die Erzählung
wieder, sie wurde erst aus dem Nachlaß veröffentlicht.
Ü: ED: *Neue Rundschau* 43, Heft 5, Mai 1932, S.669-678.
Abdrucke: KK 60-74; E I 528-537;-*Erzählungen*, Berlin und Weimar
1965, S.197-208; *Die Toten schweigen und andere Erzählungen*. London
etc. 1968, S.96-105.

Kaiser Josef- und Taborstraße: im II.Bezirk. Kaiser Josef-Straße heute –
Heinestraße. – *Greißler:* Lebensmittelhändler, Krämer. – *gestochen:* verletzt, angestochen worden. – *Zyklisten:* Radfahrer (von bycicle). –
Strizzi: (it. strizzare – auspressen) ursprünglich – Zuhälter; Schimpfwort.
– *allerverehrten Bürgermeisters:* Karl Lueger (1844-1910), seit 1897 Bürgermeister von Wien. – *Rotenturmstraße:* I.Bezirk, Verbindung vom
Stefansplatz zum Franz-Josefs-Kai. – *Erzherzog:* Mitglied der kaiserlichen Familie. – *Nordwestbahnhof:* XX.Bezirk, Verkehr in Richtung
Znaim, Prag. – *Praterstern:* Platz am Ende der Praterstraße, mit Tegett-
hoff-Denkmal. – *Tramway:* Pferdebahn auf Schienen. – *Frozzeln:* (it.
frizzare – stechen) necken. – *Präuscher:* Präuschers Panoptikum (Wachs-
figurenkabinett). – *arretieren:* verhaften. – *Macchiavellismus:* Rechtfertigung einer vor ethischen Normen losgelösten Machtpolitik; Skrupellosigkeit. – *eskortieren:* polizeilich geleiten.

LEGENDE *Fragment*

EN: 1900 (?). Erster Einfall dazu bei Schinnerer abgedruckt, KK 329: *Mariazell – gegen Mariazell (wo alle hinpilgern, die von Maria nicht erhört wurden – eine mächtige Riesenstadt, die die kleine Kirche verschlingt).*
Ü: ED in KK 79-88. – Abdruck: E I 538-544.

Brahma: weltenschaffende und erhaltende Kraft.

BOXERAUFSTAND *Fragment*

EN: ungeklärt; in E I 993 heißt es: »kurz nach 1900«, wohl eine Vermutung, da der Boxeraufstand im Jahre 1900 stattfand.
AS hob sich eine Seite des *Neuen Wiener Journals* vom 4.April 1926 (S.12)
auf, mit dem Vorabdruck einer Erzählung, die den gleichen Stoff behandelt:
»Eine Viertelstunde vor dem Tode. Von Emil Seeliger. Aus der demnächst
erscheinenden Sammlung ›Freitage bei Sindbad‹, herausgegeben von Oberst
Emil Seeliger. Sindbad ist der ehemalige Fregattenkapitän und jetzige Astro-
loge Schwickert, der seinerzeitige wissenschaftliche Begleiter Baron Oskar
Rothschilds auf dessen einjähriger Weltreise.«
Ü: ED: mit dem Zusatz: *Entwurf zu einer Novelle. Neue Rundschau* 68,
Heft 1, 1957, S.84-87. – Abdruck: E I 545-548.

DIE GRÜNE KRAWATTE

EN: am 28.10.1901.
Ü: ED: *Neues Wiener Journal* vom 25.10.1903. – Abdrucke: KK 117-119;
E I 549-550. *Spectrum*. Literarischer Kalender des Geistes XIII, Ebenhausen
1964, S.112-113.

DIE FREMDE

EN: Frühjahr 1902. Am 6.3.1902 notiert AS: *Schreibe »Theoderich«*. –
Daraus wurde der Titel *Dämmerseele* und erst 1907 *Die Fremde*.
Ü: ED: *Dämmerseele. Neue Freie Presse* vom 18.5.1902 (Pfingstbeilage),
S.31-33. – Als *Die Fremde* von AS in die Sammlung *Dämmerseelen* von 1907
(S.105-120) aufgenommen. Weitere Abdrucke: ES II 207-218; TuS 407-420;
AE 245-252; *Große Szene* (Hg. Herbert Foltinek), Stiasny-Bücherei Band
53, Graz und Wien 1959, S.23-35; *Drei Szenen aus Anatol und zwei Erzäh-
lungen* (Hg. Harlan P. Hanson), New York 1960, S.49-59; E I 551-559; *Die
gute neue Zeit* (Hgg. Elisabeth Pablé, Hans Weigel), Salzburg 1962, S.11-21;
Spiel im Morgengrauen und acht andere Erzählungen, Zürich 1965,
S.195-215; ME 205-212; FT 57-64.
    Schallplatte: gelesen von Heinrich Schnitzler, Preiser Records LW 4 (ge-
meinsam mit *Der Sohn*, gelesen von Vilma Degischer und *Halbzwei*, gesprochen von Vilma Degischer und Heinrich Schnitzler).
    Literatur: Just 114-119 (Albert als »Opfer dessen, was ihn als faszinieren-
des Dämmerleben anmutet.« S.116).

> *während des bosnischen Feldzuges:* 1878. – *Insurgenten:* Aufständische. –
> *Schottenhof:* im I.Bezirk, Freyung, der Gebäudekomplex des Schotten-
> stiftes und -gymnasiums. – *Künstlerhaus:* I.Bezirk, Karlsplatz, Ausstel-
> lungsgebäude der Genossenschaft der bildenden Künstler Wiens (1861
> gegründet), erbaut 1865-1868 im Stil der italienischen Renaissance. –
> *Liechtenstein-Galerie:* im Liechtensteinschen Sommerpalast im IX.Be-
> zirk. Die Sammlung befindet sich heute in Vaduz. – *Grabmal des Kaisers
> Maximilian:* zu Lebzeiten Kaiser Maximilians I. in Auftrag gegebenes
> Grabdenkmal. – *Statue des Theoderich:* von Peter Vischer (Nürnberg),
> 1513. – *Wilten, Igls:* Dörfer südlich von Innsbruck, später eingemeindet.

EXZENTRIK

EN: begonnen in Luzern am 26.8.1898.
Ü: ED: *Excentric. Jugend* 2, Nr. 30, 1902, S.492-493; 495-496. – AS nahm
die Erzählung in die Sammlung DgT von 1905 auf und erlaubte den mehrma-
ligen Nachdruck, nahm sie aber nicht in die Gesammelten Werke von 1912
auf. Abdrucke: *In Lustige Lande*. Der Heiteren Geschichten Band II (Hg.

Hermann Beutenmüller), Leipzig-Berlin 1910, S. 305-327; *Bunte Skizzen.*
Bücherei der Münchner Jugend, Band II. München 1917, S. 87-100; *Mitropa
Zeitung* (Sonderausgabe Berlin), 10.-16.11.1924; nach ASs Tod: KK
120-133; E I 560-568.

den armen Mitterwurzer: Friedrich Mitterwurzer (1844-1897), Burgtheaterschauspieler; vgl. Hofmannsthals Gedicht *Zum Gedächtnis des
Schauspielers Mitterwurzer.* – M. spielte den *Herrn* in der Premiere der
Liebelei. – *Charles Weinberger:* Karl Rudolf Weinberger (1861-1939),
schrieb seit den späten achtziger Jahren Operetten, Musik zu Vaudevilles
und Tanzmusiken. – *Les dernières des dernières:* die letzten der letzten. –
Lewin(s)ky (Druckfehler in E I 561): Josef Lewinsky (1835-1907), Burgtheaterschauspieler. – *de la très-jolie:* der sehr hübschen. – *Rosière:* tu-
gendpreisgekröntes Rosenmädchen. – *drôle:* drollig. – *mit einem sardoni-
schen Lächeln:* höhnisch, hämisch. – *Ronacher:* Vergnügungsetablissement (Varieté). – *fête:* Fest. – *»Good evening, Sir. I am very glad to see
you. What can I do for you?«:* »Guten Abend (mein Herr). Ich bin sehr erfreut, Sie zu sehen. Was kann ich für sie tun?« – *»Tu sais, mon chéri, je ne
comprends pas un mot de ce, ce qu'il dit!«:* »Du weißt, mein Liebling, daß
ich nicht ein Wort von dem verstehe, was er sagt.« – *Kaprice:* Laune. –
»Hab' ich nur deine Liebe«: ...die Treue brauch' ich nicht; aus der Operette *Boccaccio* von Franz von Suppé (1819-1895). – *»Si je ne compte pas
mal, c'est la troisième fois.«:* »Wenn ich richtig zähle, ist es das dritte
Mal.« – *»Et la dernière, je t'assure«:* »Und das letzte, versichere ich Dir.«
– *agaziert:* verärgert.

DIE GRIECHISCHE TÄNZERIN

EN: am 22.4.1902 diktiert AS die Erzählung mit dem Arbeitstitel *Dul-
dende Frau.* Am 30.5.1902 notiert er nach dem neuerlichen Lesen: *»Dul-
dende Frau« in jetziger Form unmöglich.* Am 7.6.1902 wird die Erzählung
neu begonnen und am 11.7. beendet. Am 12.9.1902 wird *Die griechische
Tänzerin* umgearbeitet und für den Druck vorbereitet.
Ü: ED: *Die Zeit* vom 28.9.1902. AS schätzte die Erzählung offenbar mehr
als seine Interpreten, sonst hätte er sie nicht zweimal zur Titelgeschichte ver-
schiedener Sammlungen (1905 und 1914) gemacht. Weitere Abdrucke: ES I
303-317; AE 217-226; E I 569-579; ME 177-186.
Literatur: Swales 81-86. (»the moral judgement may tell us more about the
judge than about the object of his judgement.« S. 86).

in der Sezession: Kunstausstellungsgebäude, erbaut von Joseph Olbrich
1897-98 für die Künstlervereinigung »Secession«, die sich unter der Füh-
rung Gustav Klimts von der bestehenden Genossenschaft bildender
Künstler gelöst hatte. – *Hietzing:* XIII. Bezirk. – *Montmartre:* Pariser
Künstlerwohnviertel. – *Léandre:* Charles Léandre (1862-1930), Maler,

Karikaturist. – *Carabin:* Rupert Carabin (1862-1932), elsässischer Holz-
bildhauer, Kunstgewerbler; gründete 1884 mit Seurat, Signac u.a. die
Soc. d. Artistes Indépendants. – Zu Léandre und Carabin: AS lernte beide
bei seinem Paris-Besuch 1897 kennen. Am 21.5.1897 notiert er: *Nachm
[ittag] mit Paul [Goldmann] und [Oscar] Bie bei Carabin im Atelier.* Und
am 23.5.1897 folgt die Notiz: *Athènes: Carabin, Léandre (zeichnet
mich); – Roulotte:* Cabaret de la Roulotte, gegründet 1896, 42 rue de
Douai. – *wo damals Legay sang und Montoya:* Montoya (1868-1914), bekannter Sänger und Autor; Marcel Legay, Cabaret-Sänger. – *»Tu t'en iras
les pieds devant«:* »Wenn sie dich mit den Füßen voran hinaustragen«.
Dazu Heinz Greul, *Bretter, die die Zeit bedeuten. Die Kulturgeschichte
des Kabaretts.* Köln-Berlin 1967, S. 87: »Marcel Legay, der Maurice Bou-
kays ›Tu t'en iras, les pieds devant‹ sang, eines jener ›klassischen‹ Mont-
martre-Lieder mit dem ironischen Sentiment dieses kleinen fatalistischen
Erdteils«. – *im Wiedener Theater:* Theater an der Wien. – *Moulin Rouge:*
durch Toulouse-Lautrec berühmt gewordenes Tanzkabarett in Paris. –
Quartier Latin: Pariser Hochschulviertel am linken Ufer der Seine.

DAS SCHICKSAL DES FREIHERRN VON LEISENBOHG

EN: Arbeitstitel: *Fluch.* Tagebuchnotizen: 11.5.1902 – Arbeit am *Fluch*;
6.8.1903 – *Fluch* geändert; 4.9.1903 zu Ende diktiert; 6.10.1903 – AS liest
die Erzählung seiner Frau vor; 1.2.1904 – er liest sie Hofmannsthal und dem
Freund Gustav Schwarzkopf vor; 30.6.1904 – *Neue Rundschau erschienen.
Scheint nicht zu gefallen.*

Ü: ED: *Neue Rundschau* 15, Heft 7, Juli 1904, S. 829-842. – Aufnahme in
die Sammlung *Dämmerseelen* von 1907 (S.9-40). Weitere Abdrucke: ES II
182-206; TuS 421-447; AE 227-243; E I 580-597; AWE 173-192; ME
187-204.
Urteil Hofmannsthals nach dem Erscheinen des ED: er schreibt am
2.7.1904 an AS: »Leisenbohg ist gut, durchaus angenehm, durchaus fein,
sollte nur um ein Etwas mehr Intensität in der Groteskerie haben.«

I: M. Katan, Schnitzler's »Das Schicksal des Freiherrn von Leisenbohg.«
Journal of the American Psychoanalytic Association 17, 1969, S.904-926
(Analyse unter dem Aspekt des Freudschen Jungfräulichkeitstabus).

Freiherr: niedere Adelsbezeichnung, dem Baron entsprechend; Erhebung
in den Freiherrnstand durch kaiserliches Diplom. – *Königin der Nacht:*
Koloraturpartie in Mozart/Schikaneders Oper *Die Zauberflöte* (1791). –
Mariahilfer Posamentierer: Mariahilf – VI. Bezirk; westliche Vorstadt;
Posamentierer: Hersteller von Besatzwaren (Bänder, Borten, Fransen,
Litzen, Quasten, Schnüre). – *Mignon:* Titelrolle (Mezzosopran) einer
Oper von Ambroise Thomas (1811-1896) *Mignon*, Oper in drei Akten
nach Goethes *Wilhelm Meister* von Carré und Barbier (1866). – *Philine:*
Sopranpartie in *Mignon.* – *Alservorstadt:* IX. Bezirk. – *Detmold:* Resi-

denzstadtderGrafenzur Lippe; heuteHauptstadtdesRegierungsbezirkes
Detmold in Nordrhein-Westfalen. – *Jantschtheater:* Pratertheater, bekannt als Fürsttheater, seit 1862, Singspielhalle; 1892 Adaption durch
Jantsch, am 3.9.1898 wiedereröffnet als Bühne mit klassischem Repertoire, ab 1900 unter Adolf Ranzenhofer wieder volkstümliches Repertoire; 23.4.1905 Adaption durch Josef Jarno als »Lustspieltheater«. – *Pö-
nale:* Strafe bei Verletzung des Kontrakts. – *Coventgarden-Theater:* Königliches Opernhaus in London. – *Besitzung am Fjord zu Molde:* Molde –
westliche Küstenstadt in Norwegen, heute Fremdenverkehrszentrum. –
St. Veit, Lainz: damals noble Vororte im Westen Wiens, am Rande des
Wienerwaldes. – *Wiesen am Heustadl:* Pratergegend, westlich der Hauptallee. – *Schwarzenbergplatz:* 1.Bezirk, Platz zwischen Ring und Belvedere bzw. Palais Schwarzenberg. – *Souterrain:* Kellergeschoß. – *Ripsvor-
hängen:* (engl. ribs – Rippen), Gewebe mit geripptem Aussehen. – *Hotel
Bristol:* vornehmes Hotel, seitlich gegenüber der Oper am Kärntnerring.
– *Whistspielen:* Whist – Kartenspiel für vier Personen, Vorläufer des
Bridge. – *Ischl:* Bad Ischl, Kurort in Oberösterreich, Sommerresidenz des
Kaisers Franz Joseph. – *Aix:* Aix-les-Bain – Stadt in Savoyen. – *Stavan-
ger:* Stadt an der norwegischen Küste. – *Pierrot:* weißgeschminkter und
-gekleideter Clown der französisch-italienischen Komödie (Théâtre ita-
lien).

DIE WEISSAGUNG

EN: Arbeitstitel *Hexerei.* Wann begonnen, ist noch unklar. Am 7.6.1902
beginnt AS neu, schreibt am 29.6. weiter und beendet *Hexerei* am 6.7.1902,
am 10.9. diktiert AS *Die Weissagung.*
Ü: ED: *Neue Freie Presse* vom 24.12.1905, S.31-38 (Weihnachtsbeilage).
Von AS in die Sammlung *Dämmerseelen* (1907) aufgenommen, S.41-77.
Abdrucke: *Schatzkammer.* Eine Auslese bester Erzählungen und größerer
Bruchstücke aus berühmten Romanen und epischen Gedichten der Weltliteratur (Hg. Norbert Falk), Berlin – Wien 1909, S.41-77; ES II 219-248; DgT
(1914), 85-127; *Der Wiener Bote.* Illustrierter Kalender für Stadt- und Land-
leute auf das Jahr 1921, S.45-57; *Zwei Tiroler Novellen* (Hg. A. S. Macpher-
son), London 1929 (zusammen mit *Der blinde Geronimo und sein Bruder*);
Stories and Plays (Hg. Allen W. Porterfield), Boston 1930, S.58-86; E I
598-619; *Die Toten schweigen und andere Erzählungen,* London etc. 1968,
S.35-56.
Literatur: Richard H. Lawson, An Interpretation of ›Die Weissagung‹.
Studies in Arthur Schnitzler. Centennial Commemorative Volume (Hgg.
Herbert W. Reichert, Herman Salinger), Chapel Hill 1963, S. 71-78. (Psy-
choanalytische Interpretation). – Just 119-27.

Riva: Südtiroler Stadt am nördlichen Ende des Gardasees. – *Bückeburg:*
Stadt in Niedersachsen, Residenz der Fürsten von Schaumburg-Lippe.

DAS NEUE LIED

EN: Am 3.7.1904 wird AS bei einem Spaziergang im Pötzleinsdorfer
Wald die Novelle deutlich, und er schreibt am Nachmittag *beinahe das
Ganze in einem Zug hin*. Arbeitstitel: *Die Volkssängerin*. Neubeginn am
11.10.1904, beendet am 2.11.1904.
Ü: ED: *Neue Freie Presse* vom 23.April 1905 (Osterbeilage), S.31-34. –
Weitere Abdrucke: Ds 79-104; ES II 249-269; DgT (1914) 128-156; E I
620-634; *Erzählungen*, Berlin und Weimar 1965, S.209-225; *Die Toten
schweigen und andere Erzählungen*, London etc. 1968, S.57-71.

Etagere: Bücherregal. – *Tarock:* Kartenspiel. – *aber jetzt hat sie sich der-
fangt:* derfangen – erholen. – *»Mich heißen's die weiße Amsel...«:* heißen
– nennen. – *Für'n Matras!«* Josef Matras (1852-1887), erst Volkssänger,
dann Volksschauspieler am Carltheater (spielte dort die phlegmatisch-ko-
mischen Rollen in der Nachfolge des Partners Nestroys: Wenzel Scholz).
– *Blindeninstitute:* zwar schon 1804 privat gegründet, wurde man auf die
Institution der Blindeninstitute 1898 durch den Umzug in ein großes
Haus im 2.Bezirk aufmerksam. Vorher, 1871-2 war im XIX.Bezirk das
Israelitische Blindeninstitut erbaut worden. – *Rettungsgesellschaft:* s.*Die
Toten schweigen.*

DER WEG INS FREIE *Roman*

EN: Erste Ideen zum Stoff 1895: Wie verhalten sich die Eltern eines Mäd-
chens, das mit einem Mann zusammenlebt, ohne mit ihm verheiratet zu sein
und ein Kind bekommt? AS notiert am 24.3.1895 einen Ausspruch seiner
Geliebten Marie Reinhard: *»Meine Eltern wären nicht wütend, das würde
mich nicht genieren, sondern unglücklich«. Darin liegt ein Stück.* – Arbeitstitel: *Die Entrüsteten.* – Im Sommer 1897 in Paris überlegt AS das Szenarium
des Stücks. – August 1897: Marie Reinhard bringt ein Kind tot zur Welt. –
Letzter Plan zu einem Stück: Skizzen zwischen 6.7.1900 und 1.10.1900. –
Einfälle zum Roman in den folgenden Jahren. Eintragung ins Tagebuch vom
9.8.1902: *begann um 5 den Roman* (um 16.00 war sein Sohn Heinrich geboren worden). – Am 24.3.1903 Neubeginn des Romans. – Am 4.4.1904 wird
das erste Kapitel vorläufig abgeschlossen, am 22.7.1904 das zweite. Am
31.1.1905 beginnt er wieder am Roman zu schreiben. – Am 8.12.1905 feilt er
an den ersten Kapiteln. Am 23.9.1906 vermerkt er, drei Kapitel seien beinah
fertig, drei weitere vorläufig geschrieben, vier noch nicht begonnen. Vorläufiger Abschluß des Romans am 20.1.1907. – Im Sommer 1907 schreibt er das
meiste neu, bis zum neuerlichen vorläufigen Abschluß am 25.8.1907. Im
Winter 1907/08 Feilen, am 21.1.1908 wird der Roman endgültig abgeschlossen, nachdem der Anfang schon in der *Neuen Rundschau* erschienen war.
Ü: ED: in Fortsetzungen in der *Neuen Rundschau* 19, Heft 1-6, Januar bis
Juni 1908, S.31-71; 183-221; 327-361; 471-517; 643-693; 801-857. – Im gleichen Jahr die Buchausgabe bei S. Fischer, Berlin; bis 1929 136 Auflagen.

Nachdrucke: ES III; E I 635-958; außerdem in der Reihe *Bücher der Epoche*. Serie A: Deutsche Autoren, Band 6, Berlin 1929.

Material zum Roman:
Paralipomena zum Weg ins Freie. *Jüdischer Almanach* 5670,1910,S. 24-26.–
Heinrich Bermanns Familie. *Menorah 2*, Heft 8/9, August/September 1924,
S. 11 (im Roman nicht enthaltenes Kapitel). –

Im Anhang zu seinem Buch *Individuo e società nel romanzo »Der Weg ins Freie« di Arthur Schnitzler* veröffentlicht Giuseppe Farese die Pläne, Daten und Paralipomena zum Roman. Rom 1969, S. 79-221 (+ 8 Faksimiles).

Literatur: Ein Verzeichnis der zeitgenössischen Rezensionen bei Allen, 31.

Spezialstudien (Versuche, die scheinbar divergierenden Handlungselemente auf einen Nenner zu bringen):
Richard H. Allen, Schnitzlers's »Der Weg ins Freie«: Structure or Structures? *JIASRA* 6, Heft 3, 1967, S. 4-17. (Reduktion auf den Tat-Wort-Widerspruch.) Andrew Török, Arthur Schnitzler's »Der Weg ins Freie«: Versuch einer Neuinterpretation. *Monatshefte für deutschen Unterricht* 64, Heft 4, 1972. S. 371-377. (Aus der Perspektive des Widerspruchs zwischen Verstand und Gefühl interpretiert.) – Friedbert Aspetsberger, Arthur Schnitzlers »Der Weg ins Freie«, In: *Sprachkunst* 4, Heft 1/2, 1973, S. 65-80 –
Außerdem: Josef Körner, Extrablättchen. Gehalt und Form des Romans »Der Weg ins Freie«. In: *Arthur Schnitzlers Gestalten und Probleme*. Amalthea-Bücherei Band 23. Zürich-Leipzig-Wien 1921, S. 197-218. – Liptzin 196-225. (zur Entstehung). – Just 52-64. – Swales 29-51. –

Erstes Kapitel:
Veldeser See: Veldes (jetzt Bled), Kurort in Slowenien. Bleder See –
501 m hoch, Sommerresidenz Titos. – *Mantille:* Umhang. – *Der im Jahre 1866 als Artillerieoberst vor Chlum gefallen war:* Chlum – Dorf in Böhmen, Artilleriestellung in der Schlacht bei Königgrätz, 3.7.1866, zwischen Österreich und Preußen. – *Missa solemnis:* op 123 (D-Dur) von Beethoven (1823). – *Horaz:* Gymnasiallektüre – *Alexander von Mazedonien:* Alexander der Große. – *Pyramide des Cestius:* Grabmal für den römischen Prätor Gaius Cestius (gest. 12 v. Chr.), an der Porta San Paolo in Rom beim Friedhof der Nichtkatholiken. – *Campagna:* Steppe in der Umgebung Roms. – *Lieder aus dem westöstlichen Divan:* von Goethe; Lieder aus dem *West-östlichen Divan* komponierten u. a. Schubert, Mendelssohn-Bartholdy, Hugo Wolf. – *Paulanergasse:* IV. Bezirk. – *der schlecht beleuchteten Stiege:* Treppenhaus. – *»Hedda Gabler«:* Drama von Henrik Ibsen (1890). – *von Edlach aus auf die Rax:* Ort und Berg in Niederösterreich; Raxalpe (2009 m) – beliebter Ausflugsberg der Wiener. – *Paderewski-Konzert:* Ignacy Paderewski (1860-1941), Klaviervirtuose, 1919 Ministerpräsident Polens, 1920/21 polnischer Vertreter beim Völkerbund, 1940 Präsident des polnischen Exilparlaments in Frankreich. – *Ähnlichkeit mit dem alten Grillparzer:* Georg konnte Photographien des 1872 Gestorbenen kennen. – *Przemysl:* galizische Garnisonsstadt. – *von*

mangelhaften Lavaters: die der Physiognomie Willy Eißlers nicht anmerkten, daß er Jude war. – *Differenz:* Meinungsverschiedenheit und Auseinandersetzung. – *Kaftan:* langer, enger, geknöpfter Überrock der orthodoxen Juden. – *mit den gewissen Löcken:* dem Ritus entsprechende Haartracht der orthodoxen Juden. – *Café Imperial:* an der Ringstraße, dem Hotel Imperial angeschlossen. – *die Richtung der Wieden zu:* zum IV. Bezirk. – *Vor der Tizianischen Venus in den Uffizien:* Tizians Venus von Urbino (1538), Uffizien – Gemäldegalerie in Florenz. – *die Kunst der Prärafaeliten:* in England 1848 gegründete Maler-Bruderschaft (Rosetti, Burne-Jones, Ruskin u.a.). – *Fiesole:* in der Nähe von Florenz. – *Bureaujanker:* Janker – dicke Jacke. – *Israeliten:* hier abschätzig gemeintes Synonym für Juden. – *korrepetiert:* eingeübt. – *»Deinem Blick mich zu bequemen...«:* dreistophiges Gedicht aus dem Buch Suleika (*Westöstlicher Divan*). – *Stadtrat Jalaudek:* Nachbildung des antisemitischen Abgeordneten Hermann Bielohlawek (1861-1918). – *Kopie nach einem Van Dyck aus der Liechtensteingalerie:* s. *Die Fremde.* – *Temesvar:* heute in Rumänien. – *Tarnopol:* heute in der Ukrainischen SSR. – *Rembrandtstraße:* 1. Bezirk – *Elisabethbrücke:* s. *Frau Berta Garlan.* – *»Eugen Onegin«:* Oper von Tschaikowsky. – *Budapester Orpheumsgesellschaft:* Singspielhallenensemble. – *»Troubadour«* – Verdi-Oper von 1853. – *London, Atzgersdorf und Australien:* Atzgersdorf – Vorort von Wien, XII. Bezirk. – *Hallstädter Friedhof:* Hallstadt im Salzkammergut. – *Amy:* Abkürzung für Amelie. – *Isle of Wight:* England vorgelagert, im Ärmelkanal. – *Ventnor:* Badeort an der Südküste der Isle of Wight. – *Wurstel:* Kasperl, Clown. – *Riesenrad:* 1897 errichtet, am Eingang des Wurstel-Praters. – *Tourniquet:* Drehkreuz. – *Guastalla:* in Oberitalien. – *Rutschbahn:* sog. Hochschaubahn. – *manschettieren:* fechten zur Übung (ohne Fechtjacke). – *Florett:* Stoßdegen. – *tuschiert:* touchiert, berührt. –

Zweites Kapitel:

Isis: altägyptische Göttin der Naturkraft. – *Schwarzenbergpark:* in Dornbach, XVII. Bezirk, am Rande des Wienerwalds. – *is mir mieß:* jüdelnd – ist mir übel. – *Attaché:* Anwärter im diplomatischen Dienst. – *dorten:* jüdelnd – dort. – *trefft:* trifft. – *Zionismus:* ausgelöst von Theodor Herzls *Der Judenstaat* (1896), erster Zionistenkongreß in Basel 1897, kurz vor der Zeit also, in der der Roman spielt. – *Jerusalem gesehen haben, eh ich sterbe:* nach der Redensart: Neapel sehn und sterben. – *es soll jeder nach seiner Fasson selig werden:* Toleranzmaxime Friedrichs II. von Preußen. – Zu den politischen Diskussionen vgl.: Peter G. J. Pulzer, *Die Entstehung des politischen Antisemitismus in Deutschland und Österreich 1867 bis 1914,* Gütersloh 1966. – *Cercle hielt:* Cercle – geschlossene Gesellschaft; C. halten – die Anwesenden ins Gespräch ziehen. – *Lorgnon:* Einglas mit Stiel. – *»grüner Heinrich«:* Gottfried Keller, *Der grüne Heinrich,* Erziehungs- und Entwicklungsroman (1854, 2. Fassung 1879/80). – *herumgetrenderlt:* getrödelt. – *zu den zwei Bittner Fratzen:* Fratzen – hier abfällig für Kinder. – *»Emilia Galotti«:* Lessings Tragödie vom verführten Bürgermädchen. – *Buckerl:* komisch-unterwürfige Verbeugung. – *Jüd:* absichtlich jüdelnd. – *Reichsratsabgeordneter:* Reichsrat, von 1861-1918, bestehend aus zwei Kammern, dem Herrenhaus und dem Haus der Abgeordneten. – *Michaelskirche:* I. Bezirk, Michaelerplatz. – *vor dem Kaffeehaus:* Café Griensteidl am Michaelerplatz.

Drittes Kapitel:
Biebrich: Stadtteil von Wiesbaden. – *»Der Gott, der Eisen wachsen ließ, der wollte keine Knechte.«:* Ernst Moritz Arndt, Vaterlandslied. – *Mit mir wern S' nix zu lachen haben:* wern S' nix – werden Sie nichts; werden Sie keine Freude haben. – *»Küß die Hand«:* nicht nur Damen gegenüber gebräuchlicher Gruß, also hier weder ironisch noch servil von Rosner gemeint. – *Tulln:* Stadt in Niederösterreich, von Wien aus diesseits der Donau. – *Stockerau:* Stadt in Niederösterreich, von Wien aus jenseits der Donau. – *Sechshauser Radfahrklub:* Sechshaus: Vorort, 1892 in den XIV. Bezirk eingemeindet. – *als Margaretner Kind:* gebürtig in Margareten, Vorstadt, V. Bezirk. – *hineinschlieft:* hineinschlüpft, sich den Rock anzieht. – *Volksbildungsverein:* »Wiener Volksbildungsverein«, begann 1887 mit öffentlichen Sonntagsvorträgen = Anfänge der Volkshochschule. – *Neuwaldegg:* Vorort im Wienerwald, XVII. Bezirk. – *Basler Zionistenkongreß:* 1897. – *Augarten:* II. Bezirk, jenseits des Donaukanals, von Juden bewohntes Stadtviertel. – *Sievering:* Weinbauernvorort, XIX. Bezirk. – *Mauthäuschen:* Zolleinnehmerhaus an der Stadtgrenze. (In einem solchen lebt z. B. Eichendorffs Taugenichts.)

Viertes Kapitel:
von Hause: von zu Hause. – *»Klein Eyolf«:* Drama von Ibsen (1894). – *»Carmen«:* Oper von Bizet (1875). – *insinuieren:* unterschieben. – *sonor:* volltönig, wohlklingend. – *in einem französischen Proverbe:* Komödie, die die Richtigkeit eines Sprichworts beweist oder widerlegt. – *animose Besprechung:* widerwärtige. – *»Justament«:* jetzt erst recht. – *»Das alte Bild« von Hugo Wolf:* Lied von 1888 nach einem Gedicht von Mörike: *Auf ein altes Bild.* – *Ich pränumerier mich:* vorbestellen. – *Dreier/Untern:* Tarockbezeichnungen. – *mit Nachsicht der Bomben:* der behördlichen Phrase »mit Nachsicht der Taxen« nachgebildet. – *tremolierend:* bebend. – *Posilipp:* Hügelzug südwestlich von Neapel. – *Heugasse:* Grenzgasse zwischen Wieden (IV.) und Landstraße (III. Bezirk). – *ä soi:* jüdelnd für »ach so«, »ja dann«. – *Florianigasse:* VIIII. Bezirk. – *Laterna magica:* Projektionsapparat, Vorläufer des Bildwerfers.

Fünftes Kapitel:
den Burckhardtschen Cicerone: Jakob Burckhardts Kunstführer (1855). – *Grinzing oder Heiligenstadt:* Vororte, XIX. Bezirk. – *Supplent:* Aushilfe. – *Cadenabbia:* Ort am Comer See. – *Palatin:* einer der Hügel Roms. – *Anzengruber die Wahrheit, daß die Eltern selber »danach sein sollen«:* Zitat aus *Das vierte Gebot* (1877). – *nonchalant:* vornehm. – *Bis-*

kra: Oasenstadt in Algerien, am Rande der Sahara. – *Iglau:* Bezirksstadt in Mähren. – *Pinakothek:* Alte Pinakothek, Gemäldesammlung. – *Glyptothek:* Antikensammlung. – *durch den englischen Garten:* ausgedehnter Park in München. – *»E bellissima la vista di questa finestra«:* »Der Blick von diesem Fenster ist sehr schön«. – *Monte Pincio:* nördlicher Hügel von Rom (Villa Borghese). – *lunchen/dinieren:* zu Mittag bzw. zu Abend essen. – *im Klosterneuburger Stiftskeller:* Stadt nahe von Wien, in Niederösterreich; Augustinerchorherrenstift. – *Salamutschmänner:* Salami- und Käsehändler in Kaffeehäusern. – *Brigttenau:* Vorort am Donaukanal, XX. Bezirk. – *depravieren:* verderben. – *Bellaggio:* Bellagio – Kurort am Comer See. – *Isola Bella:* Insel im Lago Maggiore. – *es halt' länger:* es hält (haltet) länger. – *Pallanza:* Kurort am Lago Maggiore. – *echappieren:* entwischen, sich davonmachen. – *Asti:* italienischer Schaumwein. – *sekiert:* peinigt. – *die obern Chargen:* die höheren Offiziere. – *Salmannsdorf:* Vorort, XIX. Bezirk.

Sechstes Kapitel:
auf dem Graben: Straße im Zentrum des I. Bezirkes. – *Menschheitsferment:* Ferment – Gärungsstoff. – *wie Daudet vor seine Sappho:* Alphonse Daudet (1840-1897), *Sapho.* Roman (1884). – *Sommerhaidenweg:* XIX. Bezirk; Weg, den AS oft zu Spaziergängen benutzte. – *Wanderungen durch Wärmestuben* etc.: vgl. dazu die Broschüren von Max Winter aus dieser Zeit: *Das goldene Wiener Herz.* Großstadt-Dokumente (Hg. Hans Ostwald), Band 11. Berlin und Leipzig o.J.; *Im unterirdischen Wien.* Großstadt-Dokumente Band 13. Berlin und Leipzig 1905. – *Lambach:* Ort in Oberösterreich, Benediktinerstift.

Siebentes Kapitel:
Kemmenbach-Yb[b]s: Station an der Westbahnstrecke. – *Viererzug:* Wagen mit zwei Pferdepaaren. – *der alte Bösendorfer:* Klavierfabrikant; von 1872 – 1913 gab es in der Herrengasse im I. Bezirk den Bösendorfer-Konzertsaal, der in der Musikwelt Wiens eine große Rolle spielte.

Achtes Kapitel:
Blankett: teilweise ausgefülltes, nur zu ergänzendes Formular (Telegramm). – *Malachit:* Kupferspat, Schmuckstein. – *daß ich noch ein paar Sekunden verziehe:* verziehen – verschnaufen.

Neuntes Kapitel:
Kaution: Sicherstellungssumme. – *Abolitionsgesuch:* Gesuch um Niederschlagung eines schwebenden Strafverfahrens (aus allgemeinen, nicht besondern Gründen). – *Arteriosklerose:* Arterienverkalkung. – *Freischütz und Undine:* Opern von Carl Maria von Weber (1821) bzw. Albert Lortzing (1845). – *Korrepetitor:* Musiker, der mit den Sängern am Klavier die Partien einübt. – *einen drapfarbenen Plaid:* drappfarbig-sandfarbig. – *in die Oper zur Tristanvorstellung gehen, über deren Neuinszenierung zu*

berichten sein Intendant ihn gebeten hatte: es ist möglich, daß AS hier zwei Neuinszenierungen Gustav Mahlers zusammenzieht, die neueinstudierte, erstmals strichlose (!) Aufführung, die Mahler im Oktober 1898 herausbrachte (dieses Datum würde in die Chronologie des Romans passen) – und die berühmtere Neueinstudierung vom Februar 1903, für die Alfred Roller die Dekorationen entwarf und die durch ihre Lichtregie Aufsehen erregte. Hierzu würde ASs Beschreibung besser passen (z.B.: *das Schiffsvolk auf dem Verdeck im Glanz des aufleuchtenden Himmels...*). – *Partie der Micaela:* Sopranpartie aus *Carmen.* – *Brangäne/-Kurwenal:* Rollen aus *Tristan und Isolde.* – *gegen Liebestränke und solche Geschichten:* Anspielung Elses auf das Hauptmotiv des *Tristan.* – *Melot:* Nebenrolle in *Tristan und Isolde,* Höfling des Königs Marke, verwundet zwar Tristan, hat aber kaum mehr als ein Dutzend kurze Verse zu singen und wird deshalb immer von einem Sänger zweiten Ranges dargestellt. – *im Imperial:* Georg wohnt bei seinem kurzen Wien-Aufenthalt im teuersten Hotel am Ring. – *Sie sind ja ein Zugereister:* einer, der von draußen kommt. Da Georg kein Nicht-Wiener ist, für die die Bezeichnung »Zug'reister« im allgemeinen verwendet wird, heißt es hier spöttisch: einer, der die Klatschgeschichten der gesellschaftlichen Kreise nicht kennt, weil er lange nicht da war. – *kuranzt:* schikaniert. – *talmudisch:* hintergründig spitzfindig. – *ohne Avance:* ohne Vorgabe, gleichzeitiger Schußwechsel. – *Portiunkula:* Lieblingsaufenthalt des Franz von Assisi; Kapelle. – *mit der Direktionskrise in der Oper im Zusammenhang:* nur als Witz zu verstehen, die Direktionskrise in der Wiener Oper ist traditionell permanent. – *Offenbar will sie sich mit mir verhalten:* will sich mit mir gut stellen, ist vorsichtig, will keinen Anlaß zu einem antisemitischen Ausfall geben. – *im Cottage draußen:* im XVIII. und XIX. Bezirk, Villenviertel; auch AS zog einige Jahre nach Vollendung des Romans ins Cottage. – *»Der Gott, der Eisen wachsen ließ... «* vgl. Drittes Kapitel. – *»Wacht am Rhein«:* »Lieb' Vaterland, kannst ruhig sein;/Fest steht und treu die Wacht am Rhein!« deutschnationales Lied von Max Schneckenburger; hier wird ein Konflikt zwischen den Christlichsozialen und den Deutschnationalen deutlich. – *Solizitator:* Bearbeiter von Bittgesuchen. – *»Die Arie der Gräfin?«:* Rolle der Gräfin, Sopran, aus *Die Hochzeit des Figaro.* – *Reichenau, Semmering, Brühl:* Ausflugsorte im Süden Wiens.

GESCHICHTE EINES GENIES

EN: 1907.
Ü. ED: *Arena* 2, Heft 12, März 1907, S. 1290-1292.
Abdrucke: KK 75-78; E I 959-961.

antizipiert: vorweggenommen.

DER TOD DES JUNGGESELLEN

EN: begonnen am 6.3.1907.
Ü: ED: *Österreichische Rundschau* 15, Heft 1, 1. April 1908, S. 19-26. –
Davon gibt es auch Separatdrucke.
Abdrucke: MuW 73-96; ES II 270-284; AE 253-263; E I 962-972;
AWE 193-205 ME 213-224; FT 65-79.
I: Günter Klabes, *Der Tod des Junggesellen* (Stilanalyse). *JIASRA* 6,
Heft 3, 1967, S. 31-39.

DER TOTE GABRIEL

EN: Skizze von 1890; geplant auch als Einakter; begonnen am 25. 10.
1905, Weiterarbeit in Marienlyst im Sommer 1906, gleichzeitig mit der Arbeit an *Das Wort* (daher die Parallelität der Figur des Anastasius Treuenhof).
Diktat der Novelle am 3. 9.1906.
Ü: ED: *Neue Freie Presse* vom 19. 5. 1907, S. 31-35 (Pfingstbeilage).
Abdrucke: MuW 137-163; ES II 285-301; *Rigasche Zeitung* vom 19. 9.
1912; E I 973-984.

Sophiensäle: Ballsäle im III. Bezirk; vgl. *Wohltaten still und rein gegeben.*
– *Quadrille:* Tourentanz für vier Paare. – *Affektation:* Ziererei. –
Medea: Titelrolle des Trauerspiels von Franz Grillparzer (1822). – *Parkring:* Teil der Ringstraße um den I. Bezirk, gegenüber dem Stadtpark. – *in
dem venezianischen Spiegel:* seit Anfang des 16. Jahrhunderts war Venedig auf die Erzeugung von Spiegeln spezialisiert. – *Fedora:* Titelrolle in
Victorien Sardous (1831-1908) Stück (1882).

DAS TAGEBUCH DER REDEGONDA

EN: Skizze von 1905; Ausführung begonnen am 28.10.1909.
Ü: ED: *Süddeutsche Monatshefte* 9, Band I, Heft 1, Oktober 1911, S. 1-7.
Abdrucke: MuW 165-180; ES II 302-311; S. Fischer-Almanach *Das 26.
Jahr,* Berlin 1912, S. 221-231; *Die deutsche Novelle.* 1880-1933 (Hg. H.
Steinhauer), New York 1936, S. 33-44; AE 265-271; E I 985-991; *Spiel im
Morgengrauen und acht andere Erzählungen* (Hg. Hans Weigel), Zürich
1965. S. 217-231; ME 225-232; FT 77-83.
Literatur: Yûzô Ikeda, *Das Tagebuch der Redegonda.* Eine Bemerkung
über Schnitzlers Novellistik. *Doitsu Bungaku* 18, Mai 1957. S. 66-71.
(»Röntgenbestrahlung der Unterbewußtseinsschicht der menschlichen
Seele.« S. 71) – Richard H. Lawson: Schnitzler's »Das Tagebuch der Rede-
gonda«. *The Germanic Review* 35, Heft 3, Oktober 1960, S. 202-213. – Just
107-114 (»Ironische Entgrenzung der Welt«).

Statthalterei: die niederösterreichische Regierung = Statthalterei befand sich in Wien im I. Bezirk (Herrengasse/Minoritenplatz). – *Spiritismus:* Glaube an Erscheinungen durch Geisterbeschwörung. – *Okkultist:* einer, der an Geistererscheinungen glaubt und diesen Glauben verbreitet.

DER MÖRDER

EN: erste Skizzen 1897. Ausführung (Arbeitstitel: *Doppelspiel*) Anfang August bis 10.9.1910.

Ü: ED: *Neue Freie Presse* vom 4. Juni 1911, S.31-38 (Pfingstbeilage). – (Allen, [32] gibt einen Abdruck an in *Reuch*, Petersburg, 1. Juni 1911. – Es konnte nicht nachgeprüft werden, ob dies der eigentliche ED ist.)

Abdrucke: MuW 97-136; ES II 312-337; Einzelausgabe mit 8 Holzschnitten von Ernst Huber, Wien 1922; AE 273-290; E I 992-1010.

Literatur: Just 64-76. (Der Held ist »situationslabil«. S. 66).

Doktor beider Rechte: des öffentlichen und privaten Rechts.

DIE DREIFACHE WARNUNG

EN: 1911. Skizze vom 8.8.1909.

Ü: ED: *Die Zeit* vom 4. Juni 1911 *(Die Pfingst-Zeit).*

Abdrucke: S. Fischer Almanach: *Das XXV. Jahr,* Berlin 1911, S.328-333; MuW 181-190; ES II 338-343; *Legenden und Märchen* unserer Zeit (Hg. Emil Kläger), Wien – Leipzig 1917, S.69-72; DdW 27-33; *Modern German Stories* (Hg. Allen W. Porterfield), Boston 1928, S.111-116; – Programm des Theaters in der Josefstadt. Spielzeit 1931-1932, Heft 5, 1932; AE 291-294; *Weit ist das Land.* Erzählkunst aus Österreich, Band II, Wien 1959, S. 439-442; *Drei Szenen aus Anatol und zwei Erzählungen.* (Hg. Harlan P. Hanson), New York 1960, S.60-64; E II 7-10.

Literatur: Just 127-130. »Mit pathetischer Eindringlichkeit drückt die Parabel ›Die dreifache Warnung‹ Schnitzlers Überzeugung von der Undurchschaubarkeit der Welt aus, indem sie die Situation des Menschen, der fragt oder gar sich auflehnen zu können glaubt gegen den festbestimmten Ablauf der Dinge, in ein allegorisches Bild bringt.« (S. 127).

DIE HIRTENFLÖTE

EN: Pläne schon vor 1902, denn am 26.11.1902 heißt es: *An der Novelle »Verlockung« weiter.* Am 13.3.1909 wurde die Erzählung zu Ende diktiert. – Im Mai 1913 entwirft AS ein Film-Szenarium.

Ü: ED: *Neue Rundschau* 22, Heft 9, September 1911, S.1249-1273. – Einzelausgabe mit 9 Radierungen von Ferdinand Schmutzer (der später auch eine Radierung zu *Der blinde Geronimo und sein Bruder* anfertigte), Wien 1912.

Abdrucke: MuW 9-72; ES II 344-386; TuS 361-405; AE 295-323; Zusammen mit *Der blinde Geronimo und sein Bruder* in S. Fischer Schulausgaben Moderner Autoren, Berlin und Frankfurt 1956 (Nachwort: Fritz Martini), S.35-76; E II 11-41; ME 233-262.

Literatur: Maja D. Reid, »Die Hirtenflöte«. *MAL* 4, Heft 2, 1971. S.18-27. – (Versteht die Erzählungen als Demonstration der Wahrheit Freudscher Erkenntnisse.)

Zu den Namen: Dionysia – die Verlockte; Erasmus – der Weise.

Schranzen: verächtlich für Höfling. – *Balustrade:* Brüstungsgeländer mit kleinen Säulen.

FRAU BEATE UND IHR SOHN

EN: Arbeitstitel: *Mutter und Sohn.* – Skizzen vom 8.11.1906 und 3.3.1909. – Die erste Fassung entstand zwischen dem 16.12.1909 und 16.4.1910. – Endgültige Fassung am 3.4.1911 begonnen, diktiert vom 22.11.1911 bis 10.2.1912. Nach Abschluß ist Schnitzler (1.4.1913) *(nicht recht zufrieden).*

Ü: ED: *Neue Rundschau* 24, Heft 2-4, Februar bis April 1913, S.302-322; 502-516; 603-628. – Im gleichen Jahr erscheint die Einzelausgabe bei S. Fischer, Berlin 1913, 18 Auflagen bis 1922. – Aufgenommen in die Erweiterung der Gesamtausgabe, 1922: ES IV 7-106.

Abdrucke: TuS 227-326 (ein weiterer Nachweis dafür, daß AS sich nicht von der Erzählung distanzierte, sonst hätte er sie nicht auch in diese Sammlung aufgenommen); E II 42-112.

Kritik: Verzeichnis der zeitgenössischen Rezensionen bei Allen, 34.

Ort der Handlung: Altaussee im Salzkammergut (Steiermark).

Erstes Kapitel

als Cyrano: in Edmond Rostands (1868-1918) *Cyrano de Bergerac* (1898). – *als der königliche Richard:* Shakespeares Richard II. – *Panamahut:* aus Blättern der Kolbenpalmen geflochtener breitkrempiger Strohhut. – *Landauer:* viersitziger Wagen mit auseinanderklappbarem Verdeck. – *voltigieren:* demonstrativ geschickt hantieren (im Gegensatz zum ungeschickten Handgeben). – *Gigerl:* Geck. – *Dachstein:* Gebirgsgruppe der Salzburger Kalkalpen. – *repetieren:* wiederholen. – *weiter spazieren:* hereinkommen. – *Musselin:* feinfädiger, leichter Stoff. – *Mesalliance:* ungleiche (unebenbürtige) Heirat. – *die Rakette:* Tennisschläger. – *Thermen des Caracalla:* in Rom. – *aus der Franzosenzeit:* 1805 und 1809. – *auf der Türkenschanze:* Anhöhe und Park im XVIII. Wiener Gemeindebezirk.

Zweites Kapitel:
Terlaner: Südtiroler Wein. – *Gosauseen:* im oberösterreichischen Salzkammergut. – *Piqué:* Gewebe mit Reliefmuster.

Drittes Kapitel:
über Mürzsteg nach Mariazell: Mürzsteg, Ort in der Steiermark; Mariazell – viel besuchter Wallfahrtsort in der Steiermark.

DOKTOR GRÄSLER, BADEARZT

EN: Urbild: am 22.11.1908 notiert AS im Tagebuch: *Nachmittags Dr. Richard Tennhardt [oder Tannhardt?], von dem ich nichts im Gedächtnis zurückbehalten hatte als sein Gesicht; hatte ihn vor 17 Jahren in Halle kennen
gelernt und später in Wien gesprochen. Jetzt ist er seit 10 J[ahren im] Winter in
Assuan, erzählte uns dann rührend-sächselnd-naiv von seiner Einsamkeit;
und zeigte uns Briefe und Bild einer Colmarer Förstertochter, hübsch, 20
Jahre und sehr geneigt, ihm dem 55jährigen nach Aegypten zu folgen. Er
wagt nicht…»wenn sie einen dann verläßt, ist es doch traurig« – Und erzählte
dann hübsch von einem Mädel, das er in seiner Vaterstadt angesprochen
(Naumburg), auf der Tram, die dann gleich 2 Tage bei ihm geblieben, gar
nicht fortgehen wollte… was ihm gewissermaßen Mut zu der andern gemacht
zu haben scheint. – Er blieb leider zu lang.*
Im Januar 1911 besann sich AS auf diesen Stoff und diktierte die erste Fassung am 21.6.1911 zu Ende. Ende Januar 1914 nahm er die Erzählung wieder
vor und begann sie am 24.2.1914 neu. Am 4. 7. 1914 diktierte er die zweite
Fassung zu Ende, an der er im September feilte. Am 8.10.1914 schloß er die
Korrekturen ab. Am 8.11.1914 nach nochmaliger Lektüre: *N[ach]m[ittag]
las ich den Gräsler in der neuen wohl endgültigen Abschrift. Eine hübsche, im
Anfang etwas mühselige, späterhin sehr anmutige Novelle.* – Das in E II 994
als Entstehungsjahr angegebene 1917 beruht auf einem Tippfehler in späteren
Aufzeichnungen ASs.
Ü: ED: in 31 Fortsetzungen im *Berliner Tageblatt,* vom 10.2.-18.3.1917.
Im gleichen Jahr bei S. Fischer als Einzelausgabe, 29 Auflagen bis 1922 (ein
Nachdruck von 3.000 Exemplaren erfolgte 1951), dann in die Gesamtaus-
gabe übernommen: ES IV 107-238. –
Abdrucke: *Die Roman-Rundschau 9,* 1930, S.7-91; E II 113-205; AWE
299-390.
Kritik: zeitgenössische Besprechungen bei Allen 35. -
Literatur: Just 76-84 (»Selbstmitleid eines alternden Pedanten.« S. 78). –
Ernest H. von Nardroff, »Doktor Gräsler, Badearzt«: Weather as an Aspect
of Schnitzler's Symbolism. *The Germanic Review* 43, Heft 2, 1968,
S.109-119.

Lloyd: Schiffahrtslinie. – *Lanzarote:* eine der Kanarischen Inseln. – *St.
Blasien:* Kurort im Schwarzwald. – *Zyklon:* Drehsturm. – *Herzog von
Sigmaringen:* s. *Die Frau des Richters.*

DER LETZTE BRIEF EINES LITERATEN

EN: Arbeitstitel: *Der Literat; Tragische Anekdote* (19.4.1910); *Der Unmensch* (17.10.1912). – Seit 1913 als Brief geplant. – Beschäftigung mit dem Stoff 1916, Ausarbeitung im Frühjahr 1917, Abschluß am 29.5.1917; nicht zur Veröffentlichung vorgesehen.
Ü: ED: *Neue Rundschau* 43, Heft 1, Januar 1932. S.14-37.
Nachdrucke: AE 137-159; E II 206-230.
Literatur: zum Inhalt dieses Begriffs, den ihm AS gab, s. *Der Geist im Wort und der Geist in der Tat* und andere Aufzeichnungen zur Literatur in *Aphorismen und Betrachtungen* (Hg. Robert O. Weiss), Frankfurt 1967.
I: Maja D. Reid, »Andreas Thameyers letzter Brief« and »Der letzte Brief eines Literaten«: Two Neglected Schnitzler Stories, *German Quarterly* 42, 1972, S. 443-60.
Schuld und Sühne: Phrase des literarisch gebildeten Dostojewski-Lesers.
– *Sekundararzt im Allgemeinen Krankenhause:* »Der Sekundararzt war der Gehilfe des Primararztes und dessen Stellvertreter, wenn derselbe an der Ausübung seiner Funktionen verhindert war.« (Theodor Puschmann, Die Medicin in Wien während der letzten 100 Jahre. Wien 1884.) – *Pepi:* Abkürzung für Josefine. – *aus den Freiheitskriegen:* gegen Napoleon, 1809-13. – *in der Brühl:* im Süden Wiens. – *Nauheimer Arzt:* Bad Nauheim, in Hessen, Kurort für Herzleiden.

CASANOVAS HEIMFAHRT

EN: Aus der Beschäftigung mit Casanova gingen die Erzählung *Casanovas Heimfahrt* und die *Drei Akte in einem Die Schwestern oder Casanova in Spa* hervor. Da die Entstehung parallel verlief, werden im folgenden beide Werke nebeneinander behandelt (Chiffren: CH und Sch): erster Einfall zu Sch am 28.3.1908. Arbeit an diesem Stoff unter dem Titel *Eifersucht*, als Einakter geplant, Oktober 1912 und Dezember 1913. – 1914 Lektüre der Casanova-Memoiren. Daraufhin Übertragung des Stoffes *Eifersucht* in die Zeit Casanovas (12.2.1915). 23.2.1915: Beendigung der Lektüre der Casanova-Memoiren. Einfall zum *Spion*. 22. und 26.4.1915: Szenarium Sch diktiert. – Am 24. 5. 1915 beginnt AS systematisch damit, seine Autobiographie zu schreiben, dieses Vorhaben begleitet die Entstehung von CH und Sch und sollte in diesem Casanova-Zusammenhang gesehen werden. – 2.6.-22.7.1915 Arbeit am *Spion,* vorläufiger Abschluß. – Neubeginn am 4.11.1915, am 16.11. führt er diese zweite Fassung vorläufig zu Ende, *stilistisch noch ganz unmöglich.* Mitte Juni 1916 liest AS wieder etwas Casanova, *wegen der Novelle.* Am 17.6.1916 sieht er diese durch und findet, daß sie weiter war, als er dachte. Am 18.6.1916 beschließt er, aus dem Einakter *Eifersucht* einen Dreiakter zu machen. Den Sommer in Altaussee verbringt er mit der Arbeit an Sch, das nun *Die Wiederkehr* heißen soll. Die Verse machen ihm Mühe. Arbeit an Sch (seit 17.10.1916 hat das Lustspiel den endgültigen

Titel) von Juli bis November 1916. Am 29.12.1916 nimmt AS quasi als Jahresbilanz die Casanova-Novelle vor: *sie kann fast als fertig gelten*. Erst im Juli 1917 beginnt er wieder an CH zu arbeiten, bis Ende August. Am 12.10.1917 schließt er die letzten Umarbeitungen ab, mit denen er die erste Oktoberhälfte zugebracht hatte. Am 16.10.1917 nimmt er Sch wieder vor und schließt sie am 25.10.1917 ab. Korrekturen in der Abschrift bis Mitte November. Am 25.12.1917 zieht AS Bilanz über das vergangene Jahr: *Dichterisch hebt mit der Casanova-Novelle und dem Casanova-Stück vielleicht für mich eine neue Epoche an.* Im Januar 1918 weitere kleine CH-Korrekturen, bekommt Ende Mai die Korrekturbögen für den Vorabdruck in der *Neuen Rundschau,* beendet diese Korrektur am 17.6.; die Korrektur für die Erstausgabe in Buchform beendet er am 25.8.1918. Zur selben Zeit, vom 18.-21.8.1918 sieht er auch die Korrekturbögen der Sch durch. Da Bahr und Andrian das Stück nicht für das Burgtheater annehmen, kommt es erst 1920 zur Uraufführung.

Ü: (Nur *Casanovas Heimfahrt*): ED: *Neue Rundschau* 29, Heft 7-9, Juli-September 1918. S.884-912; 1022-1046; 1147-1176. – Im gleichen Jahr Buchausgabe bei S. Fischer, 49 Auflagen bis 1929. – Als 41-44. Auflage erschien 1921 eine Sonderausgabe mit fünf Zeichnungen von Hans Meid.

Weitere Abdrucke: ES IV 239-371; AE 447-534; eine Einzelausgabe folgte als Fischer Tagebuch Nr. 14, Frankfurt 1952. – Weitere Abdrucke: E II 231-323; AWE 207-298; ME 385-472; FT 157-243.

I: Rey 28-48 (Casanova nicht nur erotisches Genie, sondern genialer Mensch »schlechthin«, »uomo universale«, dabei innerlich und äußerlich verkommen).

In seinem dreiundfünfzigsten Lebensjahr: AS war 1915, als er die Novelle begann, 53 Jahre alt. – *Vaterstadt Venedig:* dort war Casanova am 2.4.1725 geboren worden. Demnach spielt die Handlung 1778. AS hält sich aber nicht an diese Chronologie, wenn er Werke Casanovas als bekannt voraussetzt, die noch nicht publiziert waren. Auch war Casanova seit 1774 wieder in Venedig. – *Geschichte seiner wunderbaren Flucht aus den Bleikammern:* Casanova schrieb sie später auf und publizierte sie in Prag 1788: *Histoire de ma fuite des prisons de la republique de Venise, qu'on appelle les plombs.* – *Streitschrift gegen den Lästerer Voltaire:* wurde nie geschrieben, vgl. ASs Nachwort zur Novelle. – *Kabbala:* Zahlenmystik. – *Besuchs in Ferney vor zehn Jahren:* tatsächlich hat Casanova Voltaire im Juli 1760 besucht, also vor 18 statt 10 Jahren, wenn man bei 1778 bleiben will; aber bevor man zu überlegen beginnt, ob sich Casanova mit dieser Zahlenangabe selbst täuscht oder ob er sich (und Marcolina) täuschen will, sollte man das historische Datieren aufgeben, denn auch Voltaire, von dem als lebendem Philosophen gesprochen wird, wäre vor Beginn der Erzählung gestorben. – *aus der berüchtigten »Pucelle«:* La Pucelle, 1733 geschrieben, 1759 veröffentlicht; Epos über Jeanne d'Arc. – *sein phantastischer Roman »Icosameron«:* erschien 1788 in Prag. – *seine dreibändige »Widerlegung von Amelots Geschichte der venezianischen*

*Regierung«: Confutazione della Storia del Governo Veneto d'Amelot de
la Houssaie.* 3 Bände, Amsterdam (eigentlich Lugano) 1769. – *Francesco
Casanova:* 1727-1802; lebte seit 1783 in Wien; Kriegs- und Schlachtbil-
der. – *Bragadino:* Matteo Bragadino, Senator, vormals Inquisitor; Casanova hatte sich ihm nützlich gemacht und wurde von ihm adoptiert. Bragadino starb 1767. – *Soldo:* im 19. Jahrhundert 5-Centesimi-Stück. – *»Das
Mündel«:* Carlo Goldoni (1707-1783) gibt in seinen Memoiren, die AS
während der Arbeit an der Novelle las, an, daß er *La Pupilla* für Casanovas Mutter geschrieben habe. – *Christina, die Braut:* diese Episode
hat Hofmannsthal 1910 für seine Komödie *Cristinas Heimreise* benutzt. –
*Das Büchlein, in dem er schon vor Jahren seine Flucht so lebendig geschil-
dert hatte:* s. o., der Fluchtbericht erschien 1788.

FRÄULEIN ELSE

EN: zum Stoff: am 21.2.1925 schreibt AS an einen früheren Studienkollegen G. Nobl, der offenbar ein Modell für Fräulein Else gefunden zu haben
glaubte:*Was nun Deine spezielle Frage anbelangt, so hat das »Fräulein Else«,
so wie ich sie geschildert habe, niemals gelebt und der Fall, den ich erzählt
habe, ist völlig frei erfunden. Selbstverständlich wird man Züge des »Fräulein
Else«, bei manchem Wesen wiederfinden, das man gekannt hat und ich selbst
könnte mehr als ein weibliches Geschöpf nennen, von dem ich für die Figur
der »Else« zum Teil bewußt, zum Teil unbewußt, Züge geborgt habe. Gewisse Vorgänge, die in der Familie der »Else« spielen, haben sich, wie Du ja
wahrscheinlich weißt, in meiner Verwandtschaft zugetragen und das junge
Mädchen, die Tochter des unglücklichen Advokaten, meine frühverstorbene
Cousine hat tatsächlich Else geheißen. Damit ist aber auch alles erschöpft, was
in meiner Novelle mit Realität im engeren Sinne zu tun hat.*
   In den frühen 20er Jahren intensive Arbeit an der Novelle. Skizze von
1921. – Am 18.4.1923 ist *Fräulein Else* vorläufig zu Ende diktiert. Korrektu-
ren in der Abschrift am 20.10.1923.
   Ü: ED: *Neue Rundschau* 35, Heft 10, Oktober 1924, S.993-1051. Die
Buchausgabe des gleichen Jahres erschien nicht bei S. Fischer, sondern in
Wien bei Paul Zsolnay, bis 1929 erschienen 70 000 Exemplare. 1928 nahm AS
die Novelle in den 6. Band seiner bei S. Fischer publizierten *Gesammelten
Werke* auf: ES VI 9-95; als Einzelausgabe erschien die Novelle in der Tagblatt
Bibliothek Nr. 1258 in Wien 1946; weitere Abdrucke: AE 535-588; E II
324-381; *Erzählungen.* Bibliothek Suhrkamp Band 149, Frankfurt 1969; *Er-
zählungen,* Berlin und Weimar 1965, S.226-292; AWE 391-449; ME
473-526; FT 245-299. –
   Schallplatte: gesprochen von Elisabeth Bergner, Deutsche Grammophon
Gesellschaft LPMS 43 036.
Kritik: Verzeichnis der zeitgenössischen Rezensionen bei Allen, 37.
   I: Victor A. Oswald Jr. and Veronica Pinter Mindess, Schnitzler's »Fräulein Else« and the Psychoanalytic Theory of Neuroses. *The Germanic Review* 26, Heft 4, 1951, S. 279-288.

Klaus D. Hoppe, Psychoanalytic Remarks on Schnitzler's »Fräulein Else«.
JIASRA 3, Heft 1, 1964, S. 4-8. (Aufzählung von Symptomen.) – Rey
49-85. (Hilflosigkeit Elses gegenüber der Macht des Geldes.)
Gerd K. Schneider, Ton- und Schriftsprache in Schnitzlers Fräulein Else und
Schumanns Carnaval. *MAL* 2, Heft 2, 1969. S. 17-20. (Die musikalischen
Motive werden von AS bewußt eingesetzt und steigern die Intensität der Er-
zählung.) – Theodor W. and Beatrice W. Alexander, Maupassants *Yvette*
and Schnitzler's *Fräulein Else. MAL* 4, Heft 3, 1971, S.44-55.

Single: Tennis zu zweit. – *Matador:* Stierkämpfer, von Else mehrfach als
ironisch anerkennende Kennzeichnung auf Sportler angewandt. – *Cimone:* Cimone della Pala – Gipfel in den SüdtirolerDolomiten (3191 m).
– *Mentone:* Urlaubsort an der französischen Riviera. – *»Coriolan«:* vermutlich Burgtheateraufführung der Shakespearschen Tragödie. – *Abbé
Des Grieux:* Titelfigur von Prévosts (1697-1763) Roman *L'histoire de che-
valier Des Grieux et de Manon Lescaut,* 1756. Else liebt allerdings nicht
die Romanfigur, sondern die Tenorrolle aus Massenets Oper *Manon*
(1884), wie aus der folgenden Anmerkung deutlich wird. – *die Renard:*
Marie Renard (recte Pöltzl, 1864-1939), seit 1888 an die Wiener Hofoper
engagiert, begann als Altistin, sang aber auch Mezzosopranpartien und
Soubrettenrollen; Partien: Zerline (in *Don Giovanni* und *Fra Diavolo),*
Carmen, Cherubin *(Die Hochzeit des Figaro)* und Manon. – *enragierter
Tennisspieler:* mit Leidenschaft spielend. – *Marienlyst:* von AS mehrmals
besuchter Ostsee-Badeort in Dänemark. – *»Vous allez bien?:* Geht es Ih-
nen gut? – *»A bientôt, Mademoiselle.«:* Auf bald ... – *Veronal:* Schlafmit-
tel. – *»Buona sera«:* Guten Abend. – *Filou:* Spitzbube, Betrüger. – *Apoll
vom Belvedere:* Statue im Vatikan. – *Revers:* Gegenschein. – *Rancune:*
Rachsucht. – *Grandhotel:* in Wien, Kärtnerring. – *Kriminal:* Gefängnis. –
Toilette de circonstance: den Umständen entsprechend. – *nonchalant:* läs-
sig. – *mit Herrn Dorsday aus Eperies:* Eperjes, ung. Name für Prešov =
Preschau, Gebietshauptstadt in der östlichen Slowakei, bis 1919 zu Ungarn gehörig. – *Tochter des Defraudanten:* Defraudant: einer der Geld
unterschlägt. – *im Kasten:* im Schrank. – *Pudding a la merveille, fromage
et fruit divers:* Köstliches Pudding, Käse und gemischte Früchte – *Ver-
veine:* Eisenkraut (Parfüm). – *»Notre Coeur«:* Roman von Guy de Maupassant (1850-1893), 1890 erschienen. – *Eine Zivilsache geworden:* von
einer Sache des öffentlichen zu einer des privaten Rechts. – *Je vous désire:*
Ich begehre Sie. – *wie ein Frauenzimmer von der Kärtnerstraße:* Prostitu-
ierte im I. Bezirk. – *Bakkarat* Kartenglücksspiel, zwei französische Kar-
tenspiele (104 Blatt) zwischen Bankhalter und zwei Spielern, die gegen
ihn setzen. – *Stein:* Männerstrafanstalt in Niederösterreich. – *Lerchenfelderstraße:* Vorstadtstraße im VIII. Bezirk. – *Temme:* Jodocus Donatus
Hubertus Temme (1798-1881), preußischer Jurist, gehörte der Frankfurter Nationalversammlung von 1848 an, Professor für Kriminal- und Ci-
vilrecht an der Universität Zürich (1852-78); nützte seine juristischen
Kenntnisse zum Verfassen zahlreicher Kriminalromane und -novellen

aus. – *Warsdorf – Burin – Wertheimstein:* Bankhäuser. – *im Theater bei der Kameliendame:* Das Stück von Alexandre Dumas fils (1824-1895) *La dame aux camélias* wurde 1852 (Umarbeitung des gleichnamigen Romans) geschrieben und 1886 ins Deutsche übersetzt. – *alles für die Katz:* alles umsonst. – *Ja, Karneval:* s.o. den Aufsatz von Gerd K. Schneider über Schumanns *Carnaval* und *Fräulein Else.* – *Sukkurs:* Unterstützung. – *Bartensteinstraße:* recte Bartensteingasse, im I. Bezirk. – *Enchanté:* Sehr erfreut. – *Hauptallee:* im Prater.

DIE FRAU DES RICHTERS

EN: erste Skizze von 1908. – Erweiterte Skizze am 5.2.1916. – AS beginnt am 19.1.1917 einen Einakter, gibt ihn am 9.3. auf. – Von Februar bis Dezember 1917 Arbeit an der ersten Fassung der Erzählung. – Neue Fassung: 11.2.1918-5.3.1918; nächste Fassung: 1.9.1922-29.3.1923. Immer wieder daran gearbeitet; abgeschlossen am 21. 6. 1924: *Nicht übel erfunden, gut erzählt.* – *von meiner Eigenart wenig zu spüren.*
Ü: ED: *Vossische Zeitung* vom 7.15. August 1925.
EA: in der Reihe *Das kleine Propyläenbuch* im Propyläen Verlag, Berlin 1925 in zehntausend Exemplaren. –
Aufgenommen in die *Gesammelten Werke:* ES VI 99-175. –
Nachdrucke: AE 325-373; E II 382-433; ME 263-312.
Literatur: Harold D. Dickerson Jr., *Arthur Schnitzler's »Die Frau des Richters«.* A Statement of Futility. *German Quarterly* 43, Heft 2, 1970, S.223-236.

Sigmaringen: Grafschaft, kam 1534 an die schwäbischen Hohenzollern, bis 1849 Regierungssitz der Fürsten von Hohenzollern-Sigmaringen. – *Reichsgericht in Wetzlar:* Reichskammergericht des Deutschen Reiches bis 1806; von 1693-1806 in Wetzlar.

TRAUMNOVELLE

EN: Skizze vom 20.6.1907. Die Ausarbeitung fällt in die Zeit zwischen 12.10.1921 und 3.1.1925 (eine Fassung war am 19.3.1923 zu Ende diktiert worden). Letzte Korrekturen am 26.7.1925.
Ü: ED: *Die Dame* 53, Heft 6-12; vom 1. Dezemberheft 1925 zum 1. Märzheft 1926. – 1926 bei S. Fischer als Einzelausgabe, bis 1930 30 Auflagen. – Weitere Abdrucke: ES IV 179-282; TuS 5-110; in der Nazizeit erschien als Gemeinschaftsproduktion der Verlage Bermann-Fischer, Allert de Lange und Querido in Amsterdam (1939) der Band *Flucht in die Finsternis und andere Erzählungen* (neben *Traumnovelle* und *Flucht in die Finsternis* auch *Spiel im Morgengrauen);* in Amsterdam kam 1948 wieder von Bermann-Fischer und Querido gemeinschaftlich verlegt die Sammlung *Traumnovelle.*

Flucht in die Finsternis. Zwei Novellen heraus; weiterer Abdruck: E II 434-504; AWE 451-520.
Kritik: Verzeichnis der Rezensionen bei Allen 39.
I: William H. Rey, Das Wagnis des Guten in Schnitzlers *Traumnovelle*. *German Quarterly* 35, Heft 3, 1962, S.254-264. –
Hans Joachim Schrimpf, Arthur Schnitzlers *Traumnovelle*. Zeitschrift für deutsche Philologie 82, Heft 2, 1963, S.172-192. – Rey 86-125. – Swales 77f.; 138-149. –
Hertha Krotkoff, Themen, Motive und Symbole in Arthur Schnitzlers *Traumnovelle*. *MAL* 5, Heft 1/2, 1972. S.70-95. –
Hertha Krotkoff, Zur geheimen Gesellschaft in Arthur Schnitzlers *Traumnovelle*. *German Quarterly* 46, Heft 2, 1973, S.202-209.

Redoute: Ballfest. – *Schreyvogelgasse:* I. Bezirk, in der Nähe der Universität. – *Josefstadt:* VII. Bezirk, nahe dem Allgemeinen Krankenhaus. – *Havelock:* Mantel mit Pelerine. – *Rathauspark:* wenige Schritte von der Schreyvogelgasse entfernt. – »*Ich kenn' Ihnen nicht«:* Ihnen – austr. für »Sie«. – »*No, wie wir i denn heißen?«:* wir i – werde ich (von wern = werden). – *dann möchtest du mich verfluchen:* möchtest – würdest. – *insolvent:* zahlungsunfähig. – *Sublimat:* Quecksilber (II)-chlorid. – *Schönbrunner Hauptstraße 28:* heute Schönbrunnerstraße, führt durch den IV., V. und XII. Bezirk. – *beriehmt:* jüdelnd – berühmt (Nachtigall verzerrt alle Vokale). – Riedhof: VIII. Bezirk, zwischen Wickenburggasse und Schlösselgasse, heute: Therese Schlesinger-Hof. – *Café Vindobona:* Neben dem Landesgericht, besteht noch. – *Galitzinberg:* Teil des XVI. Bezirks, hat seinen Namen vom russischen Botschafter Demeter von Gallitzin, der den Hügel 1780 erwarb und dort 1785 ein Sommerschloß errichten ließ. – Villenviertel. – *Buchfeldgasse:* VIII. Bezirk, nahe dem Rathaus. – *Liebhartstal:* XVI. Bezirk, Talgraben zwischen Ausläufern des Gallitzinberges. – *Repetatur:* Anweisung zur Wiederholung eines Rezeptes. – *histologischen Untersuchung:* Untersuchung des Gewebes. – *Ottakring:* Vorort, XVI. Bezirk. – *Aber mir sein g'sund:* wir sind (= ich bin) gesund. – *Sie sein ihr nicht untreu worden:* sein – sind. – *Hotel Bristol:* Ecke Ring-Kärntnerstraße. – *Hotel Erzherzog Karl:* Kärntnerstraße, 1945 zerstört. – *in diesen heiligen Hallen:* Anspielung auf Sarastros Arie aus der *Zauberflöte*. – *Pleuratumor:* Pleura – Brustfell. – *Sarkom:* bösartige Geschwulst. – *Suicidium:* Selbstmord. – *Lysol:* Desinfektionsmittel.

SPIEL IM MORGENGRAUEN

EN: Arbeitstitel: *Bezahlt.* – Frühe Entwürfe Mai 1916. – Begonnen am 3.10.1923, Arbeit bis 15.6.1924. – Am 13.9.1925: *N[ach]m[ittag] les ich für mich die LtntsNovelle (Badner Novelle) durch, die noch unfertig aber nicht übel ist.* – Neufassung Ende 1925/Anfang 1926; 4.2.1926: *Dictirt: Badner Nov[elle] notdürftig zu Ende.* – Am 10.4.1926 diktiert AS die Erzählung

wiederum vorläufig zu Ende. Im Sommer 1926 arbeitet er den Schluß um.
Ü: ED: *Berliner Illustrirte Zeitung* vom 5.12.1926-9.1.1927. – Buchausgabe bei S. Fischer, Berlin 1927 (1.-25. Auflage).
Abdrucke: TuS 111-226; *Flucht in die Finsternis und andere Erzählungen*, Stockholm-Amsterdam 1939, S.5-118. – AE 375-446; E II 505-581; *Die Großen Meister*. Deutsche Erzähler des 20. Jahrhunderts, Gütersloh 1964; *Spiel im Morgengrauen und acht andere Erzählungen* (Hg. Hans Weigel), Zürich 1965, S.233-391; *Erzählungen*, Berlin und Weimar 1965, S.293-379; AWE 521-596; ME 313-384; FT 85-155; Einzelausgabe mit 16 Illustrationen von Georg Eisler, Frankfurt 1973.
Kritik: Verzeichnis der Rezensionen bei Allen 40. –
I: Just 100-106. – Rey 126-154. – Hans Ulrich Lindken, *Interpretationen zu Arthur Schnitzler. Drei Erzählungen*, München 1970, S.15-53.

»*Raum ist in der kleinsten Hütte für ein glücklich...«:* ...liebend Paar. Schiller, *Der Jüngling am Bache*. – *Offizierssteeplechase:* Hindernisrennen. – *Kontenance:* Haltung. – *Schwulität:* üble Lage. – *Alserkirche:* Trinitarierkirche in der Alserstraße. – *drap:* Sandfarben. – *Seis:* jetzt Siusi, in den Südtiroler Dolomiten. – *Freudenau:* Galopprennplatz im Prater. – *Train:* Versorgungstruppe. – *Also auf in den Kampf, meine Herren Toreros:* verändertes Zitat aus *Carmen*. – *frozzeln:* sticheln. – *Portepee:* silbergestickter Lederriemen und Quaste am Säbel. – *Helenental:* Tal und Spazierweg außerhalb von Baden bei Wien. – *Arena:* Badner Freilichttheater. – *Rodaun:* Vorort Wiens, heute XXIII. Bezirk. – *Urlaub mit Karenz der Gebühren:* unbezahlt. – *Helfersdorfer Straße:* im I. Bezirk. – *Spinnerin am Kreuz:* gotische Säule an der Triester Straße an der Stadtgrenze im X. Bezirk. – *Reichsstraße:* alte Bezeichnung für Triester Straße. – *marod melden:* krank melden. – *Bisamberg:* Hügel im Nordosten Wiens, jenseits der Donau. – *Hornig:* recte Hornik, Tonhalle am Mariahilfer Gürtel, Volkssängerlokal. – *Piaristengasse:* im VIII. Bezirk, wenige Minuten von der Alserkaserne entfernt, in der der Leutnant stationiert ist (an der Stelle der jetzigen Nationalbank).

ABENTEURERNOVELLE   *Fragment*

EN: Pläne zu *Der Abenteurer* seit 1907, auch als Drama überlegt und zu großen Teilen ausgeführt; Skizze im November 1925; maschinenschriftliche Fassung mit handschriftlichen Korrekturen, entstanden vom Januar bis Juli 1928, liegt dem Abdruck zugrunde.
Ü: ED: Buchausgabe mit 16 Zeichnungen von W. Müller Hofmann, Wien 1937 (im Verlag Bermann-Fischer), aus dem Nachlaß herausgegeben.
Abdrucke: E II 582-624.

THERESE   *Chronik eines Frauenlebens*

EN: Der 1889 als Erzählung ausgeführte Stoff, *Der Sohn*, war nie vergessen worden. Am 12.7.1898 schreibt AS in sein Tagebuch: *Stoff zum Sohn (alte Skizze) entwickelt sich.* (Zuvor, am 9.7.1898 hatte AS eine Skizze von sechs Seiten niedergeschrieben). – Neubeginn am 27.10.1924, im März 1925 liegen 600 Seiten vor. Am 21.7.1926: *Las Nachts den Roman ›Therese‹ zu Ende; er hat seine Vorzüge; manches ist noch recht schlampig geschrieben; Kürzungen sind nötig; – im ganzen wird man ihn wohl publiciren können – abgesehn davon, daß es rein materiell notwendig sein wird.* – Am 12.3.1927 legt AS die Arbeit beiseite mit dem Vermerk, den Roman im Sommer 1927 fertig korrigieren zu wollen.

Ü: ED: im Rahmen der *Gesammelten Werke*, Berlin 1928, als Band V. – Bis 1939 35 Auflagen. Das 43.Tausend druckt Bermann-Fischer 1949 in Wien (mit dem Vermerk: *Gesammelte Werke in Einzelausgaben*).

Nachdrucke: E II 625-881; als Fischer Taschenbuch 433, Frankfurt und Hamburg 1962; Berlin und Weimar 1966 (Nachwort: Rudolf Walbiner).

Kritik: Verzeichnis der Rezensionen bei Allen, 41.

I: Kilian 146: »Schnitzler teilt seine Chronik in 106 sehr kurze Kapitel ein, von denen nur wenige über die Jugend und das Ende der Therese berichten. Ihr endloser Weg, der fast nur zufällig durch einen Mord sein Ende findet, aber – da ohne jede Entwicklung der Hauptfigur – ohne dieses Ereignis beliebig fortsetzbar erscheint, wird in einem scheinbar völlig kunstlosen, naiven, chronologischen Bericht wiedergegeben, dessen Abschnitte durch temporale Verknüpfung zusammengehalten werden... Die trostlose Eintönigkeit einer solchen Anordnung demonstriert mit adäquaten Mitteln ein Lebensschicksal und steigert das sozialkritische Anliegen durch die Technik der endlosen schematischen Reihung bis zum Unerträglichen.« Der Entwicklungslosigkeit Thereses kann mit Swales, 39, widersprochen werden, wenn man ihre wachsende Anpassung an die Gesellschaft dialektisch untersucht.

Graz: deshalb hieß Graz im Volksmund »Pensionopolis«. – *Komorn:* Stadt in der Slowakei. – *Slavonien:* Landschaft zwischen Save und Drau im heutigen Jugoslawien. – *Mönchsberg:* Stadtberg Salzburgs. – *Nonnberg:* Stadtberg Salzburgs mit der Feste Hohensalzburg. – *Hellbrunn:* Vorort Salzburgs. – *Mirabellgarten:* Parkanlage im Zentrum Salzburgs. – *Seladon:* recte Céladon, schmachtender Liebhaber (aus dem Schäferroman *Astrée* von Honoré d'Urfé [1586-1625]). – *Lintscherl:* Koseform für Aline. – *Fadaise:* Schalheit. – *illustrierte Ausgabe eines Hackländerschen Romans:* Friedrich Wilhelm Hackländer (1816-1877), in der zweiten Hälfte des 19.Jahrhunderts vielgelesener Unterhaltungsschriftsteller. – *auf der Wieden:* IV.Bezirk. – *Kabinett:* einfenstriges Zimmer. – *Enzbach:* Maria Anzbach in Niederösterreich an der Westbahnstrecke. *Hernals:* Vorort, XVII.Bezirk. – *faniert:* verblüht. – *»Schinakl«:* Kahn (ung. Csonak). – *»A la fin je voudrais savoir, où ces deux scélérats nous mènent«:* »Schließlich wüßte ich gern, wohin die beiden Gauner mit uns wollen.«

Trop bonne: allzu gut. – »*moral insanity*«*:* sittliche Unzurechnungsfähigkeit. – *von einem Bulwerschen Roman:* Edward George Bulwer (1803–1873), schrieb historisierende Schauerromane, die Therese gefallen konnten, weil sie besser als die ihrer Mutter waren; die aber Thilda weniger ansprachen, deren rationaler, praktischer Art solche phantastische Lektüre fern lag. – *Aber für 'n Moment hab' ich mir denkt:* habe ich mir gedacht. – *Zieglergasse:* im VII. Bezirk. – »*Hermhuter*«*:* Leinwandgeschäft im I. Bezirk, am Neuen Markt. – *Kodizill:* im österreichischen Recht letztwillige Verfügung. – *Also keine Angst brauchst nicht haben:* im österreichischen Dialekt ist doppelte Verneinung nicht Aufhebung der Verneinung. – *Partezettel:* gedruckte Todesanzeige für den Postversand. – *jetzt hab' ich mich verplauscht:* verplaudert, verraten. – *Ex-officio-Verteidiger:* vom Gericht bestimmter Anwalt.

DER SEKUNDANT

EN: Skizzen von 1911; sporadische Beschäftigung mit verschiedenen Fassungen zwischen 1927 (17.10.) und 1931 (30.9.).

Ü: ED: aus dem Nachlaß in der *Vossischen Zeitung* vom 1.-4.1.1932.
Nachdrucke: E II 882-901; *Spiel im Morgengrauen und acht andere Erzählungen* (Hg. Hans Weigel), Zürich 1965, S. 393-435.
Literatur: Swales 114-117.

Trassierung: Linienführung der Drahtseilbahn. – *der König von England:* Eduard VII. war im Sommer 1905, 1907, 1908 jeweils nach Marienbader Kuraufenthalten zu Besuch bei Kaiser Franz Joseph in Ischl. Damit ist eine ungefähre Datierung des *Sekundanten* gegeben. – *St. Gilgen:* am Wolfgangsee im Salzkammergut. Ort der Handlung.

FLUCHT IN DIE FINSTERNIS

EN: Arbeitstitel: *Der Verfolgte,* erster Anstoß: 1.3.1905: *Erzähle Julius* [*dem Bruder*] *von meinen Angstgefühlen. Er riet zur Selbsterziehung.* – Arbeit am Stoff 1912. Erste Fassung 1913. Zweite Fassung 1915. 17.1.1916 neuerlicher Abschluß. Endgültige Fassung mit dem Titel *Wahn* (29.11.1917). 1.12.1917 *Entschluß es nicht zu veröffentlichen.* Beim Wiederlesen am 29.7.1924: *Sie ist künstlerisch nicht ohne Werth.*

Ü: ED: 14 Jahre nach der Vollendung Abdruck in der *Vossischen Zeitung* vom 1Ü.-30. Mai 1931. Danach im *Neuen Wiener Tagblatt* vom 19.7.-19.8.1931. – Daraufhin Buchausgabe bei S. Fischer (1.-15. Auflage) in Berlin. Abdruck 1939 in der Exilsammlung Stockholm-Amsterdam *Flucht in die Finsternis und andere Erzählungen,* S. 225-349; zusammen mit *Traumnovelle:* Wien, 1948, S. 107-226; E II 902-985.

Die Buchausgabe erschien kurz vor ASs Tod. AS hatte dem Verlag eine Liste von 48 Personen geschickt, die Freiexemplare erhalten sollten. Sie gibt Aufschluß über die Freunde der letzten Jahre und die Kenner des Werks, die AS informieren wollte. Unter ihnen sind (in dieser Reihenfolge): Georg Hirschfeld, Gustav Schwarzkopf, Sigmund Freud, Heinrich Mann, Richard Specht, Theodor Reik, Viktor Zuckerkandl, Richard G. Coudenhove-Calergi, Karl Schönherr, Ernst Lothar, Werner Hegemann, Emil Ludwig, Ludwig Fulda, Paul Goldmann, Josef Körner, Egon Friedell, Paul Wertheimer, Ernst Benedikt, Herbert Cysarz, Berta Zuckerkandl, Leo Vanjung, Emil Lucka, Otto Schinnerer, Sol Liptzin.

Kritik: Verzeichnis der Rezensionen bei Allen 41f.

I: Robert O. Weiss, A Study of the Psychiatric Elements in Schnitzler's »Flucht in die Finsternis«. *The Germanic Review* 33, Heft 4, 1958, S. 251-275. – Rey 155-189: »Die mythische Formulierung des Titels ist keineswegs Zufall. Die Flucht des Protagonisten in die Finsternis ist eine Flucht vor dem Licht. So kommt es, daß Schnitzler in dieser Erzählung zwei Brüder zusammen- und gegeneinanderstellt, die die mythische Polarität von Nacht und Tag, Wahn und Wahrheit, Nicht und Sein verkörpern.« (S. 155). – Swales 127-32, gibt im Unterschied zu Robert O. Weiss (s. o.) einer Analyse der Erzählperspektive der der Symptome paranoider Schizophrenie den Vorzug: »The ambiguous narration makes us share the experiences of Robert's mind – not as an interesting psychological oddity, but as a possible reality.« (S. 130).

Sektionsrat: höherer Beamter im Staatsdienst (in diesem Fall im Ministerium für Kultus und Unterricht. – *Zehn Gulden/Zehnkronenstück:* seit der Umstellung auf die Kronenwährung von 1892 im Verhältnis 1:2 waren zehn Gulden – 20 Kronen. Robert gibt also nur halb soviel Trinkgeld, immer noch sehr viel mehr als üblich. – *Aktenfaszikel:* -bündel. – *Osteria:* Schenke. – *Millionenkridar:* der mit Millionen in Konkurs gegangen ist. – *den kleinen Ploetz:* Karl Ploetz, Auszug aus der Geschichte (ständig auf den neuesten Stand gebrachte Datensammlung zur Geschichte). – *Sektionschef:* Leiter einer Sektion/Abteilung im Staatsdienst. (Zwischen Sektionschef und Sektionsrat steht der Ministerialrat). – *Ministerialsekretär:* dem Sektionsrat unterstellter Beamter. – *Spalato:* Küstenstadt in Dalmatien mit dem Palast des Diokletian, heute: Split. – *Ragusa:* Küstenstadt in Dalmatien, heute: Dubrovnik.

PROSA (nicht in E I,II enthalten und deshalb hier nicht kommentiert)

Sylvesterbetrachtungen. Internationale klinische Rundschau 3, Heft 1 vom 6. Januar 1889, Sp. 35-36. – Abdruck: *S. Fischer Almanach.* Das achtundsiebzigste Jahr, Frankfurt 1964, S. 143-146. –
Spaziergang. Deutsche Zeitung, Wien, 6.12.1893 (in der Reihe »Wiener Spiegel«).

Frühlingsnacht im Seziersaal. Phantasie. *Jahrbuch Deutscher Bibliophilen und Literaturfreunde* 18/19, 1932/1933, S. 86-91.
Abdruck mit einer Editionsnotiz von Heinz Politzer: *S. Fischer-Almanach.* Das sechsundsiebzigste Jahr, Frankfurt 1962, S. 12-17.

Gespräch, welches in der Kaffeehausecke nach Vorlesung der »Elixiere« geführt wird. 31./VIII 90. & 15./IX 90, *Jahrbuch deutscher Bibliophilen und Literaturfreunde* 18/19, 1932/1933, S. 91-93.

Parabeln. S. Fischer-Almanach Das neunundsiebzigste Jahr, Frankfurt 1965, S. 148-150. – Und in *Aphorismen und Betrachtungen* (Hg. Robert O. Weiss), Frankfurt 1967, S. 302-312.

Kriegsgeschichte. Ein Entwurf. *Literatur und Kritik* 13, April 1967, S. 133f.

Roman-Fragment. (Hg. Reinhard Urbach), *Literatur und Kritik* 13, April 1967, S. 135-183.

Novellette. Ein Entwurf. *S. Fischer-Almanach.* Das zweiundachtzigste Jahr, Frankfurt 1968, S. 53-61.

Jugend in Wien. Eine Autobiographie (Hgg. Therese Nickl, Heinrich Schnitzler), Wien–München–Zürich 1968.

DRAMATISCHE WERKE

ALKANDIS LIED   *Dramatisches Gedicht in einem Aufzug*

EN: Oktober/November 1889, beendet am 15.11.1889.
Ü: ED: *An der schönen blauen Donau* 5, Heft 17, 1890, S. 398-400; Heft 18, 1890, S.!424-426.
Abdruck: D I 7-25.
Aufführung: nicht aufgeführt. Am 25.2.1896 bot AS das *Stück in Versen* Otto Brahm an und schlug vor, es im Falle einer Annahme durch Brahm zusammen mit *Liebelei* aufzuführen. Brahm lehnte ab: »ich glaube nicht, daß Sie gut tun würden, dieses Anfängerstück trotz seiner hübschen Verse jetzt noch herauszubringen, nachdem Ihre Kunst so sicher erstarkt ist.« (9.3.1896)
I: Otto P. Schinnerer *(The Early Works of Arthur Schnitzler. The Germanic Review* IV, Heft 2, April 1929, S. 153-197; S. 169ff.) geht weiter als Richard Specht, den das Stück »an Grillparzer mahnt« (*Arthur Schnitzler. Der Dichter und sein Werk.* Eine Studie. Berlin 1922, S. 12); er sieht nicht nur Parallelen zu *Der Traum ein Leben* (orientalische Märchenatmosphäre, Bedeutung des Traums), sondern hält es auch für möglich, daß AS für die Gestalt des Dichters Alkandi Grillparzer zum Urbild nahm (a.a.O.S.171).

Fant: unreifer Mensch, Geck.

ANATOL   *Zyklus*

Die Frage an das Schicksal

EN: geschrieben vom 26.8.-30.8.1889. *Anregung durch die damalige Beschäftigung mit dem Hypnotismus. Praktische Versuche an der Poliklinik.*
Vgl. dazu ASs medizinische Schriften aus dieser Zeit: *Über funktionelle Aphonie und deren Behandlung durch Hypnose und Suggestion.* Wien 1889 (Sonderdruck des Artikels, der in vier Folgen im März und April in *Internationale Klinische Rundschau* erschienen war).
In der *Internationalen Klinischen Rundschau* 3, Heft 21 vom 26. Mai 1889, Sp. 891-893 rezensierte AS: *Die Suggestion und ihre Heilwirkung.* Von Dr. H. Bernheim. Autorisirte deutsche Ausgabe von Dr. Sigmund Freud. Leipzig & Wien 1888-89.
Zu ASs praktischen Versuchen: Felix Salten, Aus den Anfängen. Erinnerungsskizzen. In *Jahrbuch deutscher Bibliophilen und Literaturfreunde* 18/19, Wien 1932/33. S. 31-46.
Ü: ED: *Moderne Dichtung* 1, Heft 5 vom 1. Mai 1890, S. 299-306. –
Einzelnachdrucke: *Budapester Tagblatt* vom 13. Mai 1890; in *Four German One-Act Plays* (Hg. Gilbert J. Jordan), New York 1951, S. 1-18 (bearbeitete Schulausgabe); *Drei Szenen aus Anatol und zwei Erzählungen* (Hg. Harlan P. Hanson), New York 1960, S. 1-15.

Weihnachtseinkäufe

EN: geschrieben am 24.11.1891. – *Schickte es ohne Vertrauen auch in die Arbeit selbst an die Frankfurter Zeitung und wundere mich, wie ich ins Griensteidl tretend von Dörmann erfahre, daß der Einakter erschienen ist.*
Ü: ED: *Frankfurter Zeitung* vom 24. Dezember 1891, S. 1-2 (die Dialogpartner heißen *Er* und *Sie*).
Einzelnachdrucke: *Das Rendezvous*, Nr. 8-10, Weihnachten 1892, S. 15-18; in *Moderne Einakter* (Hg. Hans Jaeger), New York 1938, S. 1-26 (zusammen mit *Abschiedssouper*); in *Lebendige Literatur. Deutsches Lesebuch für Anfänger* (Hgg. Frank G. Ryder, E. Allen McCormick), Boston 1960, S. 228-247.
Schallplatte: Paula Wessely (Gabriele), Robert Lindner (Anatol), *Die große Szene*, Amadeo AVRS 14 110.

Patschuli: Kraut aus dem tropischen Asien, Parfüm, auch Mottenmittel. – *Armband mit den himmlischen Berloques:* Anhänger. – *veritablen:* wahrhaft. – *Hernals:* Vorstadt, Kern des XVII. Bezirks. – *Portieren:* Türvorhänge. – *Makartbuketts:* Kunstblumensträuße, von Hans Makart (1840-1884) erfunden. – *Bibelots:* kleine kunstgewerbliche Gegenstände.

Episode

EN: geschrieben vom 30. Oktober bis 20. November 1888.
Ü: ED: *An der schönen blauen Donau* 4, Heft 18, 1889, S. 424-426. – Einzelnachdruck: *Drei Szenen aus Anatol und zwei Erzählungen* (Hg. Harlan P. Hanson), New York 1960, S. 15-32.
Schallplatte: Robert Lindner (Anatol), Wolf Albach-Retty (Max), Käthe Gold (Bianca), *Die große Szene*, Amadeo AVRS 14 134.

Kurzgeschürzt in der letzten Quadrille stehen: letzte Reihe im Ballettcorps.

Denksteine

EN: geschrieben vom 24.-26. Juni 1890.
Ü: ED: *Moderne Rundschau* 3, Heft 4 vom 15. Mai 1891, S. 151-154.

Abschiedssouper

EN: *21. und 23.11.91. Schrieb ich zum Teil im Griensteidl rasch und gut gelaunt* (Tagebuch).
Ü: ED im Rahmen der Gesamtausgabe des Zyklus. –Einzelnachdrucke: *Moderne Einakter* (Hg. Hans Jaeger), New York 1938, S. 1-26 (zusammen mit *Weihnachtseinkäufe*); *Drei Szenen aus Anatol und zwei Erzählungen* (Hg. Harlan P. Hanson), New York 1960, S. 32-48.

Bracelet: Armband. – *Markersdorfer:* billiger Landwein. – *sekieren:* ärgern, belästigen. – *wurl'n:* sich bewegen. – *Trumeau:* Ablagetisch oder -kommode mit Spiegelaufsatz.

Agonie

EN: 29. Oktober bis 10. November 1890.
Ü: ED im Rahmen der Gesamtausgabe des Zyklus.

Anatols Hochzeitsmorgen

EN: begonnen am 9. Juni 1888 in London. *Wahrscheinlich angeregt durch die Lektüre französischer Dialoge von Halevy.* Beendet am 25. Oktober 1888 in Wien, Abänderung des Schlusses.
Ü: ED: *Moderne Dichtung* 2, Heft 1 vom 1. Juli 1890, S. 431-442. – Abdruck des ursprünglichen Schlusses in *Anatol.* Texte und Materialien zur Interpretation besorgt von Ernst L. Offermanns. *Komedia* 6, Berlin 1964, S. 140-145.

Samowar: Teemaschine. – *Proszeniumsloge:* Bühnenloge, seitlich vom Orchestergraben. – *Kranzelherr:* im Gefolge des Brautpaares, blumengeschmückt. –
Sie sind eine von denen, »*welche beißen, wenn sie lieben*«: Anspielung auf Heinrich Heines *Der Asra* (1846), dessen letzte Verse lauten: »Und mein Stamm sind jene Asra,/Welche sterben, wenn sie lieben.«

Gesamtausgaben des Zyklus *Anatol:*

EA: *Anatol. Mit einer Einleitung von Loris.* Berlin: Bibliographisches Bureau 1893 (Auslieferung schon im Oktober 1892).
Weitere Ausgaben: S. Fischer übernahm die Ausgabe 1895; bis 1927 erschienen 32 Auflagen der Einzelausgabe; 1901 brachte S. Fischer eine von M. Coschell illustrierte Ausgabe heraus.
Nachdrucke: T I 9-107; M 7-84; *Österreichisches Theater des XX. Jahrhunderts* (Hg. Joachim Schondorff), München 1961, S. 37-109; D I 27-104; *Anatol* (Hg. Ernst L. Offermanns), *Komedia* 6, Berlin 1964, S. 7-96; AWB 15-93; Dr 5-106; *Anatol, Anatols Größenwahn, Der grüne Kakadu* (Nachwort: Gerhart Baumann), Reclams Universal-Bibliothek Nr. 8399/8400, Stuttgart 1970, S. 3-88.

Anatols Größenwahn

EN: am 24. Juni 1891 begonnen, Mitte August 1891 beendet.
Ursprünglicher Titel: *Perlen.* AS nahm diesen Einakter nicht in den Zyklus auf.
Ü: Für die von ihm inszenierte Uraufführung dieses Einakters ließ Heinrich Schnitzler 1932 ein Bühnenmanuskript herstellen.

ED: M 585-603. – Nachdrucke: D I 105-123; *Anatol* (Hg. Ernst L. Offermanns), *Komedia* 6, Berlin 1964, S. 97-117; AWB 95-113; *Anatol, Anatols Größenwahn, Der grüne Kakadu* (Nachwort: Gerhart Baumann), Reclams Universal-Bibliothek Nr. 8399/8400, Stuttgart 1970, S. 89-109.

Weidlingau: im Wienerwald, in der Nähe von Wien. – *sehr viele Zacken:* auf der Wappenkrone des neuen Liebhabers. – *wird eben erst lanciert:* in die Gesellschaft eingeführt. – *nom de guerre:* Kriegsname, Pseudonym für den erotisch-gesellschaftlichen Umgang. – *blasiert:* übersättigt.

Weitere Anatol-Einakter, die nicht in den Zyklus aufgenommen wurden:
Das Abenteuer seines Lebens

EN: 1886. Ü: 1888 ließ AS ein Bühnenmanuskript drucken. - ED: *Anatol* (Hg. Ernst L. Offermanns), *Komedia* 6, Berlin 1964, S. 118-140.

Süßes Mädel

EN: geschrieben am 14. und 15. März 1892. Fragment.
Ü: ED: *Süßes Mädel. Eine bisher unveröffentlichte Anatol-Szene. Forum* 9, Heft 101, Mai 1962, S. 220-222.

Anatol-Literatur:
Zeitgenössische Kritik: Allen 48.
Material: bisher beste Darstellung und Dokumentation bei Offermanns, *Anatol,* a.a.O., S. 146-201. Inzwischen neu hinzugekommenes Material: Karl Kraus und Arthur Schnitzler. Eine Dokumentation von Reinhard Urbach. *Literatur und Kritik* 49, Oktober 1970, S. 513–530. – Hugo von Hofmannsthal, Über Schnitzlers »Anatol« (Hg. Rudolf Hirsch). *Neue Rundschau* 82, Heft 4, 1971, S. 795-797.
Spezialstudien: Adolf D. Klarmann, Die Weise von Anatol. *Forum* 9, Heft 102, S. 263-265. – Paolo Chiarini, L'Anatol di Arthur Schnitzler e la cultura vienese »Fin de siècle«. *Studi germanici* 1, N.S. 1, 1963, S. 222-252. – Sandro Sticca, The Drama of Being and Seeming in Schnitzler's »Anatol« and Pirandello's »Così è se vi pare«. *JIASRA* 5, Heft 2, 1966, S. 4-28. – Anna Stroka, Der Impressionismus in Arthur Schnitzlers »Anatol« und seine gesellschaftlichen und ideologischen Voraussetzungen. *Germanica Wratislaviensia* 12, 1968, S. 97-111. – Gerhart Baumann, Nachwort. *Anatol, Anatols Größenwahn, Der grüne Kakadu,* Reclams Universal-Bibliothek 8399/8400, Stuttgart 1970, S. 157-173.
Zum Zusammenhang des Zyklus:
Offermanns plädiert neuerlich (S. 12) für die Austauschbarkeit der Einakter: »In allen Akten vollzieht sich im Grunde das immergleiche, handlungsarme Geschehen; sie sind denn auch beinahe beliebig vertauschbar.« – Gegen die Austauschbarkeit Urbach 33f.
Wirkung: Offermanns (S. 201) zieht eine Parallele zu Max Frisch: dessen Stiller » den Rufnahmen Anatol führt«.

DAS MÄRCHEN *Schauspiel in drei Aufzügen*

EN: zwischen 24.11.1890 und 19.3.1891.

Ü: 1. Fassung: Bühnenmanuskript, Wien 1891. – 2. Fassung: Dresden und
Leipzig: E. Pierson 1894. – 3. Fassung: Berlin: S. Fischer 1902 (als 2. Auflage
bezeichnet, der 1910 eine dritte und 1923 eine vierte Auflage folgten).

Weitere Abdrucke: T I 109-204; D I 125-200.

Die drei Fassungen variieren vor allem den Schluß. Der hier folgende
Schluß der ersten Fassung wird in der dritten und endgültigen durch eine
Seite ersetzt (D I 199, Mitte – 200):

FEDOR (lachend). *Wie – ein Treueschwur auf ein Jahr – Du?*

FANNY. *Was willst Du denn?*

FEDOR. *O, Du meinst es sicher ehrlich – Du glaubst es in diesem Momente
selbst. Aber ich nehme ihn nicht an, weil Frauen wie Du die Treue nicht halten können. – Ihr seid ja deswegen nicht schlecht – Ihr seid eben so!*

FANNY. *Ja... weißt Du denn auch noch – was Du sprichst? – Wofür hältst Du
mich denn? Diese letzte Beschimpfung verzeih' ich Dir nicht – das kann ich
nicht! – Was machst Du denn aus mir! – Ich bin nicht schlecht – aber beim
Himmel – Du bist nahe dran, mich dazu zu machen –*

FEDOR. *Ach – die beliebte, großartige Phrase!*

FANNY. *Du – wenn Du mich so von Dir jagst, mit solchen Worten – wenn Du
mir nicht vertrauen willst, wenn Du zu eitel bist, um in meiner Liebe glücklich zu sein – und zu feig, um an mich zu glauben – wenn Du mich verachtest,
Du, an den ich mich klammern wollte; wenn Du mich niederdrücken willst,
wie die gemeinste Sünderin – gerade Du, der da stand und es ausrief: Nehmt
die Reue von ihnen – dann nimm alle Schuld auf Dich, wenn ich da draußen
verkomme und verderbe! – Ich kann nicht mein Leben lang vor Dir auf den
Knien herumrutschen, und es hälfe auch nichts – und was fange ich denn um
Himmelswillen an, wenn Du mir nie, nie glaubst? – Du jagst mich weg – Du
vergiftest meine Seele mit Deinem Mißtrauen, und ich brauche doch Vertrauen, um selbst meine Ruhe wieder zu finden. Solange wirst Du mich behandeln wie eine Dirne –*

FEDOR. *Bis Du es bist...ja, ja, das ist es! – Darauf habe ich gewartet, das ist der
letzte Trumpf, den Ihr ausspielt! – Wenn wir uns nutzlos zerquält haben, ob
der unabänderlichen Schmach, die an Eurer Vergangenheit klebt, und wenn
uns dieser edelste aller Schmerzen, den Ihr nie versteht, zu Worten hinreißt,
die Euch in Eurer Selbstverhimmlung stören, dann sind wir es, die Euch zu
Dirnen machen.*

FANNY. *So schweig' doch – man hört Dich ja! (Klara sieht ängstlich auf die
Gruppe.)*

FEDOR. *Ach es ist Dir um Deinen Ruf leid – wie!? – Du bist geworden, was Du
werden mußtest! – O, wie hab' ich es gefühlt, als Du Deine neue große Rolle
spieltest – mir war es, als wärest Du selig, auf einen Moment dieses Wesen lebendig machen zu können, das in Dir schlummerte, seit Du mich zu lieben*

glaubst! – Es war das Weib – Sinne, ganz, nur Sinne – ich dachte, die Scham müßte Dich erdrücken – ich haßte Dich in diesem Moment, – weil ich mich für Dich schämte, die das geheime Weben ihrer eigenen Natur dem lüsternen Publikum zum Schauspiel bot – ! Nun, was antwortest Du nicht? –

FANNY *(hat begonnen zu weinen).*

KLARA *(kommt). Was habt ihr denn so lang! – Was ist denn? Warum weint sie denn? –*

FANNY. *Ach nichts! Laß mich doch!*

KLARA. *Das geht nicht, daß Du Dich so von den übrigen zurückziehst – es fällt auf.*

FRAU THEREN. *Nun bitte, meine Herrschaften! – (Man macht sich bereit, in's andere Zimmer zu gehen.)*

KLARA. *Wir gehen nun hinein – so schließt Euch doch an. (Leise.) Es ist unerhört, wie Du Dich benimmst! –*

WITTE *(setzt sich zum Klavier und spielt einen Tusch). Hoch soll'n sie…*

BERGER. *Aber bitt' Dich!*

WITTE. *Ach ja – es ist noch nicht officiell!*

KLARA *(geht mit Fanny auch nach hinten).*

FEDOR *(bleibt beim Schreibtisch verstört stehen).*

WITTE *(gibt Emmi den Arm),*

BERGER *(dem Fräulein Müller),*

ROBERT *(der Frau Theren),*

WANDEL *(der Klara).*

FANNY *(sieht sich nach Fedor um).*

LEO *(merkt es, geht rasch auf Fedor zu). Du stehst ja da wie ein Verrückter – was machst Du denn? Witte und Berger haben sich belustigt! So biete Fanny wenigstens den Arm! Nun ist sie auch schon hineingegangen.*

FRAU THEREN *(sich noch einmal umwendend). Nun, Herr Denner – was gibt's denn?*

LEO. *Ah, gnädige Frau…gleich!…es ist eigentlich ein Geheimnis – er präpariert nur einen Toast!…So komm' doch…so komm' doch – es ist ja zu dumm!*

FEDOR. *Ich kann nicht! Geh' hinein – sag' was Du willst…Ich habe Migräne…*

LEO. *Das geht nicht! Euer langes Zusammensein fiel schon auf – Jedermann ahnt den Zusammenhang. –*

FEDOR. *Was liegt daran – man wird mich nicht mehr hier sehen.*

WITTE *(drin). Warten Sie, ich mache die Flaschen auf – ich hab' Übung –*

LEO. *– – Du kompromittirst das Mädel!*

FEDOR. *Ich kann hier nicht bleiben. – Aus allen Ecken grinst mich die Vergangenheit an! – Ich kann es nicht ertragen.*

LEO. *Um Himmelswillen – so nimm doch Deine Kraft zusammen – und verzeihe ihr!*

FEDOR. *Der Ekel übermannt mich – ich kann das nicht erdulden! – Sag' drin, was Du willst – Du hälst mich hier nicht! – Es geschieht ein Unglück.*

LEO. *Du bist ein Schwächling.*

FEDOR. *Laß mich! – Es ist ein Schmerz, den keiner begreifen kann! – Du hast*

*keine Ahnung, wozu ein Mann fähig ist, der sich lächerlich vorkommt! –
Überall, überall, das Vergangene – auch in ihren Augen, auf ihren Lippen –
unser ganzes Leben ist ja durchströmt davon – ich bin nicht stark genug – laß
mich geh'n. –*

LEO. *Aber, um Himmelswillen – was willst Du...?*

FEDOR. *Nur fort, fort! – Laß mich, bevor man mich hineinholt – ich bitte
Dich! – Sag' was Du willst. – Leb' wohl!*

LEO. *Wohin denn? – Du bist ja –*

FEDOR. *Fort, laß mich – ja!? (Ist unterdeß zur Ausgangstüre gelangt und
geht) –*

FANNY *(stürzt herein). Wo ist er denn?*

LEO. *Er bittet sehr um Entschuldigung – seine Kopfschmerzen –*

KLARA. *Fanny! –*

FANNY *(greift sich an den Kopf, will zur Thüre) –*

KLARA. *Fanny, was willst Du – ? Ach – Ihr Freund ist fort?*

LEO. *Ja, er ist leidend –*

FANNY. *So laß mich –*

KLARA. *Was? Ihm nachrennen vielleicht – ? Ich glaub – Du könntest – schon
gescheiter sein –*

FANNY *(bricht in Schluchzen aus).*

KLARA. *Dieser Skandal – gerade heute –*

FRAU THEREN. *Nun Mädeln – was ist's denn?*

KLARA. *Gleich. gleich, Mutter – Ich bitte Sie, Herr Doktor – wir kommen
gleich –*

(Leo achselzuckend ab.)

KLARA. *Es hat's doch jeder sehen müssen – Ich begreife Dich wirklich nicht!
Was hat's denn gegeben?*

FANNY. *Nichts, nichts! Du kannst ruhig sein – (Zum Schreibtisch, gibt ihr den
Kontrakt). Da hast Du – Du selbst kannst ihn morgen Früh nachschicken! –
Es ist das letztemal, daß ich Dir Schande gemacht habe –*

WANDEL *(kommt besorgt heraus). Aber Klara – Fräulein Fanny – wir sind alle
schon ganz –*

FANNY. *Wir haben uns nur besprochen – Ich gehe weg von hier –*

WANDEL. *O –*

FANNY. *Wissen Sie – es ist mein Verlobungsgeschenk –*

KLARA. *Kind – Du bist wieder so bitter – Schau, es hat doch niemand –*

FANNY. *O – sei nur nicht so gnädig! – Du verdienst Dein Los – denn Du bist
ein anständiges Mädel! – Was ist denn weiter mit mir geschehen. Ich bin halt
wieder einmal verlassen worden! – Verdien' ich's denn anders? – So muß es
nun weiter gehen –*

(Alle nähern sich.)

FRAU THEREN. *Wo ist denn der Denner – ?*

WANDEL. *Denken Sie, wie liebenswürdig er war! – Er trug noch den Kontrakt
des Fräulein Fanny dem Herrn Moritzki ins Hotel –*

BERGER. *O, o! – Hierbleiben, hierbleiben!*

WITTE. *Wenn aber nicht – so lebe die Hofschauspielerin hoch!*

FANNY *(geht hinein). Ich danke sehr.*

WITTE. *– Und hoch das Brautpaar – hoch! hoch!*

ALLE. *Sie leben – !*

WITTE *(läuft zum Klavier). Jetzt muß ich aber doch einen Tusch spielen! (Spielt.)*

ALLE. *Hoch! Hoch! Hoch!*

(Der Vorhang fällt.)

(Wien 1891, S. 114-118)

Der Schluß der zweiten Fassung gleicht der ersten bis zum Auftritt Klaras, die Fanny ins Nebenzimmer holt, dann rafft die zweite Fassung Fedors Abgang und beschleunigt das Ende durch den Zusammenbruch Fannys auf der Bühne. In der dritten Fassung nimmt AS die sentimentale Niederlage Fannys zurück, gönnt Fedor nicht mehr den ausgespielten Ekel-Abgang und läßt Fanny zu emanzipierter Überlegenheit wachsen:

Ich bin es müde, um deine Gnade zu flehen wie eine Sünderin und vor einem auf den Knien zu liegen, – der um nichts besser ist als ich.

Hier der Schluß der zweiten Fassung:

KLARA. *Das geht nicht, daß Du Dich so von den übrigen zurückziehst – es fällt auf.*

KLARA *(geht mit Fanny ins Nebenzimmer).*

FEDOR *(bleibt beim Schreibtisch verstört stehen).*

LEO *(kommt, geht rasch auf Fedor zu). Du stehst ja da wie ein Verrückter – was machst Du denn? Witte und Berger haben sich belustigt! So biete doch Fanny wenigstens Deinen Arm! Nun ist sie auch schon hineingegangen.*

FRAU THEREN *(wieder herauskommend). Nun, Herr Denner – was gibt's denn?*

LEO. *Ah, gnädige Frau…gleich!…es ist eigentlich ein Geheimnis – er präpariert nur einen Toast!…So komm' doch…so komm' doch – es ist ja zu dumm!*

FEDOR. *Ich kann nicht! Geh' hinein – sag' was Du willst…*

LEO. *Das geht nicht! Euer langes Zusammensein fiel schon auf – Jedermann ahnt den Zusammenhang.*

FEDOR. *Was liegt daran – man wird mich nicht mehr hier sehen.*

WITTE *(drin). Warten Sie, ich mache die Flaschen auf – ich hab' Übung –*

LEO. *Du kompromittirst das Mädel!*

FEDOR. *Ich kann hier nicht bleiben. – Aus allen Ecken grinst mich die Vergangenheit an! – Ich kann es nicht ertragen.*

LEO. *Um Himmelswillen – so nimm doch Deine Kraft zusammen – und verzeihe ihr!*

FEDOR. *Der Ekel übermannt mich – ich kann das nicht erdulden! – Sag' drin, was Du willst – Du hältst mich nicht hier! – Es geschieht ein Unglück.*

LEO. *Du bist ja ein Schwächling. Vor denen, die lachen könnten, läufst Du davon.*

FEDOR. *Nein, nein! (Aufs Herz deutend.) Hier fühl ichs, hier! Es ist ein Schmerz, den keiner begreifen kann! – Du hast keine Ahnung, wozu ein*

Mann fähig ist, der sich lächerlich vorkommt! – Überall, überall, das Vergangene – auch in ihren Augen, auf ihren Lippen – unser ganzes Leben ist ja durchströmt davon – ich bin nicht stark genug – laß mich geh'n. –

LEO. *Aber, um Himmelswillen – was willst Du…?*

FEDOR. *Nur fort, fort! – Laß mich, bevor man mich hineinholt – ich bitte Dich! – Sag' was Du willst. – Leb' wohl!*

LEO. *Wohin denn? – Du bist ja –*

FEDOR. *Fort, laß mich – ja!? (Ist unterdeß zur Ausgangsthüre gelangt und geht) –*

FANNY *(stürzt herein). Wo ist er denn?*

LEO. *Er bittet sehr um Entschuldigung –*

KLARA. *Fanny! –*

FANNY. *Fort…? Er ist fort – ? (Zur Thüre hin).*

KLARA *(kommt). Fanny, Was willst Du denn – ? Ach – (Zu Leo.) Ihr Freund ist fort?*

LEO *(verlegene Geste der Entschuldigung).*

KLARA *(die bei ihr ist). Was?! Ihm nachrennen vielleicht?*

FANNY. *Er darf es? – Das darf er?*

KLARA. *Ich glaube, Du könntest schon gescheiter sein. (Wendet sich zum Gehen.)*

FANNY. *Und ich bin wehrlos. – Und auf immer muß ich verloren sein? Und man darf mich verlassen wie eine – – (Bricht mit einem dumpfen Schrei an der Thür zusammen. Aus dem Zimmer daneben hört man das Klingen der Gläser und Tellergeklapper.)*

Der Vorhang fällt.

(Dresden und Leipzig 1894, S. 109-111)

Erwähnenswerte zeitgenössische Kritik:
Jakob Julius David, Arthur Schnitzler: »Das Märchen«, *Wiener Allgemeine Zeitung* vom 3.12.1893, S.7. – Laura Marholm, Ein Märchen. *Die Zukunft* 8, 25.8.1894, S.368-371. – Hermann Bahr, Arthur Schnitzler: »Märchen«. In: *Wiener Theater 1892-98*, Berlin 1899, S.242-252.

Zur Aufführungsgeschichte:
Nach der zweiten Aufführung am Deutschen Volkstheater in Wien wurde das Stück abgesetzt. Die Zusicherung, *Das Märchen* in der zweiten Fassung, wieder mit Adele Sandrock in der Hauptrolle, wiederaufzunehmen, wurde nicht eingehalten. – Am 1. April 1894 sah sich AS genötigt, in einem offenen Brief, der am 3.4.1894 im *Neuen Wiener Journal* abgedruckt wurde, eine Meldung des Deutschen Volkstheaters zurückzuweisen, derzufolge die Hauptrolle des Märchens eigens für Adele Sandrock geschrieben worden sei. Es heißt da:
…So glücklich ich nun auch in dem gegebenen Falle war, daß die Hauptrolle von einer so ausgezeichneten Künstlerin wie Fräulein Sandrock dargestellt wurde, so muß ich doch die in der Zuschrift des Herrn Dr. Heinrich Löwy

klar enthaltene Zumuthung, als wenn es meine Sache wäre, bei Abfassung ei-
nes Stückes an Rollen für bestimmte Schauspieler zu denken, aufs Entschie-
denste zurückweisen.

I *Brillantboutons:* Brillantknopf in Knospenform. – *Die guten Kameraden?:*
   in der Beziehung ASs zu Olga Waissnix spielte Paul Heyses Novelle *Gute*
   Kameraden (1884) eine Rolle. – *Sie sind ja ein Jakobiner!:* kleinbürgerli-
   ches Schlagwort für einen Intellektuellen, der die *sogenannten heiligen*
   Gefühle verletzt. – *i lassert die Moll überhaupt abschaffen:* ich ließe die
   Moll-Tonarten abschaffen. – *Soll ich das Klavier ganz aufmachen –?:* Klavier – wienerisch für Flügel. – *Profanation:* Entweihung. – *mit der Tat-*
   zen: mit dem Tablett. – *mit dein' neuchen Idealismus:* mit deinem
   neuen... – *etwas ägriert:* verärgert.
II *außer Obligo:* unter Ausschluß der Haftung.
III *refüsieren:* ablehnen.

DIE ÜBERSPANNTE PERSON   *Ein Akt*

   EN: begonnen im Januar 1894; ursprünglicher Titel: *Das süße Geheimnis.*
Ü: ED: *Simplicissimus* 1, Heft 3 vom 18. April 1896, S. 3, 6. – Nachdrucke:
als Bühnenmanuskript Berlin 1932; *Kaffeehaus.* Literarische Spezialitäten
und amouröse Gusto-Stückln aus Wien (Hg. Ludwig Plakolb), München
1959, S. 12-19; D I 201-205.

   Wieden: Name des IV. Bezirks.

HALBZWEI   *Ein Akt*

   EN: geschrieben vom 2.-17. Januar 1894. Den Anstoß belegt die Tage-
buchnotiz vom 1. Januar 1894: *Nachts bei Dilli* [= Adele Sandrock], *bis drei;*
konnte nicht weg, ärgerte mich. – Am 28. Januar 1894 notiert AS: *Bei mir*
Schick, Loris, Salten, Richard; – las »Halb zwei« vor, das sehr gefiel. –
Ü: ED: *Die Gesellschaft* 13, 2. Band, Heft 4, April 1897, S. 42-49. – Nachdrucke: als Bühnenmanuskript Berlin 1932; D I 207-213.
   Schallplatte: gesprochen von Vilma Degischer (Sie) und Heinrich Schnitzler (Er), Preiser Records LW 4 (zusammen mit *Der Sohn*, gelesen von Vilma
Degischer und *Die Fremde*, gelesen von Heinrich Schnitzler).

   nimmt eine Orange von dem Aufsatz: Obstschale. – *Pah:* Abschiedsgruß.
– *Er läutet beim Portier:* die Haustore wurden um 22 Uhr geschlossen, ge-
gen 6 Uhr geöffnet; wer keinen eigenen Haustorschlüssel besaß (manche
Haustore waren auch nur von innen zu öffnen und zu schließen), mußte
den Hausmeister herausklingeln, der dafür eine kleine Münze, das
»Sperrsechserl« bekam.

LIEBELEI *Schauspiel in drei Akten*

EN: Der erste Einfall (undatiert) muß vor dem 3.9.1893 liegen:
»*Das arme Mädel*«. *Das sag ich dir gleich: viel kann ich mich nicht mit dir abgeben.. sagt er ihr gleich im Anfang. – Sie liebt ihn käthchenhaft, abgöttisch. Er sitzt im Parquet; sie auf der Gallerie – beim Rennen sieht sie ihn mit jener schönen Dame sprechen – mit der er ein Verhältnis hat… Er hat wegen jener andern ein Duell.. Den Abend vorher bei dem »armen Mädel«.. Am nächsten Tag wird er erschossen. Sie steht fern, wie er begraben wird; weiß nichts. Jetzt erst erfährt sie, daß er – wegen einer andern gestorben.. Und wankt nach Hause.. Er war ihr noch einmal gestorben!*

Faksimile dieses Entwurfs in *Der Merker* 3, Heft 9 vom 1. Mai 1912 und in *Neue Blätter des Theaters in der Josefstadt*. Spielzeit 1968/69 – 2, Programmheft zur Wiener *Liebelei*-Inszenierung Heinrich Schnitzlers vom 12.9.1968. In diesem Programmheft wurden auch die Aufzeichnungen publiziert, die AS nachträglich zur Entstehungsgeschichte von *Liebelei* machte:

1893 3.9. Armes Mädel mit Laune begonnen.
24.10. Salten liest mir seine Novelle Armes Mädel vor, in der er den Stoff der Liebelei behandelt. Ich verwahre mich dagegen.
26.10. Erster Akt vollendet.
10.12. Als Dramenstoff verurteilt von Hugo, Richard, Salten, Gustav.
1894 17.2. Plan ziemlich beendet.
19.2. Diesmal hoffentlich mit Glück begonnen.
14.6. Zum dritten Mal begonnen.
27.7. Armes Mädel zum vierten Mal begonnen.
9.9. Neues Szenarium zum Armen Mädel.
13.9. Armes Mädel zum fünften Mal guten Mutes begonnen.
4.10. Liebelei beendet.
14.10. vorgelesen Hugo und Salten mit überraschendem Erfolg. Hugo rät zum Burgtheater.
16.10. Bahr, ohne zu kennen, rät zum Raimundtheater.
Nach Lektüre Bahr: »Keiner wirds tadeln, aber auch der enthusiastischeste Freund wird nicht sagen: Hier ist ein neuer Prophet.«
29.10. Liebelei dem Burckhard auf der Gasse übergeben.
31.10. Annahmetelegramm Burckhards aus Berlin. Glücksgefühl.
5.11. Burckhard: »Haben Sie einen Weg zum Bezecny?«
19.11. Hohenfels weigert sich, die Christine zu spielen. Mit der Reinhold kann ichs nicht geben, sie piepst zuviel.
20.11. Burckhard zu Bahr: Ich soll »Liebelei« dem Speidel geben.
1.12. Lese »Liebelei« der Sandrock vor. Sie findet, nur sie kann die Rolle spielen.
17.12. Hugo bringt einen Brief Speidels an Hofrat Gomperz. Lob für das Stück. Die Sandrock könnte es zum Siege führen.
26.12. Bei Bezecny: Freue mich, daß Sie sich mit dramatischer Literatur beschäftigen.

1895 5.1. Engagement Sandrock Burgtheater perfekt. Burckhard will für sie als erste Rolle Christine.

18.1. Burckhard meldet mir persönlich die Annahme.

22.1. Gerücht die Sandrock habe zur Bedingung ihres Engagements die Annahme der »Liebelei« gemacht.

26.1. und fort Schwierigkeiten durch die Sandrock.

30.1. Mit Burckhard über die Schwierigkeiten.

31.1. Zu Hohenfels ärztlich gerufen, offenbar, weil sie nun doch die Rolle spielen möchte.

15.2.Brahm meldet mir Annahme am Deutschen Theater. Vorher noch die Sorma, der Burckhard das Stück empfohlen.

16.6. Burckhard erzählt mir auf der Stiege, daß Mitterwurzer den Herrn übernimmt. Ferner, daß man ihm prophezeit, das Stück würde ihm das Genick brechen. (Allerlei komische Äußerungen über Comtessen usw.) Baumeister verweigert die Übernahme des Weiring.

17.6. Bei Sonnenthal wegen Weiring. Er übernimmt die Rolle.

26.6. Mit Burckhard Rollen verteilt. Bezecny hat Angst.

27.6. Sandrock telefoniert mir, daß sie meine Rolle nicht spielen wird.

18.9. Leseprobe.

Weitere Proben. Liebenswürdigkeit Sonnenthals, Differenzen mit Mitterwurzer. Burckhards Ton gefällt mir zuweilen nicht.

9.10. Première. Man gab dazu von Giacosa die »Rechte der Seele«. Sonnenthal ist indigniert, daß ich mit einem »Bonjour!« vor dem Publikum erscheine: »Denke doch, wenn der Kaiser da wäre!« Man hatte Bedenken wegen des ersten Aktes. Eindruck eines Achtungserfolges.

Am nächsten Tag bei Burckhard über die Kritiken, die weiteren Aussichten. Ich setzte Hoffnungen auf das Sonntags-Feuilleton von Speidel.

Burckhard: »Wenn wir das Stück nur noch so weit bringen.«

Der Erfolg erklärt sich bald.

Speidel, Kalbeck, J. J. David, Robert Hirschfeld, Uhl etc. Angriffe von Granichstädten.

Idee, das Stück zu ändern, die Schwester Weirings noch als lebend auftreten zu lassen, wird nach einem Versuch wieder aufgegeben.

9.11. Die Schratt äußert sich zu Burckhard entrüstet über die Unsittlichkeit des Stücks. Burckhard: »Dem Kaiser hat's offenbar gefallen, sonst hätt' es mir die Schratt schon g'sagt, daß er g'schimpft hat.«

Einige Zeit später äußert sich der Kaiser doch abfällig zum Maler Horovitz: »Habe mich gewundert, daß Sie mit Ihrer Tochter drin waren. Wundere mich überhaupt, daß man solche Stücke im Burgtheater aufführt.«

Eine Zeitschrift »Liebelei« erscheint, wird plakatiert, der Herausgeber Rudolf Strauss fordert mich zur Mitarbeit auf, behauptet aber, der Titel hätte keinen Bezug auf mein Stück.

26.12. Rudi Kaufmann teilt mir mit, man halte M[arie] R[einhard], die ich zur Zeit der Entstehung noch gar nicht kannte, für das Urbild der Christine.

Hierzu einige Erläuterungen: Die Urfassung war zunächst *als Volksstück* entworfen in etwa neun Bildern. Beginn in einer Tanzschule, auch die Frau, wegen der das Duell stattfindet, ihr Mann, eine Gesellschaft in ihrem Hause kamen vor.

Abdruck des ersten Bildes der ersten Fassung: *Liebelei. Erstes Bild*. In: *Widmungen zur Feier des siebzigsten Geburtstages Ferdinand von Saars* (Hg. Richard Specht), Wien 1903, S.175-196. – Max Eugen Burckhard (1854-1912) war von 1890 bis 1898 Direktor des Hofburgtheaters. – Joseph Freiherr von Bezecny (1829-1904) war von 1885 bis 1898 Generalintendant der k. u. k. Hoftheater in Wien und damit die höchste Instanz für die Annahme von Dramen zur Aufführung. – Stella Hohenfels (1857-1920) war Schauspielerin am Burgtheater und Gattin Baron Bergers, der von 1910-1912 Burgtheaterdirektor war und während dieser Zeit *Der junge Medardus* und *Das weite Land* uraufführte. – Babette Reinhold-Devrient (1863-1940), Schauspielerin am Burgtheater.
Adele Sandrock (1864-1937) war von 1888 bis 1895 am Deutschen Volkstheater engagiert (dort spielte sie 1893 die erste Fanny in *Das Märchen*), von 1895-1898 am Burgtheater.

Weitere, oben erwähnte Schauspieler: Agnes Sorma (1865-1927); Friedrich Mitterwurzer (1844-1897); Bernhard Baumeister (1828-1917); Adolf Edler von Sonnenthal (1832-1909), mit ASs Vater befreundet, er stand ASs ersten dichterischen Versuchen wohlwollend, wenn auch zweifelnd gegenüber; Katharina Schratt (1855-1940), mit Kaiser Franz Joseph I. befreundet. – Giuseppe Giacosa (1847-1906) war zusammen mit Luigi Illica Librettist der Puccini-Opern *La Bohème, Tosca, Madame Butterfly*.

Zur weiteren Aufführungsgeschichte: Vgl. Wagner/Vacha; Urbach 119-121. – AS komponierte einen Walzer *Liebelei*. Er wurde 1968 im Josef Hochmuth Musikverlag in Wien veröffentlicht. Heinrich Schnitzler verwendete ihn zum erstenmal bei seiner Wiener Inszenierung vom 12.9.1968.

Der tschechische Komponist und Dirigent František Neumann (1874-1929) komponierte eine Oper in drei Akten *Liebelei* (Partitur: Mainz 1909), die am 18.September 1910 in Frankfurt am Main uraufgeführt wurde. Sie hält sich an ASs Text, im Unterschied zu dem Wiener Stück mit Musik *Liebelei* (Bühnenmanuskript Basel 1934), zu dem Oscar Straus die Musik schrieb, das aber nie aufgeführt wurde; die Textautoren blieben ungenannt. Eine weitere musikalische Behandlung des Themas *Liebelei* stammt von Carl Nordberger: *Liebelei*. Alt Wiener-Improvisation für Violine und Klavier, Kopenhagen & Leipzig o. J. Ein Exemplar befindet sich im Nachlaß ASs mit der Widmung: »Herrn Dr. Arthur Schnitzler in großer Verehrung von seinem Stockholmer Impresario (sic) Mai 1923 Carl Nordberger.«

Ü: EA: Berlin: S. Fischer 1896, bis 1933 erschienen 27 Auflagen.
Nachdrucke: T I 205-267; M 85-134; *Liebelei. Reigen* (Nachwort: Richard Alewyn), Frankfurt und Hamburg: Fischer Bücherei 361 (jetzt Fischer Taschenbuch 7009), 1960, S.5-68; D I 215-264; *Liebelei. Leutnant Gustl. Die letzten Masken* (Hg. J. P. Stern), Cambridge 1966, S.45-106; AWB 115-165; Dr 107-172; MD 7-56.
Schallplatte: Hans Moser (Hans Weiring), Inge Konradi (Christine),

Helly Servi (Mizi), Adrienne Gessner (Katharina Binder), Hans Jaray (Fritz), Josef Meinrad (Theodor), Albin Skoda (Ein Herr); Regie: Heinrich Schnitzler, Amadeo AVRS 6121 und 6122.

Kritik: Proben der Kritiken zur Uraufführung in *Neue Blätter des Theaters in der Josefstadt*, Spielzeit 1968/69 – 2.

Weitere Besprechungen:

Oscar Bie, *Der Kunstwart* 9, Heft 9, 1896, S. 168-169.

Paul Schlenther, *Preußische Jahrbücher* 85, 1896, S. 493-495; Kritik der Berliner Erstaufführung vom 4.2.1896: »Christine geht nicht schweigsam und fügsam in den Tod. Sie bringt sich und den Andern ihre Lage voll zum Bewußtsein. Aus ganzem Klarwerden entsteht ihr Lebensüberdruß. Wie den Sterbenden oft das Auge heller wird, so wird diesem armen Volkskind, als ihm das Herze bricht, der Geist und des Geistes Ausdruck, die Rede, immer klarer und immer freier.«

Hermann Bahr, *Wiener Theater* (1892-1898), Berlin 1899, S. 81-87: »die Liebelei endet, als ob sie eine Leidenschaft wäre, nur das Mädchen, die Christin, muß erfahren, wie wenig sie ihm gewesen; indem er an einer Lüge stirbt, wird sie inne, daß sie von einer Lüge gelebt hat. Sie war doch gar nichts für sich, sondern nur für ihn da: selber gar kein Wesen, sondern nur seine Geliebte, nichts als seine Geliebte; und nun wird es offenbar, daß sie auch das nicht war, nicht einmal das. Sie hat nur von einer Beziehung gelebt und auch dieses bildete sie sich nur ein. Und so ist ihr ganzes Leben dahin!«

Hermann Kienzl, *Dramen der Gegenwart*, Graz 1905, S. 357-359: »Sie ist die Tochter des Musikus, wie Louise Miller, und die ganze Freude des alten Vaters, für den sie, hoch in trauriger Dachkammer, sorgt und schafft... Sie ist Gretchen, dem für den Geliebten zu tun nichts mehr übrig bleibt, Käthchen, das ihm selbstlos mit der Demut der Magd ohne Hoffnung auf Ebenbürtigkeit folgt, Klärchen, von dem das Wort gilt: halb Dirne, halb Göttin. So wirft sie sich weg.«

Rudolf Franz, *Kritiken und Gedanken über das Drama*. Eine Einführung in das Theater der Gegenwart, München 1915, S. 126-129; Franz schreibt in der Mehring-Nachfolge: sein Buch »will dem Arbeiter ein Führer sein durch das moderne Theater«. Dabei geht er in seinem Eifer so weit, daß er von der »Proletarierin Christine« spricht. Seine Sehweise vermag aber schon in einem frühen Stadium der AS-Rezeption die kritische Funktion der Liebelei zu sehen: In Christine »verdichtet sich der Inhalt des Schauspiels zu einer Anklage gegen die bestehende Gesellschaftsordnung. – Das Recht des Individuums, der Persönlichkeit, das sich im kapitalistischen Konkurrenzkampf durchsetzte, und das Verlangen nach Kapital in Gestalt einer guten Partie – sind zwei Kräfte, die einander entgegenwirken. Während jener Individualismus die Möglichkeit gibt, nach freier Wahl eine Ehe einzugehen (was in dem vorkapitalistischen Zeitalter nicht möglich war, da hier die Eltern das entscheidende Wort sprachen), verhindert die Habsucht die Herzenswahl. Da die Rolle der Gattin und Hausfrau gleichzeitig durch die wirtschaftliche Entwicklung verändert und, im Vergleich mit einst, bedeutungslos geworden ist, verliert die Gattin in der bürgerlichen Durchschnittsehe obendrein auch noch die ökonomische Bedeutung, so daß sie dem Gatten weder als Weib noch als Hausfrau teuer ist (wenn auch teuer zu stehen kommt). Er sieht sich nach anderen um, und da die Frau gleichfalls an der Freiheit der Persönlichkeit teilhaben will, tut sie desgleichen. Umsomehr, da sie als Hausfrau keine Tätigkeit mehr hat, die sie ausfüllen könnte, und im übrigen noch nichts gelernt hat, was ihr einen anderen ernsten Lebensinhalt gäbe. – Der Mann nun hat das Recht, da er tatsächlich der Herr im Hause ist, sich schon vor der Ehe nach anderen umzusehen, während man der Frau dieses Recht nicht einräumt, weil es ihren späteren Absatz an einen wohlsituierten Mann erschweren würde. So ergibt sich als notwendige Folge ›freie Liebe‹ des Junggesellen und der Eheleute innerhalb des Bürgertums. Zu bemerken ist noch, daß die deutschen Possendichter den Tatbestand verschleiern, indem sie das Recht der Frau auf Ehebruch bestreiten. Bei den ernsthaften Dramatikern geht es, nach französischem Muster, ehrlicher zu. – Außer der Mode und dem ›Chic‹ hat die Dame der Gesellschaft nichts gelernt. Da diese Dinge aber von der besseren Dirnenwelt gemacht werden, ist es nicht verwunderlich, daß auch das ›Mädchen aus dem Volke‹ in der Großstadt sie nachzuahmen versteht und gleichfalls chic und modern auftritt. Handelt es sich um ein leichtherziges Ding, wie Schnitzlers Mizi Schlager, so fahren alle Teile gut. Handelt es sich aber um ein Mädchen vom Schlage ihrer Freundin Christine, so ist der Konflikt gegeben. Eine dauernde Verbindung ist ganz selten. Bleibt der mehr oder weniger gewaltsame Abbruch als das Typische. Hartleben versuchte mehrfach, dieses zu dramatisieren. Im ›Rosenmontag‹ wie in der ›Erziehung zur Ehe‹ spielen Familien- und Standesrücksichten die entscheidende Rolle. Schnitzler drückt sich gewissermaßen von der prinzipiellen Entscheidung. Sein Kavalier fällt im Duell. Aber der Zuschauer denkt: er hätte sie auch so verlassen.« …»Wie die äußere Unmöglichkeit einer Verbindung von Louise und Ferdinand eine Anklage gegen die feudale Gesellschaft des achtzehnten Jahrhunderts war, so ist die innere Unmöglichkeit einer Verbindung von Christine und Fritz eine Anklage gegen die bürgerliche Gesellschaftsordnung der Gegenwart. Die innere Unmöglichkeit: denn es sind nicht mehr brutale äußere Machtmittel, deren sich der Klasseninstinkt der Machthaber bedient, um seine Kabalen durchzusetzen, sondern die gesetzlich geheiligten Sitten der bürgerlichen Klasse, über die ihre Angehörigen schlechterdings nicht hinaus können.« … »Die Tragödie des ›süßen Mädels‹ hat Schnitzler mehrfach, und immerhin tiefer als etwa Hartleben, gedichtet. Der Fall ist eben in Wien sozusagen aktueller. Je weiter nach Norden, desto keuscher werden die Christinen und desto wüster die Mizis. Man denke sich ein süßes Mädel bei Ibsen…«.

Alfred Polgar, *Kritisches Lesebuch*, Berlin 1926, S. 251.

Walter Maria Guggenheimer, *Alles Theater*. Ausgewählte Kritiken 1947-1965, edition suhrkamp 150, Frankfurt 1960, S. 13f. (Unter dem Titel *Die Revolution der Gespenster* bestreitet der Rezensent einer Münchner Aufführung vom Juni 1948 die Berechtigung, das Schauspiel aufzuführen).

Neuere Urteile:

Hans Weigel, *Tausendundeine Premiere. Wiener Theater 1946-1961*,

Wien 1961, S.155: »Schnitzler hat nichts Größeres geschrieben als dies, und Österreich hat in unserem Jahrhundert außer dem ›Schwierigen‹ kaum noch Ebenbürtiges auf die Bühne gebracht.« (1954).

Friedrich Torberg, *Das fünfte Rad am Thespiskarren*. Theaterkritiken, München–Wien 1966, S.218-220: »›Liebelei‹, ein wunderschönes Theaterstück, eine echte Liebestragödie, die nirgends anders wurzelt als eben in der Liebe, in der Tragik eines verschmähten Herzens, und die ganz genau so echt wäre, wenn sie, statt zwischen Christine und einem reichen jungen Herrn, sich zwischen Christine und dem Hausmeisterssohn von nebenan zutrüge oder zwischen zwei Königskindern« (1954).

Interpretationen: s. Richard Alewyn und J. P. Stern in den oben erwähnten Ausgaben. – Oskar Seidlin, Arthur Schnitzlers »Liebelei«. Zum hundertsten Geburtstag des Dichters am 15. Mai 1962, *German Quarterly* 35, 1962, S.250-253: »Ein grauenvoller Irrtum des Schicksals; und grauenvoller, irrtümlicher noch seine Folgen! Denn aus der Art von Fritzens Tod glaubt Christine erkennen zu können, daß sie ihm nichts anderes war als eine Liebelei, eine ›Affäre‹, und diese Erkenntnis treibt sie in den Tod. Aber gerade das war sie ihm nicht; eine ›Affäre‹, und noch dazu eine beendete, war die andere, für die er jetzt sterben muß, grad in dem Augenblick, da er für sie, Christine, leben möchte.« – Urbach 40-45. – Swales 181-200.

Es scheint Einmütigkeit bei den Interpreten darüber zu herrschen, daß Liebelei eigentlich eine »Tragödie« sei: Swales 181: »Liebelei is the nearest Schnitzler comes to writing tragedy.« – Heinz Rieder, Arthur Schnitzler. Das dramatische Werk, Wien 1973, S.43: »Das flüchtige Verhältnis, im ›Anatol‹ in schwereloser Problematik durchgespielt, wird hier zur Tragödie.« – Auch Weigel, a. a. O., S.155: »daß sich da eine echte Tragödie verschämt und zurückhaltend als ›Schauspiel‹ deklariert, wäre eines eigenen Kapitels wert.« – Dem Schauspiel einen vorgefaßten Gattungsbegriff zu oktroyieren, kann über Spekulationen nicht hinausgehen. (Hinweis auf eine textgetreuere Interpretation bei Urbach 45).

Violinspieler am Josefstädter Theater: das Theater in der Josefstadt im VIII. Bezirk war zwar Sprechtheater, zu Anfang der 90er Jahre wurden aber fast ausschließlich »Possen mit Gesang« aufgeführt, für die ein ständiges, kleines Orchester engagiert war.

I *auf Kukuruzfeldern:* Maisfelder. – *Sie fährt dann mit der Tramway her:* es bedarf der Erwähnung, daß Christine die Pferdebahn benutzen wird, denn der Weg vom Theater zur Wohnung von Fritz – im III. Bezirk – hätte etwa 45 Gehminuten gedauert. – *Das Fenster da geht in die Strohgasse:* im III. Bezirk. – *Dragoner!* – *Sind Sie bei den gelben oder bei den schwarzen?:* die Regimenter waren durch die Farbe der Aufschläge voneinander unterschieden. – *Dori:* Koseform für Theodor. – *da mußt du dir nächstens ...die Uniform anziehen:* die Reserveoffiziere waren berechtigt, Uniform zu tragen. – *Waffenübung:* die Reservisten wurden jährlich zu mehrwöchigen Waffenübungen eingezogen. – *Schematismus:* Heeresschematismus, jährlich erscheinendes Handbuch der k. u. k. Armee, in

dem über Personalien und Verteilung der Regimenter Auskunft gegeben
wurde. – *bei der Linie:* Linienwall, äußerste Befestigungsanlage Wiens,
seit Beginn des 19. Jahrhunderts eingeebnet, durfte vor 1893 nicht verbaut
werden, war also für Spaziergänge geeignet. – *Clown im Orpheum:* Dan-
zer's Orpheum, Varietébühne seit 1868, in der Wasagasse im IX. Bezirk. –
spielen's den Doppeladler: »Unter dem Doppeladler«, bekannter Marsch
von Josef Franz Wagner.
II *Lehnergarten:* auf der Linie (s. o.) in Rudolfsheim im XV. Bezirk, vermutlich dort, wo später die Remise des Westbahnhofs errichtet wurde. – *Tini:*
Koseform für Christine. – *Kahlenberg:* Erhebung des Wiener Waldes im
XIX. Bezirk. – *Das Buch für Alle:* beliebtes populäres Jahrbuch,
illustriert.

FREIWILD   *Schauspiel in drei Akten*

EN: AS entwarf am 30. Oktober 1894 das Szenarium, begann am 22. November, den Entwurf auszuführen. Am 2. August 1895 wurde der erste Akt
beendet, am 4. Dezember das Schauspiel vorläufig abgeschlossen. Neubeginn am 3. Februar 1896, am 5. Juni *sozusagen beendet*.
Aus ASs Aufzeichnungen über die Wirkungsgeschichte:
Der Direktor des Deutschen Volkstheaters lehnt das Stück ab *als alter Offizier.*
*Burckhard schlägt mir eine Änderung vor: Rönning soll den Karinski erschie-
ßen.*
Etwa drei Wochen vor der Uraufführung in Berlin am 3. November 1896 gibt
es einen Skandal: ein Leutnant schlägt einen wehrlosen Zivilisten aus belei-
digter Ehre nieder. Ein Journalist behauptet, AS wäre durch diesen Vorfall
zu seinem Stück angeregt worden.
*Bei der Breslauer Aufführung verlassen die Offiziere demonstrativ das Thea-
ter.*
*Die erste österreichische Aufführung Gmunden 22.7.97. Pepi Weiss, die mein
Modell für Pepi Fischer war, spielt zufällig die Rolle, ohne es zu ahnen.*
*Aufführung in Prag am 27.11.97 in meiner Anwesenheit. Viele Offiziere
applaudieren fast demonstrativ.*
*In Wien 1. Aufführung am Carltheater 4.2.98. Heftigste Angriffe der antise-
mitischen und militaristischen Blätter.*
Ü: EA: Berlin: S. Fischer 1898 (erste Fassung).
Eine zweite Auflage (veränderte Fassung) erschien 1902, bis 1922 21 Auf-
lagen der Einzelausgabe.
Nachdrucke der veränderten Fassung: T I 269-346; D I 265-326.
Zur ersten Fassung: die vorletzte Szene des II. Aktes trägt in der zweiten
Fassung die Anmerkung: *Die folgende Szene ist gegenüber der ersten Fassung
erheblich geändert.* (D I 309).
Die zweite Fassung rafft und eliminiert das von der Kritik beanstandete An-
gebot eines Scheinduells (D I 310f.).

Hier der ursprüngliche Text:

ROHNSTEDT. *Schimpflich quittieren, das heißt für ihn: DAS ENDE. Ich weiß es, wenn er auf diese Weise seinen Abschied nehmen muß, kann er nicht weiter leben.*

PAUL *(schweigt).*

ROHNSTEDT. *Sie machen mir meine Aufgabe nicht leicht, Herr Rönning. Er ist nun einmal mein Kamerad. Man spürt zuweilen, daß es doch etwas bedeutet, mit einem Menschen von frühester Jugend an zusammen gewesen zu sein, wenn auch... Ich kann nicht ruhig zuschaun und keinen Finger rühren, wenn solche Möglichkeiten drohen; ich kann es einfach nicht. Und darum komme ich noch einmal zu Ihnen. Es bleibt mir ja nichts anderes übrig.*

PAUL *(entschieden). Herr Oberlieutenant, mein Erstaunen ist grenzenlos. Glauben Sie denn im Ernst, daß diese Gründe für mich maßgebend sein können? Glauben Sie, ich bin gelaunt, für die fixe Idee des Herrn Oberlieutenants Karinski, ohne Charge sein Leben nicht weiter führen zu können, das meine aufs Spiel zu setzen?*

ROHNSTEDT. *Karinski braucht Ihr Leben nicht.*

PAUL *(auffahrend). Will er es mir etwa schenken – ? Wahrhaftig: das ist köstlich. Und weil ich keine Lust habe, wie Sie zu begreifen so freundlich waren, mich von Ihrem Herrn Kameraden in üblicher Weise vor Zeugen und Ärzten totschießen zu lassen, glauben Sie, daß ich mich zu einer lächerlichen Komödie hergeben werde?*

ROHNSTEDT. *Ich sehe keinen anderen Ausweg – weder für Sie, noch für ihn. Was liegt Ihnen daran, da Sie doch alle diese Formen zu verachten scheinen, mit ihnen zu spielen. Was kein anderer meiner Kameraden thäte, thue ich: ich komme Sie darum BITTEN. Ahnen Sie, was das für mich bedeutet?*

PAUL. *Ich versteh' es vollkommen, und ich sage nein. Ich erkenne ihm weder das Recht zu, mich zu töten, noch mich zu begnadigen! –*

ROHNSTEDT *(aufstehend). Sie aber töten ihn! Wissen Sie, ob Sie dazu das Recht haben?*

PAUL. *Wer darf das sagen? Mir ist einer über den Weg gelaufen, den ich gezüchtigt habe, wie er es verdient hat. Das war alles, was ich mit ihm zu schaffen hatte. Wer darf es wagen, mir die Verantwortung für das aufzubürden, was noch kommen kann?*

WELLNER. *Du hast sie.*

ROHNSTEDT. *Man zeigt Ihnen den Weg, auf dem dieser Mensch zu retten wäre, so retten Sie ihn.*

WELLNER *(leiser). Und Dich!*

PAUL *(zusammenzuckend, mit großer Heftigkeit sich auflehnend). Nun aber ist's genug. Was ist mir denn dieser Mensch, den ich um jeden Preis retten soll? Ist es nicht eine ungeheure Vermessenheit von ihm, sich noch weiter auf meinen Weg zu stellen? Ich kann ihm so wenig seine Ehre geben, als ich sie ihm nehmen konnte. Nicht dadurch, daß er den Schlag bekommen, dadurch, daß er ihn verdient hat, hat er sie verloren. Gerade dieser Mensch, der soviel auf das hält, was Sie Ehre nennen, hat die Ehre eines anderen Wesens leichtfertig besudelt.*

ROHNSTEDT. *Wir wissen, daß das sein Unrecht war; aber lassen Sie es ihn doch nicht so entsetzlich büßen.* (Berlin 1898, S. 114-117).

Zeitgenössische Kritik: s. Allen 51.

Als Beleg für die Angriffe, die AS anläßlich der Wiener Erstaufführung erwähnt, sei ein Artikel von Victor Silberer (1846-1924) zitiert, den dieser in der von ihm selbst 1880 gegründeten *Allgemeinen Sport-Zeitung* am 13.2.1898 veröffentlichte. Silberer galt als »Neubeleber des vaterländischen Sports sowie als Begründer der österr. Aeronautik« (Ludwig Eisenberg, *Das geistige Wien* III, Wien 1891, S. 336).

»IM CARLTHEATER gibt man jetzt wieder ein hoch-›modernes‹ Stück, das ›*Freiwild*‹, von Arthur *Schnitzler*. In der guten alten Zeit pflegte man dem Helden eines Stückes alle nur möglichen guten Eigenschaften anzudichten, vor Allem natürlich die schönste männliche Zierde, den persönlichen Muth; je tollkühner, desto besser. Inzwischen ist ein anderes Geschlecht von Dichtern herangewachsen, Leute, die den Muth, den sie offenbar selber nicht besitzen, auch nicht zu schätzen wissen, denen die Feigheit sympathischer ist, und welche dieser verächtlichsten Eigenschaft nicht nur das Wort reden, sondern sie auch noch zu glorifizieren suchen! Man mußte das erleben, um es wirklich für möglich zu halten. – Der Held des Stückes ›Freiwild‹ ist also ein ganz elender Kerl, eine wahre Jammerfigur, die jeder anständige Mensch am liebsten gleich – entmannt sehen würde, ein Feigling allererster Classe oder, um uns sportlich auszudrücken, ein wahrer Champion feiger Erbärmlichkeit. Dabei ist aber das Stück eine große Lüge und Fälschung von Anfang bis zu Ende. Der Feigling gibt nämlich in dem Stücke einem Officier eine Ohrfeige, dann erst kneift er aus. Ist das nicht zu läppisch? Wer fähig ist, sich dazu zu versteigen, einen Officier zu schlagen, der *schlägt sich auch*. In dem Machwerk des Herrn Schnitzler ist das aber nicht so. Sein ›Held‹ gibt zwar zuerst die Ohrfeige, dann aber ist er plötzlich ein – erbärmlicher Feigling, eine im Leben ganz unmögliche Figur, die Ausgeburt einer total verkrüppelten Phantasie und Moral. Bekanntlich verkörpern die Dichter in ihrem Helden gerne ein bischen sich selber, mindestens legen sie demselben alle ihre Anschauungen in den Mund. Wenn das bei dem Schnitzler'schen Stücke auch der Fall ist – und es liegt kein Grund vor, das nicht anzunehmen – dann hat die Welt wohl das Recht, sich über diesen Herrn Dichter ein vernichtendes Urtheil zu bilden, aber nicht blos in seiner Eigenschaft als Verfasser des ›Freiwild‹, sondern auch als – Menschen. Man sollte meinen, daß man selber weder besonders muthig, noch ritterlich zu sein braucht, um wenigstens Respect vor dem Muthe und der Ritterlichkeit *Anderer* zu haben. Die neue Richtung will es anders. Was wir nicht haben, soll auch für Andere nicht mehr gelten. Nieder also mit dem Muthe, nieder mit der Ritterlichkeit, es lebe – die Feigheit! Und gehört denn nicht auch ein gewisser, allerdings höchst trauriger Muth dazu, mit seiner Feigheit offen auf den Markt hinaus zu treten und zu sagen: Seht her, so bin ich, ich kann eben nicht anders sein, ich will auch gar nicht anders sein, und deshalb will ich – daß Ihr Anderen auch alle so werdet!? – Der Held des Stückes oder vielmehr die erstunkene Ohrfeige dieses erbärmlichen Feiglings ist aber noch lange nicht das Ärgste. Der officiersfeindliche Autor hat die Keckheit, auch noch einen Rittmeister zu zeichnen, der dem Feigling nachläuft und ihm ein – *Scheinduell vorschlägt!* Das wären wirklich saubere Officiere. Wo hat man je solche gesehen? Vielleicht würde es einmal solche geben, wenn es dazu käme, daß man Gesinnungsgenossen Schnitzler's in das Officierscorps zuließe – wovor der liebe Herrgott jede Armee bewahren möge! Überhaupt weht ein Geist läppischer Unmännlichkeit, ein Parfum von Niedrigkeit, ein Gestank von Erbärmlichkeit und Feigheit aus dem Stücke, daß jedem Manne von Muth, von Selbstachtung und Würde dabei einfach übel werden muß. Das Machwerk ist eine plumpe Spekulation auf die verächtlichste Menschengattung, auf die Memmen und Auskneifer. Die Leute, denen das gefällt, und welche die Ohrfeige beklatschen, die darin der Officier erhält, sind Diejenigen, die im wirklichen Leben – gewiß niemals Ohrfeigen zu geben, sondern blos solche zu *empfangen* pflegen. Das Alles wird nicht hindern, daß das ›Freiwild‹ ebensoviel Zulauf finden wird wie das ›Neue Ghetto‹ von Herzl. Welches Vergnügen für so Viele, einen Officier geohrfeigt zu sehen! Welches Gaudium für Alle, die längst gerne einmal diesen oder jenen Officier geschlagen – *gesehen* hätten, dies nun allabendlich in der Leopoldstadt um 3 fl. in allergrößter persönlicher Sicherheit vom Parquet aus haben zu können. Für diese Gattung Publikum ist wohl das ›Freiwild‹ wie geschaffen, und Arthur Schnitzler hat das unbestrittene Recht, sich als der berufenste literarische Repräsentant dieser — Gattung Zeitgenossen zu betrachten.«

Der von Silberer erwähnte Theodor Herzl veröffentlichte in der *Neuen Freien Presse* gleichfalls am 13.2.1898 sein Feuilleton über die Aufführung von *Freiwild*. Auch Herzl mißversteht *Freiwild*, indem er es als Anti-Duell-stück analysiert und also kritisieren muß. AS schrieb das *Schauspiel* aber nicht gegen das Duell, sondern gegen den Duellzwang. (Vgl. seine Antwort auf eine *Rundfrage über das Duell, Aphorismen und Betrachtungen*, Hg. Robert O. Weiss, Frankfurt 1967, S. 321-323). – Hermann Kienzl, *Dramen der Gegenwart*, Graz 1905, S. 360-364, – Hermann Bahr, *Glossen*, Berlin 1907, S. 196-202.

Zeitgenössische Literatur zur Duell-Problematik:

Friedrich Teppner, *Duell-Regeln für Officiere und Nachschlagebuch in Ehrenangelegenheiten*, 2. Auflage Graf 1898. – Luigi Barbaretti, *Ehren-Codex*. Übersetzt und den österreichisch-ungarischen Gebräuchen angepaßt von Gustav Ristow. Wien 1898 (Verlag der »Allgemeinen Sport-Zeitung« – Victor Silberer). – Br. G. E. Levi e Com. Gelli, *Bibliografia universale del Duello*, Milano 1901. – *Ehrenkodex*. Verfaßt und herausgegeben von Gustav Ristow, Wien 1909, 2. Auflage 1911, 3. Auflage 1917. – *Ehrenkodex für Duellgegner* von Dr. Emil v. Hofmannsthal, Wien und Leipzig 1910.

Zur Situation der Schauspielerin: Gisela Schwanbeck, Sozialprobleme der Schauspielerin im Ablauf dreier Jahrhunderte, *Theater und Drama* 18, Berlin 1957.

I *Frisur mit Sechserln:* einzelne Haarsträhnen an der Schläfe, in der Form einer 6 gelegt. – *gschnappig:* schnippisch. – *Banda:* Ensemble, Vokabel aus der Zeit der fahrenden Komödianten. – *Hauptwurstl:* Wurstl – Synonym für Theater, Komödie; von Hanswurst stammend. – *damisch:* taumelnd, im Sinne von »ungeheuer«. – *Plastronkrawatte:* breite Krawatte. – *machen S' uns doch kein' Pflanz vor:* zum besten halten, Großsprecherei. – *Bebé:* Rolle der Babypuppe. – *Allasch:* Kümmellikör. – *Chartreuse:* Kräuterlikör der Kartäusermönche.

II *der sitzen S' immer wieder auf:* sie fallen auf sie herein. *Allons enfants de la patrie:* »Allons, enfants de la patrie, le jour de gloire est arrivé«, Beginn der Marseillaise, der französischen Nationalhymne, verfaßt und vertont von Rouget de Lisle (1760-1836). – *ja Schnecken:* höhnisch ablehnend; verneinend.

REIGEN

EN: geschrieben vom 23. November 1896 bis 24. Februar 1897. Ursprünglicher Titel: *Liebesreigen*.

Ü: EA: Privatdruck in 200 Exemplaren, 1900. – Erst 1903 folgte eine öffentlich vertriebene Ausgabe im Wiener Verlag. Weitere Ausgaben: Berlin und Wien: Benjamin Harz 1914; Wien, Leipzig, Bern: Frisch 1921 (mit zehn Illustrationen nach Radierungen von Stefan Eggeler); Wien: Wilhartitz 1922 (mit zehn Original-Radierungen von Stefan Eggeler); Berlin und Wien: Benjamin Harz 1923 (als 100. Tausend angekündigt); S. Fischer übernimmt *Reigen* erst 1931 (101.-104. Auflage); *Die Bank der Spötter* 7, Berlin: Onkel Toms Hütte, P. Steegemann 1951; M 515-582; *Liebelei. Reigen* (Nachwort: Richard Alewyn), Frankfurt und Hamburg: Fischer Bücherei 361 (jetzt Fischer Taschenbuch 7009), 1960, S. 69-154; D I 327-390; AWB 167-223; Dr 173-259; Ascona: Centro del Bel Libro 1970 (mit zehn zweifarbigen Lithographien von Otto Bachmann); MD 57-120.

Schallplatte: Hilde Sochor (Die Dirne), Helmut Qualtinger (Der Soldat), Elfriede Ott (Das Stubenmädchen), Peter Weck (Der junge Herr), Eva Kerbler (Die junge Frau), Hans Jaray (Der Gatte), Christiane Hörbiger (Das süße Mädel), Helmut Lohner (Der Dichter), Blanche Aubry (Die Schauspielerin), Robert Lindner (Der Graf); Regie: Gustav Manker. Einführung Hans Weigel, Preiser Records SPR 3124 und 3125.

Zeitgenössische Kritik und Polemik: s. Allen 56f.

Dokumentationen der Wirkung: Wolfgang Heine, *Der Kampf um den Reigen*. Vollständiger Bericht über die sechstägige Verhandlung gegen Direktion und Darsteller des Kleinen Schauspielhauses Berlin, Berlin 1922. – Otto P. Schinnerer, The History of Schnitzler's »Reigen«, *Publications of the Modern Language Association of America* 46, 1931, S. 839-859. – Ludwig Marcuse, *Obszön. Geschichte einer Entrüstung*, München 1962, S. 207-263. – Peter de Mendelssohn, Zur Geschichte des »Reigen«. Aus dem Briefwechsel zwischen Arthur Schnitzler und S. Fischer, *S. Fischer Almanach*. Das 76.

Jahr, Frankfurt 1962, S.15-35. Auch: Peter de Mendelssohn, *S. Fischer und sein Verlag*, Frankfurt 1970. – Hans Weigel, Eine Einführung. In: Arthur Schnitzler, *Reigen*, Gesamtaufnahme. Preiser Records in Co-Produktion mit der Deutschen Grammophon-Gesellschaft Hamburg – Wien (1966). – Günther Rühle, *Theater für die Republik*. (1917-1933 im Spiegel der Kritik, Frankfurt 1967, S.278-282 (Kritiken von Alfred Kerr, Herbert Ihering, Ludwig Sternaux, Paul Wiegler). – *Der Briefwechsel Arthur Schnitzlers mit Max Reinhardt und dessen Mitarbeitern* (Hg. Renate Wagner), Salzburg 1971.

Öffentliche Stellungnahme ASs zu einem Gutachten, das Maximilian Harden in der *Zukunft* 112 vom 8.Januar 1921, S. 51-57 über *Reigen* abgab: Berichtigung. Ein paar Worte zum Gutachten Maximilian Hardens über den »Reigen«, *Neues Wiener Journal* vom 30. Januar 1921, S. 6

Private Äußerungen ASs in: Briefe zum *Reigen* (Hg. Reinhard Urbach), *Ver Sacrum*, Wien 1974.

I: Alewyn im Nachwort zur oben genannten Ausgabe, S.155-160: »Unerfindlich ist nur, wie man dieses Stück als unmoralisch hat denunzieren können. Weit entfernt, den Appetit auf amoureuse Betätigung zu wetzen, ist es vielmehr geeignet, ihn gründlich zu verderben. Es ist das Werk eines Moralisten, nicht eines Epikureers, ein Werk der Entlarvung, der Entzauberung, unbarmherzig und todernst, und im Vergleich dazu erscheint die ›Liebelei‹ immer noch als ein menschenfreundliches und trostreiches Stück.« (S.160). – Hunter Hannum, »Killing Time«. Aspects of Schnitzlers's »Reigen«, *Germanic Review* 37, 1962, S.190-206. – Jon Barry Sanders, Arthur Schnitzler's »Reigen«: Lost Romanticism, *MAL* 1, Heft 4, 1968, S.56-66. – Urbach 49-55. – Lotte S. Couch, Der Reigen: Schnitzler und Sigmund Freud, *Österreich in Geschichte und Literatur* 16, Heft 4, 1972, S.217-227: »daß dieser *circulus vitiosus* zum Stillstand kommen wird, ist so lange unmöglich, als die in ihm agierenden Menschen die Voraussetzungen ihrer Partnersuche nicht ändern, solange sie zum Beispiel die Sexualität von der idealen, auf seelischen Bedürfnissen basierenden Liebe dissoziieren, solange sie weiterhin den Weg verfolgen, den ihnen die Gesellschaft vorexerziert mit der Prostitution, dem *chambre séparée*, der Geliebten, dem für den Mann akzeptablen Ehebruch und der Verbannung der Sexualität aus dem bürgerlichen Familienleben. Dieses von der Gesellschaft sanktionierte Verhaltensmuster blockiert dem einzelnen ständig die Erfüllung seiner komplexen Wunschvorstellungen, hindert ihn fortwährend daran, den sexuellen sowie den zärtlichen Partner in einer Person zu suchen.« (S.223). – Swales 233-252 (Vergleich AS-Ionesco). – Erna Neuse, Die Funktion von Motiven und stereotypen Wendungen in Schnitzlers »Reigen«. *Monatshefte für deutschen Unterricht* 64, Heft 4, 1972, S.356-370: »Schnitzler zeigt in zehn Szenen, wie zehn Menschen unter der physischen Einwirkung des Geschlechtstriebes alle individuell menschlichen Züge verlieren und rein animalisch und uniform ihre Handlungen auf das eine Ziel, die Befriedigung des Triebes, ausrichten. Die sprachlichen Formeln oder Clichées, die benutzt werden, spielen dabei die Rolle von Chiffren, die stellvertretend für das eigentliche Anliegen stehen. Sie sind Tarnmechanismen, die die Teilnehmer benutzen, um an ihr Ziel zu gelangen. Daß es sich dabei immer um dieselben Chiffren handelt, zeigt, daß die Menschen sich einer Art Spielregeln in gesellschaftlicher Übereinkunft bedienen, die allgemein verständlich und akzeptiert sind.« (S.367)

I *An der Augartenbrücke:* II.Bezirk. – *in die Kasern!:* wahrscheinlich Rossauerkaserne im IX.Bezirk, gegenüber der Augartenbrücke. – *Geh:* Interjektion, nicht Aufforderung zur Entfernung. – *in der Schiffgassen:* recte Große Schiffgasse, im II.Bezirk. – *weist auf die Donau:* recte Donauarm, als »Donaukanal« bezeichnet. – *Wachter:* Polizist. – *Na, krall aufi:* kräulln – klettern, kriechen; aufi – hinauf, die Böschung hinauf. – *Sechserl fürn Hausmeister:* Sperrgeld. – *deine Wurzen:* im Sinne von »ich lass mich von Dir nicht ausnutzen«; Herkunft: Wurzen = Wurzel. – *Strizzi! Fallott!:* Schimpfworte im Sinne von Lump. –

II *mir sein mir:* (bramarbasierend) wir sind wir (auf uns ist Verlaß). – *beim Swoboda:* Praterlokal. – *mollerter:* molliger. – *von einem meinigen Freund:* Freund von mir. – *aufdrehten Schnurrbart:* die Spitzen nach oben gebürstet, gedreht. – *heisrig:* heiser. – *kommen tät:* austr. Konjunktiv – käme, – *Gatter:* Zaun. – *komm zugi:* komm her. – *mei Frau:* meine Chefin, Herrin. – *Porzellangasse:* IX.Bezirk, nicht weit von der Rossauerkaserne. – *draht:* getanzt. – *wanst:* wenn du.

III *Schneckerl:* gedrehte Locken. – *durchs Guckerl:* Guckloch in der Eingangstür.

IV *Schwindgasse:* im IV.Bezirk. – *Trumeau:* Ablagetisch oder -Kommode mit Spiegelaufsatz. *weißen, schwarz tamburierten Handschuh:* tamburierten – umstickten. – *Die Odilon:* beliebte Schauspielerin; s. *Leutnant Gustl.* – *Stendhal / »Psychologie de l'amour«:* De l'amour, 1822. – *Bramarbas:* Aufschneider. – *sozusagen als gute Kameraden:* Anspielung auf eine Heyse-Novelle, s. *Das Märchen.* – *Kotillon:* Abschlußtanz.

VI *Riedhof:* Restaurant »Zum Riedhof«, im VIII.Bezirk, machte mit seinen *Chambres particulières* Reklame. – *Oberschaumbaisers:* Gebäck aus Eiweißschnee und Zucker mit Schlagsahne. – *Schon in der Singerstraßen:* im I.Bezirk, Nähe der Stefanskirche. – *in der Strozzigasse:* im VIII.Bezirk.

VII *Weidling am Bach:* Ausflugsort im Wiener Wald. – *bei der Cavalleria:* Cavalleria rusticana von Pietro Mascagni (1890).

VIII *Rede keinen Stiefel:* Unsinn reden.

IX *transferieren:* versetzen. – *Remonten reiten:* junge Pferde zureiten. – *Steinamanger:* ungarisch Szombathely, Komitatshauptstadt in Westungarn.

X *wie der Herr Bruder, also der Tod:* bekanntes Witzwort von Wippchen (= Julius Stettenheim): »Ich werde einen langen Bruder des Todes tun«; in der griechischen Mythologie ist Hypnos, der Gott des Schlafes, der Zwillingsbruder des Thanatos. – *und nichts ist g'schehn:* übliche Phrase, s. Schluß des *Leutnant Gustl.* – *G'frett:* Fretterei = Unzulänglichkeit. – *in die Spiegelgasse:* im I.Bezirk.

DAS VERMÄCHTNIS   *Schauspiel in drei Akten*

EN: am 26. Juni 1897 skizziert AS ein dreiaktiges Schauspiel *Das Kind*, beginnt am nächsten Tag mit der Ausführung, beendet am 2. August den zweiten und am 15. August den dritten Akt vorläufig. Am 2. Oktober 1897 notiert AS: *»Das Kind« durchgesehen, verschlamptes Stück mit schönen Einzelheiten.* Am 25. November 1897 *ziemlich endgültig »Vermächtnis« abgeschlossen.* Vom 19.-27. Juni 1898 Umarbeitung des *Schauspiels*, ausführliche Details dazu im Briefwechsel mit Otto Brahm. – Nach der Berliner Uraufführung am 8. Oktober 1898 folgt am Burgtheater die Wiener Erstaufführung am 30. November 1898, ohne anhaltenden Erfolg.

AS notiert: *Hugo* [von Hofmannsthal] *muß aus seinem Stück »Der Abenteurer und die Sängerin«, dessen Aufführung in derselben Saison stattfindet, den zweiten Akt streichen, weil so viele uneheliche Kinder in einer Saison im Repertoire des Burgtheaters nicht geduldet werden können.*

Am 22. Mai 1910 faßt AS *Vermächtnis*-Erinnerungen zusammen: *Äußerliche Anregung möglicherweise der plötzliche Tod eines jungen Mannes durch Sturz vom Pferde. Dieser junge Mann wohnte Praterstraße im gleichen Haus wie meine Tante Marie Schey, die ich dort oft ärztlich besuchte. Im gleichen Hause spielt das Vermächtnis. Wie ich später erfahre, mahnen einige einzelne Umstände aus der Lebensgeschichte jenes jungen Mannes zufällig an die Fabel des Stücks. Sein Bruder mit Paul Horn im Parkett verläßt nach dem ersten Akt das Theater, wie er selbst mir einige Jahre später erzählt, so sehr hat ihn die Erinnerung erschüttert.*
Ich lese Burckhard das Stück in meiner Wohnung vor. Es eilt ihm mit der Aufführung, weil er hofft durch einen Erfolg seine Position wieder festigen zu können. Die Ereignisse waren aber schneller. So findet Schlenther das Stück bei seinem Amtsantritt vor. Er sagt mir am Tag seines Amtsantrittes, 1. Februar 98 in seiner Loge: »Sie können sich denken, daß ich meine Tätigkeit am liebsten mit Ihnen beginnen würde.« Ich rede ihm ab, er solle sich nicht gleich die Antisemiten auf den Hals hetzen. Er lehnt es ab, daß solche Erwägungen ihn beeinflussen könnten. Nach einiger Zeit hegt er Bedenken, ob man das Stück nicht als Verherrlichung der freien Liebe auffassen könnte. Dies erwähne ich gelegentlich Speidel gegenüber. Speidel findet das unsinnig, was ihn nicht hindert, nach der Première in seiner Kritik zu entdecken, daß das Stück eigentlich die freie Liebe verherrlicht. Schlenther entschließt sich, zuerst die Berliner Première abzuwarten. Während der Proben mißfällt mir das Stück, insbesondere der zweite Akt, immer mehr. Ich bemerke zu Brahm: »Wenn ich ein anständiger Mensch wäre, müßte ich das Stück zurückziehen, insbesondere, da mir nun gute Einfälle zur Verbesserung kommen. Aber man hofft doch immer, daß sich das Publikum wird foppen lassen. Der Abenderfolg bei der Première ist beträchtlich. Brahm: »Es scheint also, daß das Publikum sich wieder einmal hat betrügen lassen.« Der Erfolg hält nicht an. Sechs Vorstellungen. In Wien einige Wochen darauf gleichfalls ein Premièrenerfolg, der nur ein wenig länger anhält. Zum letzten Mal gibt es Schlenther im Juni an einem schönen Sommerabend nach dem Blumenkorso, natürlich bei mise-

*rabler Einnahme, worauf er das Stück nicht ungern wieder absetzt und sich
später zu Brahm äußert (ohne Betonung der Nebenumstände), es habe eben
bei der letzten Aufführung nur so und so viel getragen.*

*Hartmann wehrte sich lange den Losatti zu spielen (ebenso wie im Kakadu
den Rollin); der Übergang ins ältere Charakterfach wurde ihm innerlich,
aber nicht äußerlich schwer.*

*Es lag nahe, den ersten Akt im Hause der Toni spielen, sie selbst, ihr Kind,
Hugo und seinen Freund auftreten zu lassen, wodurch eine gewisse Frische
der Atmosphäre gewonnen und der jetzige erste Akt entlastet worden wäre.
Aber die Erwägung, daß man sich allzu sehr an den ersten Akt der »Liebelei«
erinnern fühlen könnte, ließ mich diesen Einfall verwerfen. Sehr mit Unrecht,
und ohne Nutzen.*

*Der Hauptmangel: Blässe der Hauptperson. Ferner lag kein künstlerischer
Grund für den Tod des Kindes vor, aber der Ureinfall war nun einmal: Die
Geliebte und ihr Kind werden auf Bitten des sterbenden Sohnes von den
Eltern ins Haus genommen, das Kind stirbt, man jagt sie wieder fort. Und der
erste Einfall hat offenbar eine hypnotisierende Gewalt. Übrigens war es auch
einer der wenigen Fälle, wo ich zwischen dem ersten Einfall und der Ausführung so gut wie gar keine Zeit verstreichen ließ.*

*Viele Jahre hindurch trug ich mich mit der Idee das Stück zu ändern. Ich ent-
warf einen kurzen Plan in fünf Akten. Toni, angeekelt von dem gezwunge-
nen Entgegenkommen und den bürgerlichen Verlogenheiten und den Ver-
dächtigungen in der Familie verläßt das Haus mit ihrem Kinde.*

Erläuterungen dazu: Paul Horn (1867-1936), Bekannter ASs. – Paul
Schlenther (1854-1916), Berliner Schriftsteller und Kritiker, war von 1898 bis
1910 Burgtheaterdirektor. Ludwig Speidel (1830-1906), der einflußreichste
Wiener Theaterkritiker seiner Zeit, veröffentlichte seine Kritik am 1. Dezember 1898 in der *Neuen Freien Presse*. Er schrieb u. a.: »Der Junggeselle unter
den Dichtern ist Arthur Schnitzler, und die Probleme, die er sich zu stellen
pflegt, sind wesentlich ledige Probleme.« Ernst Hartmann (1844-1911),
Burgschauspieler seit 1864.

Ü: Das Bühnenmanuskript, Berlin 1898, vermerkt die bei der Uraufüh-
rung am Deutschen Theater in Berlin fortgebliebenen Stellen.

EA: Berlin: S. Fischer 1899 (bis 1924 vier Auflagen).

Weitere Abdrucke: T I 347-439; D I 391-464.

Zeitgenössische Kritik: s. Allen 53f. (Max Burckhard, Maximilian Harden, Alfred Kerr, Rudolf Lothar, Rudolf Steiner u. a.). – Außerdem: Jakob
Julius David, *Neues Wiener Journal* vom 1. Dezember 1898.

I *Das ist die Schröder:* Sophie Schröder (1781-1868). – *sie ist im Jahre 1787
geboren:* recte 1781. – *Zwischen dem Lusthaus und dem Rondeau:* im Prater. – *Huß:* Hetzruf für Hunde und Pferde.

164 KOMMENTARE

PARACELSUS   *Versspiel in einem Akt*

EN: AS entwirft am 11.September 1894 das Szenarium und beginnt am 18.Oktober die Ausführung. Am 8.März 1898 greift er den Stoff wieder auf, notiert am 17.Juni 1898, daß er an *Paracelsus* arbeite, am 28.Juni liest er das *Versspiel* Hofmannsthal vor.

Ü: ED: *Cosmopolis* 12, Heft 25, 1898, S.489-527. – Das Bühnenmanuskript, Berlin 1899, trägt die Bezeichnung *Schauspiel in einem Akt*.
EA: *Der grüne Kakadu. Paracelsus. Die Gefährtin. Drei Einakter*, Berlin: S. Fischer 1899, S.1-57. – Weitere Abdrucke: T II 9-57; D I 465-498. Das Bühnenmanuskript enthält im elften (letzten) Auftritt einen Zusatz, der in den späteren Abdrucken fehlt:
Wir spielen immer, wer es weiß, ist klug.
Lebt wohl, Ihr Guten, Paracelsus geht. (Ab.)
JUST. *Was soll das Alles sein?*
CÄC. *Und warum geht er?*
COPUS. *Was für ein tolles Zeug sprach dieser Mensch?*
ANS. *Er kam, uns auf den rechten Weg zu weisen.*
An mir erweist sich's, denn mit einem Mal
Seh' ich, daß ich im Dunkel hingetappt.
An meinem Glück war ich vorbeigegangen.
Mein theurer Meister... werthe Frau... Cäcilia –
– Ich bleibe hier –
CYPR. *(stark). Nein! Euer Vater rief.*
ANS. *Jawohl – er rief! Doch mit ihm komm' ich wieder,*
Und, will es Gott, ziehn wir zu Drei'n von dannen.
(Bittend) Ein Wort, Cäcilia!
CÄC. *Junker... habt Geduld.*
ANS. *Nicht lang! Zehn Tage führt der Weg nach Haus;*
Zehn Tage her. Da hol' ich mir die Antwort –
Wenn sie mir nicht entgegenkommt.
CÄC. [recte: CYPRIAN!] *Nun geht!*
Sonst wollt Ihr gar, ich gebe gleich sie mit.
ANS. *Das könnte sein!*
CYPR. *Genug! Ich denke, Junker,*
Für's Erste mögt Ihr Euch zufrieden geben.
JUST. *(wie erwachend). Was ist denn hier geschehn? – Mich dünkt, ich sagte*
So viel von mir, als ich – nie sagen wollte.

Zur Interpretation: Der Vers des Paracelsus *Wir spielen immer, wer es weiß, ist klug* wurde lange Zeit für das Konzentrat der Weltanschauung ASs gehalten. In jüngster Zeit verwahren sich die Interpreten (u.a. Rey, Doppler, Offermanns, Rieder) dagegen, den Vers als Bekenntnis ASs aufzufassen (s. auch Urbach 59f.).

Jüngste Interpretation bei Swales 133-138; er weist die Widersprüche nach, in die sich Paracelsus mit seinen hochmütigen Sentenzen verstrickt.

DIE GEFÄHRTIN   *Schauspiel in einem Akt*

EN: Am 12. August 1896 notiert AS, er habe seine Erzählung *Der Witwer*
als Schauspiel überdacht. Am 10. September beginnt er mit der Ausführung
und beendet sie am 21. September vorläufig. Neubeginn am 26. September
1897, im Oktober beendet. Neuerlicher Abschluß am 28. März 1898. Am
9. Juni 1898 notiert AS (*Ossiachersee*) *Kam heute auf eine gute Lösung des*
W.; am 16. Juni schreibt er den Einakter, der immer noch *Witwer* heißt, neu.
Am 28. Juni liest er ihn, wie auch *Paracelsus*, Hofmannsthal vor. Am 24. Oktober folgt die Notiz *bossle immer noch an der »Gefährtin«*.
Ü: Bühnenmanuskript Berlin 1899.
EA: *Der grüne Kakadu. Paracelsus. Die Gefährtin. Drei Einakter,* Berlin:
S. Fischer 1899, S. 59-94.
Weitere Abdrucke: T II 59-79; D I 499-514.

Scheveningen: Seebad in den Niederlanden, nahe dem Haag. – *Wenn er*
gleich von dem einen Bahnhof in Wien auf den andern fährt: vom Westbahnhof zum Südbahnhof; der Ort der Handlung liegt offenbar an der
Südbahnstrecke.

DER GRÜNE KAKADU   *Groteske in einem Akt*

EN: Am 23. Februar 1898 notiert AS, *Semmering. Setze den phantasti-*
schen Einakter auf. Am 6. März hat er ihn *vorläufig beendet*. Neubeginn am
11. April. Am 29. Juni vorläufiger Abschluß der drei Einakter.
Ü: ED: *Neue Deutsche Rundschau* 10, Heft 3, März 1899, S. 282-308. –
Bühnenmanuskript Berlin 1899.
EA: *Der grüne Kakadu. Paracelsus. Die Gefährtin. Drei Einakter,* Berlin:
S. Fischer 1899, S. 95-178.
Abdrucke: T II 81-127; *Der grüne Kakadu. Literatur. Die letzten Masken*
(Hg. Otto P. Schinnerer), New York 1928, S. 1-51; M 135-171; *German Li-*
terature Since Goethe (Hgg. Ernst Feise, Harry Steinhauer) II, Boston 1959,
S. 108-128; *Spiele in einem Akt.* 35 exemplarische Stücke (Hg. W. Höllerer),
Frankfurt 1961, S. 89-118; D I 515-552; Dr 261-308; *Deutsche Revolutions-*
dramen (Hgg. Reinhold Grimm, Jost Hermand), Frankfurt 1969,
S. 275-309; *Anatol. Anatols Größenwahn. Der grüne Kakadu* (Hg. Gerhart
Baumann), Reclams Universal-Bibliothek 8399/8400, Stuttgart 1970,
S. 111-152; MD 121-158.
Vertonung: Richard Mohaupt, *Der grüne Kakadu.* Oper in einem Akt.
Text nach dem Schauspiel von Arthur Schnitzler, Wien-Zürich-London
1957 (Textbuch a. a. O. 1958).
Dokumentation: Otto P. Schinnerer, The Suppression of Schnitzler's »Der
grüne Kakadu« by the Burgtheater. Unpublished Correspondence, *Germa-*
nic Review 6, 1931, S. 183-192.

Zur Diskussion des Begriffs *Groteske:*
Kilian 150: »Die Bestimmungen des Grotesken, wie Wolfgang Kayser sie traf, können bei der Interpretation des Schnitzlerschen Stückes nicht weiterhelfen. Kayser selbst sieht keine direkten Beziehungen zwischen dem Stück und seinem Begriff des Grotesken. Die völlige Verwirrung der Realitätsebenen am Schluß des Stückes geht aber doch wohl über die reine Täuschung hinaus in den Bereich der Orientierungslosigkeit, die Kayser als konstitutiv für groteske Formen ansieht. Vgl. Wolfgang Kayser, *Das Groteske.* Seine Gestaltung in Malerei und Dichtung. Oldenburg 1957. Hier: z.B. S.144.«

Weiterführende Literatur: Sinn oder Unsinn? Das Groteske im modernen Drama, *Theater unserer Zeit* 3, Basel-Stuttgart 1962. – Arnold Heidsieck, Das Groteske und das Absurde im modernen Drama, *Sprache und Literatur* 53, Stuttgart-Berlin-Köln-Mainz 1969. – Carl Pietzcker, Das Groteske, *Vierteljahresschrift für Literaturwissenschaft und Geistesgeschichte* 45, 1971, S.197-211.

I: Erhard Friedrichsmeyer, Schnitzlers »Der grüne Kakadu«, *Zeitschrift für deutsche Philologie* 88, Heft 2, 1969, S.209-228: »›Der grüne Kakadu‹ ist Analyse einer Revolution und somit eines Verfalls und Umbruchs menschlicher Ordnungen und Werte. Dabei stehen nicht nur die Vertreter des Ancien régime, sondern alle Figuren im ›Grünen Kakadu‹ im Schatten des Negativen. Die Schauspieler stellen Aufsässigkeit und Verbrechen dar, lehnen aber, da sie nur ›spielen‹, die Verantwortung für ihre revolutionäre Gesinnung ab.« (S.219).

Herbert Singer, Arthur Schnitzler: »Der grüne Kakadu«, *Das deutsche Lustspiel.* Zweiter Teil (Hg. Hans Steffen), Kleine Vandenhoeck-Reihe 277S, Göttingen 1969, S.61-78: »Gegenstand ist nicht ein Stück Wirklichkeit, weder ein Milieu noch eine Sensation noch eine große Stunde der Geschichte – Gegenstand des Schauspiels ist vielmehr das Schauspiel. Das Spiel vom Spiel und vom Spielen spiegelt spielend sich selbst.« (S.66).

Gerhart Baumann, Arthur Schnitzler: Spiel-Figur und Gesellschafts-Spiel. In: *Vereinigungen. Versuche zur neueren Dichtung*, München 1972, S.145-172: »Das Spiel der Gesellschaft geht von der stillschweigenden Übereinkunft aus, daß alle Beteiligten vergessen, bei ihrer eigenen Vorstellung zugegen zu sein. Daraus resultiert seine Anziehungskraft, die Illusion uneingeschränkter Möglichkeiten, indem eine Selbstverwirklichung ohne Entscheidung vorstellbar scheint. Erinnert sich jedoch jemand dieser Voraussetzung, vergißt er nicht länger, daß er spielt, dann verkehrt sich das Spiel, verengt sich zur Wirklichkeit des Selbstbewußtseins, gerät zu einer Folge sprunghafter Akte, zuletzt zu lähmender Ratlosigkeit.« (S.156f.) (Vgl. Baumanns Nachwort in der oben erwähnten Reclam-Ausgabe, S.157-173).

Weitere Interpretationen: Urbach 72-75, Kilian 66-72, Swales 273-277. – Peter Horwath, The Literary Treatment of the French Revolution: A Mirror Reflecting the Changing Nature of Austrian Liberalism (1862-1899), *MAL* 6, Heft 1&2, 1973, S.26-40 (behandelt Werke von Ebner-Eschenbach, Hamerling, delle Grazie, Saar, AS u.a.).

Camille Desmoulins: 1760-1794, wurde mit Danton hingerichtet; trug durch seine öffentlichen Reden zum Sturm auf die Bastille bei; Thomas Carlyle, Die Französische Revolution. Geschichtsbild, *Bibliothek der Gesamt-Litteratur* 1204-1209, Halle a. d. Saale o. J. schreibt über ihn (Band I, S. 238):

»Camille Desmoulins hat sich zum Procureur-Général de la Lanterne' zum General-Anwalt der Laterne, aufgeworfen und verficht unter einem blutrünstigen Titel in einer durchaus nicht blutrünstigen Art seine Sache; er giebt wöchentlich seine glänzenden ›Révolutions de Paris et Brabant‹ heraus. Die *glänzenden* sagen wir; denn wenn dich in der dumpfen Schwüle der Tagespresse mit ihrem leeren Phrasenschwulst, mit ihrer verhaltenen oder ungezügelten Wut irgend ein Strahl des Genies begrüßt, so sei dessen gewiß, er kommt von Camille.« – *Cerutti:* Kilian 68: »Giuseppe Antonio Gioachimo Cerutti (1738-1792), Publizist und Mitglied des Jesuitenordens, war zum Zeitpunkt der Revolution in Paris und übte durch seine publizistische Tätigkeit Einfluß auf die Revolution aus, der er sich anschloß.«

Zeitgenössische Kritik (bezog sich auf die gemeinsam gedruckten und aufgeführten Einakter *Paracelsus*, *Die Gefährtin* und *Der grüne Kakadu*): Allen 89 (Max Burckhard, Karl Kraus, Rudolf Lothar, Samuel Lublinski, Rudolf Steiner u. a.). Außerdem: Jakob Julius David, *Neues Wiener Journal* vom 2. März 1899. – Rudolf Presber, *Vom Theater um die Jahrhundertwende*, Stuttgart 1901, S. 85-88. – Anna Stroka, Arthur Schnitzlers Einakter »Paracelsus«, »Die Gefährtin« und »Der grüne Kakadu«, *Germanica Wratislaviensia* 13, 1969, S. 57-66.

DER SCHLEIER DER BEATRICE   *Schauspiel in fünf Akten*

EN: Der Einfall des Schleier-Motivs führte in der Mitte der neunziger Jahre zu Entwurf und Ausführung einer dreiaktigen Pantomime, die liegenbleibt, *weil sie der Eigenart, Lebendigkeit und Intensität entbehrt. – Eine Novelle, die später verfaßt wird, »Die Toten schweigen«, enthält eine Situation, die an das Schleier-Sujet gemahnt: der tote Liebhaber wird von der Geliebten feig im Stich gelassen. – Von dieser Novelle erhält der Schleier-Stoff neue Kraft.*

Am 7. Januar 1898 wird die Pantomime als Stück überlegt, das mit dem Titel *Shawl* am 24. April begonnen und als *Kostümstück* im alten Wien zu Beginn des 19. Jahrhunderts angesiedelt wird (zu einer Zeit also, in der der indische Seidenschal das bevorzugte modische Attribut der Wienerin war und eine satirischer Lokalkomödie von Karl Meisl *Die Geschichte eines echten Schals in Wien*, 1820, nach sich zog).

Am 4. Juli 1898 beginnt AS *Shawl* neu, vermutlich unter dem Eindruck der Lektüre der Werke von Ludwig Geiger, *Renaissance und Humanismus in Italien und Deutschland* (1882) und Jakob Burckhardt, *Kultur der Renais-*

sance in Italien (1860), die AS in dieser Reihenfolge im Sommer 1898 liest,
bevor er eine Reise durch oberitalienische Städte macht, gestaltet sich der
Stoff *zu einem Stück aus der Renaissance in 5 Akten*. Drei weitere Male wird
Shawl neu begonnen, am 14.September, 18.Dezember 1898 und 23.Juli
1899. Vorläufiger Abschluß in Ischl am 9.September 1899. Endgültiger Abschluß vermutlich Anfang Oktober 1899, am 7.Oktober liest AS *Der Schleier
der Beatrice* Otto Brahm vor.

Ü: EA: Berlin: S. Fischer 1901 (bis 1922 sechs Auflagen).

Nachdrucke: T II 129-323; D I 553-679.

Abdruck zweier Fragmente aus der ersten Fassung: *Der Merker* 3, Heft 9,
1912, S.357-360.

Dokumentation:

AS, *Zur Psychologie des Schaffens: Die Entstehung des »Schleier der Beatrice«, Neue Freie Presse* vom 25.Dezember 1931, S.38f. (teilweise wieder-
abgedruckt bei Urbach 76f.). – Otto P. Schinnerer, Schnitzler's »Der
Schleier der Beatrice«, *Germanic Review* 7, 1932, S.263-179.

Zeitgenössische Kritik: Allen 58 (Alfred Kerr, Max Lorenz, Maximilian
Harden, Felix Poppenberg, Heinrich Stümcke, Alfred Polgar u.a.). – Außerdem: Paul Goldmann, In: *Aus dem dramatischen Irrgarten. Polemische Aufsätze über Berliner Theateraufführungen*, Frankfurt 1905, S.109-124. – Max
Burckhard, In: *Theater.   Kritiken, Vorträge und Aufsätze*. II.Band
(1902-1904), Wien 1905, S.327f.

  I *Der Herzog von Romagna:* Cesare Borgia (1475-1507), Sohn des Papstes
     Alexander VI. (1430-1503, Papst seit 1492), unterwarf sich 1499-1503 die
     Romagna, Umbrien und Siena, belagerte aber Bologna vergeblich. – *Als
     von Padua / Der Fürst an unsres Herzogs Tafel speiste:* Fiktion, seit 1406
     gehörte Padua zur Republik Venedig. – *Am Tor von San Stefano:* Bologna
     war von einer fünfeckigen Stadtmauer mit 12 Toren umgeben. – *Auf dem
     Platz / Vor San Petron:* San Petronio, Hauptkirche Bolognas, gotisch.
 II *Und die Franzosen und die Spanier dazu:* Cesare Borgia war mit Frank-
     reich verbündet und befehligte französische und spanische Truppenkon-
     tingente. – *An Anjous Tafel:* das Königreich beider Sizilien befand sich
     zwischen 1442 und 1504 unter der Herrschaft der aragonischen Dynastie,
     die die Anjous abgelöst hatte. – *der Fürst von Pergamum:* das Reich von
     Pergamon bestand von 280-131 v.Chr.
 IV *in mailändischen Diensten:* seit 1494 waren die Sforza Herren in Mailand,
     unter ihnen hat Ribaldi gefochten. – *in der Kirche San Domenico:* Ur-
     sprungskirche des Dominikanerordens. – *das Kloster San Luca:* Nonnen-
     kloster Madonna di San Luca, vor Bologna, auf einer Anhöhe der Apen-
     ninen.

SYLVESTERNACHT   *Ein Dialog*

EN: vermutlich 1900
Ü: ED: *Jugend* 1, Heft 8, 1901, S.118-119; 121-122. –
Nachdrucke: *Zwanglose Hefte für die Besucher des Schiller-Theaters*,
Neue Reihe 27, 1910; *Der bunte Almanach auf das Jahr 1914*, Wien-Leipzig:
Deutschösterreichischer Verlag 1914, S.75-88; D I 681-688.
I: Swales 164-166: »Language in this dialogue emerges as a kind of substi-
tute for experience.« (164).

> *Wie sich der König Marke allmählich in den Rentier Gabriel Eisenstein*
> *verwandelt hat. (trällert mit)* »*O je, o je, wie rührt mich dies…*: Figuren
> aus *Tristan und Isolde* (1859) von Richard Wagner und *Die Fledermaus*
> (1874) von Johann Strauß, aus dieser auch die geträllerte Zeile, ebenso wie
> weiter unten: *Die Majestät wird anerkannt. – wir können zusammen*
> *nicht kommen, der Champagner ist viel zu tief:* ironische Abwandlung
> des Volksliedes von den Königskindern. – *Whist:* Kartenspiel zwischen
> vier Personen (hier zu dritt gespielt).

LEBENDIGE STUNDEN   *Vier Einakter*

Lebendige Stunden   Ein Akt

EN: zwischen dem 12. Juni und dem 28. Juli 1901.
Ü: ED: *Neue Deutsche Rundschau* 12, Heft 12, Dezember 1901,
S.1297-1306. – Das Bühnenmanuskript erschien in Berlin 1901 und trug dort
den Untertitel *Schauspiel in 1 Aufzug* und unter dem Personenverzeichnis die
Ortsangabe: *Spielt in einer Gartenvorstadt Wiens*.
EA: *Lebendige Stunden. Vier Einakter*, Berlin: S. Fischer 1902 (bis 1922
zwölf Auflagen), S.7-35.
Weitere Abdrucke: T II 326-342; *Das deutsche Drama: 1880-1933.* (Hg.
Harry Steinhauer), New York 1938, S.119-140; M 173-186; D I 690-702.

> *auf'm Kasten:* auf dem Schrank. – *bei einer Liedertafel vom Männerge-*
> *sangverein:* Liedertafel – Name des ersten Männergesangvereins, der
> 1809 von Zelter in Berlin gegründet worden war, hier in der Bedeutung
> »Konzert des Gesangvereins.«

Die Frau mit dem Dolche   Schauspiel in einem Akt

EN: Frühjahr und Sommer 1901.
Ü: Bühnenmanuskript, Berlin 1901, trägt den Untertitel *Schauspiel in*
1 Aufzug.
EA: *Lebendige Stunden. Vier Einakter*, Berlin: S. Fischer 1902, S.37-70.
Abdrucke: T II 343-369; D I 602-718.

Im Bühnenmanuskript steht unter dem Personenverzeichnis:
>   *Scenische Bemerkungen zur »Frau mit dem Dolche«.*
*Pauline (Paola), sowie Leonhard (Lionardo) sind selbstverständlich von den
gleichen Schauspielern darzustellen. Die erste Verwandlung muß durch Auf-
ziehen des Prospektes unter absoluter Verdunklung stattfinden, so daß die
Darsteller sich ungesehen vom Divan erheben und verschwinden können.
Der Divan versinkt. Es wird sich vielleicht empfehlen, das Costumestück auf
einer etwa zwei Stufen erhöhten Bühne spielen zu lassen. Die zweite Verwandlung so rasch als möglich. Auf dem Divan könnten zwei Contrefiguren
von Leonhard und Pauline sitzen, so daß die letzten Worte von den wirklichen Darstellern hinter der Scene gesprochen würden.*

Der Schluß des Einakters ist im Bühnenmanuskript kürzer als in der gedruckten Fassung:

PAOLA
(steht regungslos wie früher).
*(Rasche Verwandlung. – Plötzlich tönen die Glocken wieder, wie am Schlusse
der ersten Scene. – Der kleine Saal wie im Anfang.)*
(Leonhard und Pauline auf dem Divan.)
LEONHARD *(Paulines Hand haltend).* Was ist Ihnen, Pauline?
PAULINE *(erwacht wie aus einem Traum, sieht um sich, steht dann rasch auf,
als wollte sie gehen).*
LEONHARD. – Pauline – ! *(Erhebt sich gleichfalls.)*
PAULINE *(faßt sich. In ihrem Zügen drückt sich allmälig die Ueberzeugung
aus, daß ein Schicksal über ihr ist, dem sie nicht entrinnen kann. Sie reicht Le-
onhard die Hand, sieht ihm ernst und fest ins Auge und sagt, nicht mit dem
Ausdruck der Liebe, sondern der Entschlossenheit): Ich komme! (Dann geht
sie rasch.)*
(Der Vorhang fällt.)

in der Manier des Palma Vecchio: Jacopo, genannt Palma Vecchio
(1480-1528), beeinflußt von Giorgione und Tizian. – *des Cosmo Hoheit:*
Cosimo I. Medici (1537-1569), Herzog von Florenz.

Vertonung: Wladimir Iwanowitsch Rejbikow (1866-1920), *Die Frau mit
dem Dolche*, op. 41, Moskau–Leipzig o. J. (1911). Bemerkung auf dem
Titelblatt des zweisprachigen Klavierauszuges:
»NB. Die Oper ist nach einer russischen Textbearbeitung des Arthur
Schnitzlerischen Schauspiels ›Die Frau mit dem Dolche‹ komponiert wor-
den, und der hier vorliegende deutsche Text stellt eine Übersetzung der russi-
schen Bearbeitung vor, so daß nur einige wenige Stellen des Schnitzlerischen
Originals wörtlich benützt werden konnten.«

Die letzten Masken   Schauspiel in einem Akt

EN: Am 18. Februar 1900 notiert AS im Tagebuch:
Vormittag treffe ich Hans Mottl, Gymnasialkollege, den ich seit 15 Jahren nicht sprach, auf dem Graben. Er: »Heut bin ich gut aufgelegt, darum grüß ich Dich. Du bist ja jetzt ein großer Dichter. Ja, ich bin verrückt, kannst aus mir ein Stück machen.« Ich: höflich: »Was machts Du denn immer?« Er, abwehrend: »Nur nicht so groß, nur nicht so groß.« Ich ließ ihn ohne Gruß stehen. (Im Gymnasium verkehrte er mit mir und Wechsel. Korrespondenz mit ihm. Seine Briefe noch vorhanden).

Am 25. August 1900 entwirft AS den Stoff als Novelle und Stück. Am 12. März 1901 schließt er die Novelle *Der sterbende Journalist* vorläufig ab. Am 22. September 1901 sind *Die letzten Masken* beendet.

Ü: Bühnenmanuskript, Berlin 1901, mit dem Untertitel: *Schauspiel in 1 Aufzug.*

EA: *Lebendige Stunden. Vier Einakter.* Berlin: S. Fischer 1902, S. 71-106.
Nachdrucke: T II 370-390; *Der grüne Kakadu. Literatur. Die letzten Masken* (Hg. Otto P. Schinnerer), New York 1928, S. 87-110; D I 719-735; *Liebelei. Leutnant Gustl. Die letzten Masken* (Hg. J. P. Stern), Cambridge 1966, S. 147-169. – *Einakter des Naturalismus* (Hg. v. Wolfgang Rothe), Reclams Universal-Bibliothek 9468-70, Stuttgart 1973, S. 158-178.

Ich denke sogar einen langen Schlaf zu tun: Paraphrase des Zitates aus Schillers *Wallenstein* (V,5): »Ich denke einen langen Schlaf zu tun, / Denn dieser letzten Tage Qual war groß«. – *So lebe wohl, du stilles Haus!:* Zitat aus Raimunds *Der Alpenkönig und der Menschenfeind* (Sextett aus I, 19): »So leb' denn wohl, du stilles Haus, / Wir zieh'n betrübt aus dir hinaus.« – *der mir die halbe Gasch' abgezogen hat fürs Extemporieren:* Gasch – Gage; das Extemporieren war von der Zensurbehörde verboten. – *Konkordia:* recte Concordia, Schriftsteller- und Journalistenvereinigung in Wien, heute »Presseclub Concordia«.

Literatur   Lustspiel in einem Akt

EN: Am 21. Dezember 1900 beendete AS die Niederschrift der ersten Fassung von *Literatur*, mit der er sich seit dem Frühjahr beschäftigt hatte. Umarbeitung 1901.

Ü: 1. Fassung: Bühnenmanuskript, Berlin 1901, mit dem Titel *Litteratur. Lustspiel in einem Akt.* Der Einakter besteht aus drei Szenen: 1. Margarethe – Clemens; 2. Margarethe – Gilbert; 3. Die Vorigen, Clemens.
Die erste Szene endet, nach dem Abgang von Clemens:
MARGARETHE *(allein). Was soll das bedeuten? Was will er thun? Er wird mich doch nicht verlassen? Es wird doch nicht Alles zu Ende sein? – Nein, nein… Es hat ihn ja nur gekränkt, weil er mich liebt, und weil er mich liebt, wird er wiederkommen. (Es klingelt.) Ah! (Freudig zur Thür.)*

Das Ende der zweiten und die dritte Szene der ersten Fassung (anstatt des Endes der dritten Fassung, von D I 754 Mitte – 757):

MARGARETHE. *Es ist wahr, – ich habe Dir nichts vorzuwerfen. Wir sind Beide so gemein… Clemens – ja, Clemens hat Recht! Aerger als die Weiber beim Ronacher, die sich in Tricots hinausstellen – unsere geheimste Seligkeit, unsere Schmerzen – Alles stellen wir aus! Pfui, pfui, pfui! mich ekelt ja vor mir! – Clemens hat Recht, wenn er mich davonjagt!*

GILBERT. *So sag' ich Dir noch einmal: komm mit mir!*

MARGARETHE. *Nein, nein!*

GILBERT. *Was bleibst Dir denn Anderes übrig? Willst Du es drauf ankommen lassen…*

MARGARETHE. *Er wird mir verzeihen, wenn ich ihm ehrlich Alles eingestehe, wenn ich ihm schwöre daß ich nie wieder eine Feder anrühre – ja, er hat mich lieb und er wird mir verzeihen!*

GILBERT. *Nun – für alle Fälle: ich wohne im Residenz-Hotel, Deine Nachrichten erreichen mich dort.*

(Klingel.)

MARGARETHE. *Clemens! er kommt zurück! er trifft Dich auf der Treppe – es ist besser, wenn Du bleibst!*

GILBERT. *Was zitterst Du denn so? Er kann noch nicht beide Romane gelesen haben.*

MARGARETHE. *Wer weiß!*

GILBERT. *Du bist ja vollkommen verrückt.*

MARGARETHE. *Und wie immer – ich ertrage es nicht, auf das Entsetzliche zu warten. Sofort gesteh ich ihm Alles.*

GILBERT. *Na, entschuldige, da kann ich nicht mit!*

MARGARETHE. *Ah, jetzt möchtest Du mich im Stich lassen, was?*

GILBERT. *Nun, ich muß Dir sagen, daß ich meiner Ansicht nach wirklich noch was Gescheiteres auf der Welt zu thun hätte, als mich von einem eifersüchtigen Baron niederschießen zu lassen – wie einen tollen Hund. (Man hört die Stimme Clemens.) Aber warte nur, mein Kind – solche Wahrheiten, wie man sie binnen kurzem in diesem Zimmer vernehmen wird, hat noch kein Baron gehört.*

Dritte Scene.
Die Vorigen. Clemens.

CLEMENS *(tritt ein. Erstaunt und befremdet, nach kurzer Verbeugung). Sie – Herr Gilbert?*

GILBERT *(ruhig). Herr Baron, eben auf einer Reise begriffen, konnte ich mir nicht versagen, Frau Margarethe meine Aufwartung zu machen.*

CLEMENS *(nachdem er Beide betrachtet). Ich habe wahrscheinlich eine literarische Unterhaltung gestört! Ich wäre untröstlich.*

MARGARETHE. *Clemens!*

CLEMENS *(Blick)*

MARGARETHE *(erschrickt).*

GILBERT. *Nichts hindert Sie, sich an dieser Unterhaltung zu beteiligen, Herr Baron. Ich habe mir erlaubt, der gnädigen Frau meinen Roman zu überbringen.*

CLEMENS. *Ah – (Schweigen).*

MARGARETHE *(für sich). Er weiß Alles! (Pause.)*

CLEMENS. *Wenn ich mich an der Unterhaltung beteiligen soll, wird es wohl vor allem notwendig sein, daß Sie selbst sie fortsetzen.*

GILBERT. *Wir sprachen eben über diesen Roman – über seinen Inhalt –*

CLEMENS. *Jedenfalls eigene Erlebnisse.*

GILBERT. *Ach Gott, das Wort ist viel zu scharf umrissen; in gewissem Sinn schildern wir ja Alle und immer nur Selbsterlebtes. Wenn Einer einen Nero schreibt, so hat er sozusagen irgend einmal Rom innerlich angezündet.*

CLEMENS. *Ja.*

GILBERT. *Das ist natürlich etwas metaphorisch ausgedrückt. Aber woher sollen wir schließlich unsere Modelle nehmen, als aus dem Leben, das rings um uns ist?*

CLEMENS. *Es ist nur schad' daß die Modelle selbst so selten drum gefragt werden. Ich muß schon sagen: wenn ich eine Frau wäre, ich thät' mich bedanken, daß man den Leuten erzählt... Na! in anständiger Gesellschaft nennt man das: eine Frau compromittieren.*

GILBERT. *Ich weiß nicht, ob ich mich zur anständigen Gesellschaft rechnen darf, aber ich nenne das: eine Frau adeln.*

CLEMENS. *Oh!*

GILBERT. *Ja, das Wesentliche ist nur, ob's Einer trifft, Herr Baron. Was liegt in höherem Sinne dran, ob man von einer Frau weiß, daß sie in diesem oder jenem Bett gelegen ist.*

CLEMENS. *Herr Gilbert, Sie reden vor einer Dame.*

GILBERT. *Ich rede vor einer Kameradin, die, soviel mir bekannt ist, meine Ansicht über diese Dinge teilt.*

CLEMENS. *Ist es so? Ich glaube, daß nur Margarethe selbst diese Frage entscheiden kann.*

MARGARETHE. *Clemens! Clemens! (Ihm zu Füßen.)*

CLEMENS. *Aber! (Sehr erstaunt.) Margarethe, Margarethe, wir sind ja nicht allein!*

MARGARETHE. *Verzeih' mir!*

CLEMENS. *Aber was ist denn? – Pardon, Herr Gilbert, daß Sie genötigt sind, dieser Scene –*

GILBERT. *Oh bitte.*

CLEMENS. *So steh' doch auf, Margarethe! Es ist ja schon Alles gut.*

MARGARETHE *(blickt zu ihm auf.)*

CLEMENS. *So steh' doch auf. (Es geschieht.) Ich hab' Dir ja schon verziehen. Es ist Alles in Ordnung. – Na ja! Ich hab' ihn ja einstampfen lassen. Du brauchst nur mehr ein zustimmendes Wort hinzutelephonieren.*

GILBERT *(sehr höflich.). Wen haben Herr Baron einstampfen lassen, wenn ich fragen darf?*

CLEMENS. *Nun den Roman meiner Braut. Sie hat Ihnen jedenfalls erzählt.*

GILBERT. *Ah! ah!*

MARGARETHE. *Clemens –*

CLEMENS. *Jedenfalls scheint es, Herr Gilbert, daß es mit der Kameradschaft nicht so weit her ist.*

GILBERT. *Ich sehe ein, daß ich zu stolz war. Ich kann nichts thun, als um Entschuldigung bitten. Ich wundere mich nur, daß der Verleger so rasch bereit war, ein jedenfalls bedeutendes Kunstwerk –*

CLEMENS. *Der Herr Künigel ist ein ganz coulanter Mensch. Er hat schließlich nichts Anderes von mir verlangt, als daß ich die ganze Auflage bezahle.*

MARGARETHE. *Das hab' ich auch schon gethan.*

CLEMENS. *Ich bedaure sehr, Herr Gilbert, daß Sie einer Scene beiwohnen, die ich fast schon eine häusliche nennen möchte. Aber Sie machen hoffentlich kein Stück draus.*

GILBERT. *Ich schwöre es, Herr Baron. – Ich will nun nicht weiter lästig fallen. Doch bald hätte ich vergessen… Mein Roman – hier ist er. Darf ich mir nun erlauben, ihn als äußeres Zeichen, daß jedes Mißverständnis zwischen uns aufgeklärt ist und als Beweis meiner aufrichten Sympathie, Ihnen, Herr Baron, zu überreichen?*

CLEMENS. *Sie sind sehr liebenswürdig, Herr Gilbert. (Nimmt ihn.) Obzwar, ich muß schon sagen, deutsche Romane sind nicht mein Faible. – Na, das ist halt der letzte, den ich lesen werde… oder vielmehr der vorletzte –*

MARGARETHE. *Der vorletzte?*

GILBERT. *Wieso der vorletzte? Welcher wird nach meinem das Glück haben?*

CLEMENS *(das Buch aus der Tasche ziehend). Der da.*

MARGARETHE. *Meiner! (Sieht Gilbert ratlos an.)*

CLEMENS. *Ein Exemplar hab' ich zurückbehalten. Ein bißl neugierig bin ich ja begreiflicherweise. Ich darf Dir ja in's Herz schauen. Im Uebrigen ein teurer Spaß. Das Exemplar hab' ich sehr hoch bezahlen müssen.*

PILBERT. *Wieso?*

CLEMENS. *Ja, weil es das einzige ist, also eine große Seltenheit.*

MARGARETHE *(leise zu Gilbert). Rette mich!*

GILBERT. *Herr Baron, lassen Sie mich doch einen Blick in dieses Unicum werfen!*

CLEMENS. *Bitte sehr.*

GILBERT *(schlägt es auf und blättert darin).*

MARGARETHE. *Clemens, Du bist so gut.*

GILBERT. *Hahah. (Er schüttelt den Kopf.)*

CLEMENS. *Was haben Sie denn?*

GILBERT. *Haha! (Rauft sich die Haare.)*

MARGARETHE. *Herr Gilbert!*

GILBERT. *Gnädige Frau, Sie halten das wahrscheinlich für Deutsch?*

MARGARETHE. *Allerdings!*

GILBERT. *Sie irren sich, gnädige Frau – das ist Tscherkessisch, Kaukasisch, Chinesisch – aber nicht Deutsch! Das gebildete Europa wird ihnen die Hand schütteln, Herr Baron, daß Sie ihn haben einstampfen lassen.*

CLEMENS. *Du hast da einen strengen Kritiker an Herrn Gilbert.*

GILBERT *(weiterlesend). Ein Vergleich – oh! oh!*

MARGARETHE. *Beruhigen Sie sich doch, Herr Gilbert.*

GILBERT. *Beruhigen! Sie wünschen es gnädige Frau? Ich frage Sie, gnädige Frau, ob Sie wünschen, daß ich mich beruhige!*

MARGARETHE. *Allerdings wünsch' ich das – sehr dringend.*

GILBERT *(wirft das Buch in den Kamin). So – jetzt bin ich es. Da gehört er hinein!*

CLEMENS. *Herr Gilbert!*

GILBERT. *Verzeihen Sie, Herr Baron, verlangen Sie jede Genugthuung, die Sie wollen, aber –*

MARGARETHE *(am Kamin, will das Buch scheinbar mit der Feuerzange retten, stößt es aber nur tiefer hinein). Herr Gilbert, ich find' es einfach unerhört… (Leise zu ihm). Ich danke Dir.*

CLEMENS. *Na, so schlecht wird er doch nicht gewesen sein!*

GILBERT. *Herr Baron, Sie werden der Gatte dieser liebenswürdigen und schönen Frau. Wenn ich geistreich sein wollte, würde ich sagen: ich bitte Sie, es als Hochzeitsgeschenk zu betrachten, daß ich dieses Buch in den Kamin geworfen habe – und nun, nehmen Sie mir's weiter nicht übel. – Aber es ist Zeit, daß ich mich entferne. Herr Baron – gnädige Frau –*

MARGARETHE *(an der Thür). Ich danke Dir!*

GILBERT. *Warum? Es war wirklich ein Schund – Adieu. (Ab.)*

MARGARETHE *(zu Clemens zurück; schmiegt sich an ihn).*

CLEMENS. *Nein, nein – was diese Dichter für Neidhammel sind!*

(Vorhang)

2. Fassung: Bühnenmanuskript, Berlin 1901, mit dem Titel *Literatur. Lustspiel in 1 Akt*. Die Fassung gleicht der endgültigen, gedruckten, bis auf den Schluß, Gilbert geht hier vorzeitig ab. Schluß anstatt des Endes der 3. Fassung, D I 757 Mitte:

CLEMENS. *Sie sind sehr liebenswürdig, Herr Gilbert.*

GILBERT. *Herr Baron – gnädige Frau –*

MARGARETHE. *Ich wünsch' Ihnen glückliche Reise, Herr Gilbert.*

GILBERT *(ab).*

MARGARETHE *(rasch zu Clemens). Clemens!*

CLEMENS. *Ich muß schon sagen: deutsche Romane sind nicht mein faible. Na, das ist halt der letzte, den ich lesen werde — oder der vorletzte.*

MARGARETHE. *Der vorletzte?*

CLEMENS. *Ja.*

MARGARETHE. *Welcher soll denn der letzte sein?*

CLEMENS. *Deiner. Ein Exemplar hab' ich mir nämlich ausgebeten, um es Dir mitzubringen – oder vielmehr uns Beiden.*

MARGARETHE. *O, wie gut Du bist, Clemens, wie gut!*

CLEMENS. *Na, das ist doch nichts so Besonderes. Komm, Margarethe… (Setzt sich auf den Sessel zum Kamin, hat in der linken Hand das Buch, zieht sie mit*

dem rechten Arm auf seinen Schooß nieder.) So ist es wieder einmal gemüth-
lich. Wollen wir ihn gleich zusammen lesen? (Schlägt auf.) »Es war an einem
schönen Sommerabend...«
MARGARETHE. *Nein, Clemens, nein!*
CLEMENS *(sieht auf).*
MARGARETHE. *Ich nehme so viel Güte nicht an – ich will nichts mehr von all*
dem wissen... Und dann will ich auch nicht mehr an die Angst erinnert wer-
den, die ich gelitten habe, während Du fort warst. (Sie nimmt ihm das Buch
aus der Hand und wirft es über seine Schulter in den Kamin.)
CLEMENS. *Aber Margarethe, was thust Du denn?*
MARGARETHE. *Clemens, wirst Du mir jetzt glauben, daß ich Dich liebe – ? –*
(Der Vorhang fällt.)

In der zweiten und dritten Fassung wurde die Einteilung in drei Szenen
aufgegeben. Irrtümlich blieben in Bühnenmanuskript und Buchausgaben
(bis einschließlich der Gesamtausgabe von 1963, s. D I 735) die Bezeichnung
Erste Szene stehen.
    EA: *Lebendige Stunden. Vier Einakter,* Berlin: S. Fischer 1902,
S. 107-159. Abdrucke: T II 391-420; *Der grüne Kakadu. Literatur. Die letz-*
ten Masken (Hg. Otto P. Schinnerer), New York 1928, S. 54-85; M 187-210;
D I 735-757; MD 159-182.

    Odds: ungleiche Wetten. – *Ronacher:* Vergnügungsetablissement im
I. Bezirk. – *Künigel:* fingiert parodistischer Name, von Künigl – Kanin-
chen, von lt. cuniculus. – *Schmock:* gesinnungsloser Journalist (nach einer Figur in *Die Journalisten* von Gustav Freytag). – *Marlitt:* Eugenie
Marlitt (recte: John) (1825-1887), Trivialschriftstellerin.

    Zeitgenössische Kritik des Zyklus: bei Allen 90 (Max Burckhard, Karl
Emil Franzos, Maximilian Harden, Alfred Kerr, Max Lorenz, Felix Poppen-
berg, Heinrich Stümcke, Hermann Bahr). – Außerdem: Stefan Großmann,
Quelle 4, Heft 1 vom 1. 10. 1910, S. 13 f.

DER EINSAME WEG   *Schauspiel in fünf Akten*

    EN: 25. August 1900: Entwurf des Stoffes als Novelle und Stück mit dem
Arbeitstitel *Junggeselle*. Im Sommer 1901 wird die erste Fassung des *Jungge-*
sellenstücks abgeschlossen. Im Sommer 1902 Überlegungen zum Szenarium
der *Egoisten*. 9. August bis 25. November 1902: *Die Egoisten*. – Vom 6. Dezember 1902 bis 9. Februar 1903 Umarbeitung. Bisher sind Elemente des späteren *Professor Bernhardi* im *Junggesellenstück* vereinigt. Am 18. April 1903
notiert AS: *Das entzweigefallene Junggesellen- und Ärztestück überdacht*.
Vom 17. Juni bis 23. Juli 1903 Endfassung, Arbeitstitel: *Einsame Wege oder*
Der einsame Weg oder Wege ins Dunkle.
    Ü: EA: Berlin: S. Fischer 1904 (bis 1926 elf Auflagen).

Nachdrucke: T III 9-103; M 211-287; D I 759-836; Reclams Universal-Bibliothek 8664, Stuttgart 1964; AWB 235-312; MD 183-260.

Dokumentation: Liptzin 100-130 (ausführliche Entstehungsgeschichte).

Zeitgenössische Kritik: Alfred Kerr, *Neue Rundschau* 15, 1904, S.504-508. – Paul Goldmann, In: *Aus dem dramatischen Irrgarten. Polemische Aufsätze über Berliner Theateraufführungen*, Frankfurt 1905, S.185-195. – Siegfried Jacobsohn, *Die Weltbühne* 20, Heft 45 vom 4. November 1924, S.707-709. – Alfred Polgar, In: *Kritisches Lesebuch*, Berlin 1926, S.251-257.

I: Christa Melchinger, in: *Illusion und Wirklichkeit im dramatischen Werk Arthur Schnitzlers*, Heidelberg 1968, S.67-80 (Salas »Spielbewußtsein«); Urbach 81-83 (Konfigurationen).

Akademie der bildenden Künste: 1692 gegründet, seit 1877 im Historismusbau am Schillerplatz im I.Bezirk.

I *Baktrien:* Wirkungsgebiet Zarathustras, Reich, das an die Meder, dann an die Perser fiel, von Alexander dem Großen erobert wurde und um 250 v.Chr. zu einem hellenobaktrischen Diadochenstaat wurde, der um 130 v.Chr. unterging. – *Ekbatana:* heute Hamadan in Iran, von Medern gegründet, später Sommersitz der persischen und parthischen Könige. – *Türkenschanze:* Befestigung der Türken bei der Belagerung Wiens 1683; seit 1888 Park.

IV *Ich bin tiefer in den Wald hineingefahren, bis über Neustift und Salmannsdorf:* Orte am Rande des Wienerwaldes, im XIX.Bezirk.

MARIONETTEN   *Drei Einakter*

Der Puppenspieler   Studie in einem Aufzug

EN: AS schreibt am 23.9.1901 an Brahm: *»Der Puppenspieler« wartet noch auf ein oder zwei gute Stunden zur Vollendung. Dieses Stück wäre »Charakterstudie« zu benennen.* Ursprünglich sollte der Einakter dem Zyklus *Lebendige Stunden* eingegliedert werden.

Ü: ED: *Neue Freie Presse* vom 31.Mai 1903 (Pfingstbeilage).

Abdrucke: *New Yorker Staats-Zeitung* vom 12.Juli 1903; *Österreichische Dichter.* Zum 60.Geburtstage Detlev von Liliencrons, Wien 1904, S.96-116; *Marionetten. Drei Einakter.* Berlin: S. Fischer 1906, S.9-52; T III 190-210; *Lust und Leid.* Five One-Act Plays from Contemporary German Literature (Hgg. William Diamond, Christel B. Schomaker), New York 1929, S.23-47; *Stories and Plays* (Hg. Allen W. Porterfield), Boston etc. 1930, S.128-149; *Altes und Neues* (Hgg. Robert O. Rösler, Wayne Wonderley), New York 1960, S.55-75; D I 838-854.

Harun-al-Raschid: ca. 765-809, abbasidischer Kalif, oft in den Geschichten aus Tausendundeine Nacht erwähnt.

Der tapfere Cassian   Puppenspiel in einem Akt

EN: Notiz vom 22. April 1902: *schrieb »Tapfere Cassian«;* vorher unter dem Arbeitstitel *Generalprobe* erwähnt.

Ü: ED: *Neue Rundschau* 15, 1904, S.227-247 (Untertitel: *Burleske in einem Akt*). – EA: *Marionetten. Drei Einakter.* Berlin: S. Fischer 1906, S.53-96. – Spätere Einzelausgaben: Berlin: S. Fischer 1910; Wien, Leipzig: Karl Rönig 1922 (mit Lithographien von O. Laske); Abdrucke: T III 211-230; D I 855-870.

Es läutet zur Vesper: eine Stunde vor Sonnenuntergang. – *Fontainebleau:* berühmtes Schloß südöstlich von Paris.

Zum großen Wurstel   Burleske in einem Akt

EN: ursprünglich unter dem Titel *Marionetten* geschrieben und am 8. März 1901 in Berlin von Wolzogens *Überbrettl* aufgeführt. Am 29. September 1904 war die Umarbeitung mit dem Titel *Zum großen Wurstel* beendet.

Ü: ED: *Die Zeit* vom 23. April 1905 (Osterausgabe).

EA: *Marionetten. Drei Einakter.* Berlin: S. Fischer 1906, S.98-148.

Abdrucke: *Welthumor. Das lachende Deutschland* (Hgg. Roda Roda, Theodor Etzelt), Berlin-Leipzig 1910, S.119-133; T III 231-267; D I 871-894; *Finale und Auftakt.* Wien: 1898-1914. Literatur, Bildende Kunst, Musik (Hgg. Otto Breicha, Gerhard Fritsch), Salzburg 1964, S.44-70.

Zeitgenössische Kritik des Zyklus (wenig): Allen 60, 62f., 91.

I: Hans-Peter Bayerdörfer, Vom Konversationsstück zur Wurstelkomödie. Zu Arthur Schnitzlers Einaktern, *Jahrbuch der deutschen Schillergesellschaft* 16, 1972, S.516-575: »Szenerie eines auf das Unterhaltungsniveau des Wurstelpraters umgesetzten Welttheaters, dessen Sinn in der Persiflage der ganzen Theaterwelt liegt. Sie spitzt sich in dem Maße zu, als die zunächst getrennten Ebenen des parodistischen Marionettenspiels und des satirischen Rahmenspiels ineinander übergehen.« (S.567).

Der Graf von Charolais: Titelfigur des Dramas von Richard Beer-Hofmann (1905). – *Der Meister:* Caius Duhr, Hauptfigur der Komödie *Der Meister* von Hermann Bahr (1903). – *Ein Vetter Brackenburgs:* des Verehrers Klärchens in Goethes *Egmont.* – *was Neuchs:* etwas Neues. – *Hutschenschleuderer:* einer, der gewerbsmäßig Schaukeln in Bewegung setzt, der berühmteste literarische Hutschenschleuderer: Liliom in Franz Molnars gleichnamigem Volksstück. – *Auf jenseits von Gut und Böse pfeift:* ironische Anspielung auf die von Nietzsches Philosophie ausgelöste Schlagwortideologie. – *poeta vates:* der Dichter als Seher, Prophet.

ZWISCHENSPIEL   *Komödie in drei Akten*

EN: 31. Juli 1904: erster Einfall. – 1. August: Entwurf des Szenariums. – Vom 2.-21. August erste Niederschrift, Arbeitstitel: *Neue Ehe.* – 30. September bis 20. Oktober: zweite Fassung. 28. November bis 21. Dezember 1904: dritte Fassung. 12. Mai bis 31. Mai 1905: vierte Fassung. – 16. Juni 1905: *In sehr schlechter Stimmung nach einem Traum, in dem mein Stück schlecht war. Nachmittag Neue Ehe durchgelesen und hoffentlich beinah letzte Korrekturen gemacht. Erschien mir heute leidlich.* 12. Oktober 1905: *Eigene Kritik: Es ist im Ganzen doch ein schwaches Theaterstück, man hört das Knarren der Maschine beinahe immer.*

Ü: EA: Berlin: S. Fischer 1906 (bis 1922 sechs Auflagen).

Nachdrucke: T III 105-187; D I 895-961.

Zeitgenössische Kritik: Allen 64 (Willi Handl, Maximilian Harden, Siegfried Jacobsohn, Jakob Minor, Franz Servaes, Felix Poppenberg).

I: Kilian 73-80: »es gibt keinen Weg der Verständigung, weil die Sprache versagt.« (S. 80). – Swales 200-214; hält es für möglich, daß Amadeus und Cäcilie wieder zusammenkommen können, aber: »If they do come together again, then presumably the whole process will repeat itself.« (213). – Jon D. Green, Musical Structure and Meaning in Arthur Schnitzler's *Zwischenspiel, MAL* 6, Heft 1 & 2, 1973, S. 7-25. – Offermanns 25-39: »Der Komödienautor Schnitzler sieht seine Aufgabe vornehmlich in der Entfaltung (nicht in der Lösung)«... Cäcilie »ist die Figur, die Schnitzler nach Vollendung des Stückes immer wieder als besonders problematisch erschien. Er hält sie für am Schluß zu ›theoretisch‹, wohl zu ›überanstrengt‹ in ihrem Rigorismus. Dennoch ist es gerade dies antiimpressionistische Moment, das gegen die Marionetten-Existenz gerichtete Postulat eines freien und wahrhaftigen Bewußtseins, das einen Neuansatz in Schnitzlers Dramatik markiert und die Form der Komödie, die mit der Determiniertheit des Menschen jeglichen Sinn verlöre, erst möglich macht, ja sie geradezu fordert.« (S. 38f.).

oben Büste von Verrocchio: Andrea del Verrocchio (1436-1488), bedeutendster Bildhauer der Frührenaissance in Florenz. –

1 *Mignon:* Oper von Ambroise Thomas (1811-1896), 1866, nach Goethes Roman *Wilhelm Meisters Lehrjahre.* – *auf dem Schloß in Krumau:* im südlichen Böhmen, jetzt Český Krumlov, war seit 1719 im Besitz der Fürsten zu Schwarzenberg. – *Cagliostro-Walzer:* aus der Operette *Cagliostro* von Johann Strauß (1875). – *Werkel:* Leierkasten. – *Tatjana:* Alt-Partie in *Eugen Onegin* von Tschaikowsky (1879). – *Nicht mehr zu dir zu gehen, beschloß ich«:* nach einem Gedicht von Georg Friedrich Daumer (1800-1875) von Johannes Brahms 1864 vertont.

Schauspiel in drei Akten

EN: Der Stoff beruht auf einem Erlebnis, das AS am 10. März 1898 notiert: *Nachts zu Richters geholt, die Frau tot, der alte Mann und die Tochter.* Daraus erwächst eine Novellenidee: *Die Vatermörderin,* die sich am 29. März 1905 in den Plan zu einem dreiaktigen Drama umgestaltet. Beginn der Ausführung am 30. März 1905. – 8. April bis 28. April: *vorläufiger Abschluß einer neuen Fassung der Vatermörderin, erwogener Titel: Stimmen des Lebens.* Im Sommer 1905 Fertigstellung. Am 10. September 1905: *Las Saltens Vatermörderin vor. Die zwei ersten Akte wirkten außerordentlich, aber S. fand auch gegen den neuen dritten Akt nichts einzuwenden, da die Schwächen beinahe durchaus im Stoff begründet und unausweichlich. Als Titel »Der Ruf des Lebens.«*

Ü: EA: Berlin: S. Fischer 1906 (bis 1922 fünf Auflagen).

Nachdrucke: T III 269-347; D I 963-1027.

Dokumentation: AS, *Patriotismus und Schauspielkunst.* Zwei Briefe aus dem Nachlaß (Hg. Heinrich Schnitzler), *Kleine Schriften der Gesellschaft für Theatergeschichte* 11, 1953, S. 20-26. – Liptzin 131-153 (zur Entstehungsgeschichte).

Zeitgenössische Kritik: Allen 63 (Maximilian Harden, Alfred Kerr, Hermann Kienzl, Felix Poppenberg, Heinrich Stümcke, Alfred Polgar). – Außerdem: Paul Goldmann, In: *Vom Rückgang der deutschen Bühne. Polemische Aufsätze über Berliner Theater-Aufführungen*, Frankfurt 1908, S. 164-173: neuerliche Verbreitung des Klischees: »So viel Dramen er schreiben mag – er schreibt stets nur Anatol-Geschichten. Er entnimmt seine Stoffe lediglich einem kleinen Spezialgebiet von erotischen Erlebnissen, die keinerlei allgemein menschliche Bedeutung haben.« (S. 172 f.).

I *Freyung, Hof, Tiefer Graben:* Plätze und Straßen im I. Bezirk.
II *wenn man am Zollhaus vorbeireitet:* am Stadtrand.

Komödie in einem Akt

EN: Am 29. Januar 1906 macht sich AS Notizen zu *dem aristokratischen Einakter.* – Eine vorläufige Fassung entstand vom 18. Juni bis 4. Juli 1906.

Ü: ED: *Neue Freie Presse* vom 19. April 1908, S. 31-35 (Osterbeilage).

EA: Berlin: S. Fischer (bis 1922 fünf Auflagen dieser Einzelausgabe).

Nachdrucke: T IV 9-49; D I 1029-1061; AWB 313-346; *Der farbenvolle Untergang. Österreichisches Lesebuch* (Hg. Harry Zohn), Englewood Cliffs 1971, S. 60-96.

I: Kilian, 80-83: »eine scharfe Gesellschaftssatire«. – Swales 282: »a parody of that most savage of naturalistic dramatic situations – the ›Familientag‹.« – Offermanns 44-47: »Von allen Komödien des Eros endet ›Komtesse Mizzi‹ als einzige in, wenn auch verhaltener und problematischer Heiterkeit.« (S. 47).

Mizzi: Koseform für Marie. – *Mauer und Rodaun:* Vororte Wiens, jetzt
XXIII. Bezirk. – *den Krampen:* Gaul. – *Mayerhofgassen:* im IV. Bezirk. –
oder in die Burg: ins Hofburgtheater. – *Veigerln:* Veilchen. – *Krems:* in
der Wachau, Niederösterreich. – *Wiesinger-Florian:* recte Wisinger-Florian, Olga (1844-1926), Blumen- und Landschaftsmalerin, Schülerin
Emil Schindlers. – *Es grenzt direkt an den Tiergarten:* Lainzer Tiergarten,
XIII. Bezirk. – *Jessas…:* Jesus! – *Schenker:* Reiseagent.

DIE VERWANDLUNGEN DES PIERROT
Pantomime in einem Vorspiel und sechs Bildern

Ü: ED: *Die Zeit* vom 19. April 1908 (Osterbeilage). – EA: D I 1063-1078.
I: Swales 261-265: »The call to adventure that Pierrot represents is, as so
often in Schnitzler, linked with his being an actor.« (S. 262).

Watschenmann: Puppe im Wurstelprater, an der man mit Ohrfeigen seine
Kraft erproben kann.

DER TAPFERE KASSIAN   *Singspiel in einem Aufzug*

EN: Einrichtung des Puppenspiels als Libretto in Versen für Oskar Straus.
Am 3. August 1903 ist das Libretto vorläufig abgeschlossen.
Ü: ED: Leipzig-Wien: Doblinger 1909. – EA: D II 7-26.

DER JUNGE MEDARDUS
Dramatische Historie in einem Vorspiel und fünf Aufzügen

EN: 12. Juli bis 1. August 1901 erste zusammenhängende Arbeit am *altwiener Stück.* 23. Juni bis 1. Juli 1903: Neuskizzierung. 9. März 1904: AS
diktiert einen neuen Plan. März und Oktober 1908: neuerliche Beschäftigung
mit dem Stück. Abschluß der Arbeit im Frühjahr 1909.
Ü: EA: Berlin: S. Fischer 1910 (bis 1923 zehn Auflagen).
Nachdrucke: T IV 51-291; D II 27-215.
Zeitgenössische Kritik: Allen 65f. (Stefan Grossmann, Jakob Minor,
Alfred Polgar, Willi Handl, Camill Hoffmann, Hermann Kienzl, Julius Bab
u. a.).
I: Richard H. Allen, *79 Personen:* Character Relationships in Schnitzler's
»Der junge Medardus«. In: *Studies in German Literature of the Nineteenth
and Twentieth Centuries,* Chapel Hill 1970, S. 149-156: weist darauf hin,
daß AS die Bastei-Szene als die Szene aus dem Stück vorabdrucken ließ *(Neue
Freie Presse* vom 27. März 1910), die am wenigsten auf die Person des Medardus ausgerichtet war. »Yet in the patriotism and enthusiasm, the love for the
spectacular, and the horrors and effects of war portrayed here, we see the real

Viennese protagonist, who transcendends the *Bürgersohn*, Medardus Klähr, to become ›der junge Medardus‹, the embodiment of the Viennese people with all of their human strengths and weaknesses.« (S. 156). Auch Claudio Magris, *Der habsburgische Mythos in der österreichischen Literatur*, Salzburg 1966, S. 209, hebt die Bedeutung der Volksszenen hervor, die Wiener »sind die bittere Version der jovialen Bürger Bäuerles«.

Historische Einführungen:
Hellmuth Rössler, *Österreichs Kampf um Deutschlands Befreiung*, 2 Bde, Hamburg 1940. – Manfried Rauchensteiner, *Kaiser Franz und Erzherzog Carl. Dynastie und Heerwesen in Österreich 1796-1809*, Wien 1972 (dort weitere historisch-bibliographische Hinweise). – Jean de Bourgoing, *1809*. Österreich-Reihe 73/75, Wien 1959 (populäre Einführung mit Quellenzitaten).

Zeittafel zu *Der junge Medardus:*
1809
12. April   Österreichische Truppen überschreiten den Inn.
13. April   Napoleon verläßt Paris.
23. April   Die Franzosen nehmen Regensburg. Napoleon wird von einer Gewehrkugel am linken Fuß verletzt.
10. Mai   Lannes besetzt Mariahilf, Napoleon zieht in Schönbrunn ein. –
12. Mai   Bombardement Wiens. Erzherzog Maximilian kapituliert.
21./22. Mai   Schlacht von Aspern und Eßling.
5. Juli   Schlacht bei Wagram.
12. Oktober   Bei einer Parade im Schloßhof von Schönbrunn versucht Friedrich Staps, ein Pastorensohn, Napoleon zu ermorden.
14. Oktober   Unterzeichnung des Schönbrunner Friedens.
16. Oktober   Napoleon verläßt Schönbrunn.
(Daten nach Bourgoing, a. a. O. S. 76-79)
Quellen:
AS hat mit Sicherheit benutzt:
1. Karl August Schimmer, *Die Französischen Invasionen in Österreich und die Franzosen in Wien in den Jahren 1805 und 1809*. Nach den besten und verläßlichsten Quellen bearbeitet, Wien 1846.

Vorlage der Eschenbacher-Handlung: Schimmer, S. 119: »Den 26. Juni wurde auch der bürgerliche Sattlermeister Jacob Eschenbach wegen der Wegbringung und Vergrabung von zwei Kanonenröhren verhaftet und ebenfalls an der Mauer des Jesuitenhofes erschossen. Seine zwei Gesellen und ein Schlossergeselle, die ihm die Kanonen nach Hause tragen geholfen hatten, wurden in Eisen geschlossen auf den Platz geführt, um bei der Vollstreckung des Urtheiles gegenwärtig zu seyn. Dann wurden sie in das Gefängniß zurückgebracht und bald darauf durch die französische Gensd'armerie weggeführt. Sie sollen jedoch auf dem Marsche entwischt seyn.«

Beschreibung des Attentats: Schimmer, S. 135-136: »Den 11. Oct. wurde das sonderbare Attentat auf das Leben des Kaisers Napoleon zu Schönbrunn gemacht, das schon so oft und mit den widersprechendsten Farben dargestellt wurde. Jedenfalls aber war es nichts als überspannte Idee und der Thäter bei Weitem mehr zu bemitleiden, als zu bewundern, oder gar zu rechtfertigen und zu glorificieren. Als Napoleon nämlich eben von den Stufen des Schlosses in den großen Hof zur Revue herabschritt, drängte sich ein junger, wohlgebildeter Mann, Namens Friedrich Staps, ein Predigerssohn aus Erfurt, durch die Menge von Zusehern und suchte so nahe als möglich an den Kaiser zu kommen. General Rapp, der immer vor Napoleon herging, bemerkte die stechenden Blicke und die Verwirrung des jungen Mannes, er ergriff ihn und fühlte auch sogleich einen langen Dolch unter seiner Brusttasche. Befragt, was er damit beabsichtige, gestand er in unüberlegter Selbstaufopferungslust sogleich, daß er die weite Reise von Erfurt hierher gemacht habe, um Napoleon zu ermorden und so der Welt Frieden zu schaffen. Auf alle Fragen, die Napoleon selbst an ihn stellte, antwortete er gefaßt und ruhig, doch mit einem Anstrich von Schwärmerei und als ihn der Kaiser endlich fragte, wenn er ihn zu sich nähme und ihn mit Wohltaten überhäufe, ob er ihm dann ein eben so treuer Diener seyn wolle, als er sich jetzt als unsinniger Feind zeige, war die schnelle Antwort: es werde immer wieder der alte Vorsatz in ihm erwachen. Diese Antwort schien dem Kaiser Napoleon zu extravagant, er ließ ihn daher einem Arzte übergeben, der ihm öfters den Puls fühlen, ihn über seinen Zustand, sein früheres Leben befragen mußte. Da er sich jedoch durchaus besonnen, nur von seiner fixen Idee eingenommen zeigte, ward er, da er es durchaus nicht besser haben wollte, fortgeführt und außerhalb der Mariahilfer-Linie, rückwärts der Gewehrfabrik erschossen.«

Heinrich von Collins Wehrmannslieder finden sich bei Schimmer abgedruckt, S. 192-221.

2. *Die Memoiren des General Rapp, Adjudanten Napoleon I.* Geschrieben von ihm selbst. Übertragen von Oskar Marschall v. Bieberstein, Leipzig 1902. Das 19. Kapitel behandelt das Attentat, S. 117-121.

Als Beispiel für den Gegensatz zwischen AS und Hebbel, ein Epigramm Hebbels:

NAPOLEON UND STAPS

Wie vor Varus, den Römer, so trat im geknechteten Deutschland
    Vor Napoleon auch mahnend die Nemesis hin.
Hätt' er den Jüngling verstanden, der, ohne zu zittern, das Leben
    Vor die Füße ihm warf, als er's ihm wieder geschenkt:
Nimmer hätt' es der Völker bedurft, ihm die Lehre zu geben,
    Daß der germanische Geist immer den sittlichen rächt.

Vorspiel / Landmann aus Petersdorf: recte Perchtoldsdorf, im Süden Wiens. – *wie der unglückliche König Ludwig:* Ludwig XVI. – *Collin:* Heinrich Joseph von Collin (1771-1811), veröffentlichte 1809 *Lieder mit Melodien für die Österreichische Landwehre.* – *im Nationaltheater:* im Hofburgtheater.

I Teinfaltstraße: in unmittelbarer Nähe der Stadtmauer, an der Mölkerbastei. – *gradso wie vor vier Jahren:* auch 1805 hatte Napoleon in Schönbrunn residiert. – *Penzinger Au:* Penzing – Vorort, jetzt im XIII. Bezirk. – *Marengo:* Sieg Napoleons über die Österreicher

am 14. Juni 1800. – *Fouché:* Joseph Fouché (1759-1820), seit 1809 Herzog
von Otranto, 1804-1810 Polizeiminister Napoleons, schloß sich 1814 den
Bourbonen an.

II *Jaceat ubi jacet:* es falle wie es fällt. – *Quod scribendum, scribam* ...: Was
zu schreiben ist, schreibe ich. – *Apotheke zur heiligen Dreifaltigkeit:* im
IV. Bezirk, 1708 gegründet. – *Lacrimae Christi:* süditalienischer Wein aus
der Vesuv-Gegend.

III *Hütteldorf:* Vorort, jetzt im XIII. Bezirk. – *Spittelberg:* VII. Bezirk.
Trattnerhof: im I. Bezirk, in der Nähe der Stefanskirche. – *Richter von
Gumpendorf:* Vorstadt, VI. Bezirk. – *Beim Palffy brennt's!:* im I. Bezirk,
am Josefsplatz. – *man kriegt ja manches zu schenken:* geschenkt.

IV *Meidling:* Vorort, XII. Bezirk, in dem das Schloß Schönbrunn liegt. – *da-
sig:* kleinlaut.

V *in einer Judith Armen einzuschlafen:* Holofernes. – *in einer Schupfen:* in
einem Schuppen. – *salvieren:* retten.

DAS WEITE LAND   *Tragikomödie in fünf Akten*

EN: Nach novellistischen Vorstudien schreibt AS die erste Fassung vom
28. Juni bis 18. Oktober 1908; am 24. 5. 1909 ist das Stück endgültig beendet.

Ü: EA: Berlin: S. Fischer 1911 (bis 1920 zehn Auflagen).

Abdrucke: T IV 293-419; M 289-391; D II 217-320; *Dichtung aus Österreich.* Drama. (Hgg. Heinz Kindermann, M. Dietrich), Wien – München
1966, S. 537-588; AWB 347-451; MD 261-364; *Professor Bernhardi. Das
weite Land.* Zwei Stücke. Fischer Taschenbuch 7012, Frankfurt 1972, S.
15-96.

Dokumentation: Liptzin 154-174 (zur Entstehungsgeschichte).

Zeitgenössische Kritik: Allen 67 (Richard Elsner, Jakob Minor, Heinrich
Stümcke, Felix Poppenberg u. a.).

Interpretationen:

Carl Furtmüller, Schnitzler's Tragikomödie »Das weite Land«. Ein Versuch psychologischer Literaturbetrachtung, *Zentralblatt für Psychoanalyse
und Psychotherapie* 4, 1913, S. 28-40: »Auf dem Grunde einer Komödie der
Libido erhebt sich die Tragödie des männlichen Protestes.« (S. 40).

Offermanns 49-55: »Die Fehlentwicklung humaner Individualität hin zur
Selbstauflösung in einen extremen, aber ›kernlos‹-impressionistischen Sub-
jektivismus, der in einen zunehmenden Widerspruch zu den erstarrten Sat-
zungen der altgewordenen Bürgerkultur gerät und seine innere Gespanntheit
in ›imperialistischen‹ Neigungen und schließlich im aggressiven Ausbruch
abzuleiten sucht, dabei alles Jugendliche und damit jegliches ›Andere‹ und
›Neue‹ prinzipiell und voller Haß negiert. Schnitzler hat in den frühen zwanziger Jahren den inneren Zusammenhang von depraviertem Eros und latenter
Kriegsbereitschaft, von falscher, bzw. scheiternder Individualität und ge-
schichtlicher Katastrophe explizit zum Thema seiner letzten großen Komödie, der ›Komödie der Verführung‹, gemacht, auf die ›Das weite Land‹ (aus
dem Jahre 1909) bereits deutlich vorausweist.« (S. 55).

I *gesingelt:* zu zweit Tennis gespielt. – *nach Tirol, an den Völser Weiher:* Waldsee bei Siusi, Südtirol. – *Irredentisten:* italienische Separatistenbewegung gegen Österreich. – *Proudhon:* Pierre Josef Proudhon (1809-1865), französischer Sozialist. – *Cachet:* Gepräge.

II *Ein neuer Sherlock Holmes:* Figur der Detektivromanserie von Sir Arthur Conan Doyle (1859-1930). – *nach Heiligenkreuz:* Zisterzienserabtei mit Kirche aus dem 12. Jahrhundert, zwischen Baden und Wien im Wiener Wald gelegen.

III *Glastourniquet:* Drehkreuztür. – *urgiere:* mahne. – *Lord Chamberlain:* Joe Chamberlain (1836-1914), britischer Staatsmann. – *Exzellenz Bülow:* Bernhard von Bülow (1849-1929), deutscher Reichskanzler von 1900-1909.

IV *Pola:* jetzt Pula, in Jugoslawien, von 1850-1918 Haupthafen der österreichischen Kriegsmarine.

DER SCHLEIER DER PIERRETTE   *Pantomime in drei Bildern*

EN: nach Motiven des *Schleier der Beatrice* für Ernst von Dohnányi geschrieben.
Ü: EA: Libretto, Wien, Leipzig: Doblinger 1910. – Einzelausgabe mit sechs Radierungen von Stefan Eggeler. Wien: Frisch 1922.
Klavierauszug: Wien, Leipzig 1909.
Abdruck: D II 321-336.
Kritik: Alfred Polgar, *Die Weltbühne* 21, Heft 30 vom 28. Juli 1925, S. 138-139.
Interpretation: Jan Brandts-Buys, *Der Schleier der Pierrette, Pantomime in 3 Bildern.* Musik von Ernst von Dohnányi. Ein Führer durch das Werk. Wien: Doblinger 1912. – Swales 264-266.

PROFESSOR BERNHARDI   *Komödie in fünf Akten*

EN: Der erste Einfall, vermutlich 1899:
Ein junges Mädchen liegt sterbend in einer Krankenanstalt, die den Namen Elisabethinum trägt, auf der Abteilung des Direktors Bernhardi. Der Priester wird, wie es üblich ist, von der Wärterin herbeigerufen. Professor Bernhardi und der Priester treffen an der Schwelle des Krankenzimmers zusammen und Bernhardi, der seiner völlig ahnungslosen Kranken, über die sogar ein Zustand erhöhten Wohlbefindens gekommen ist, Todesangst und Grauen ersparen möchte, verweigert dem Priester den Eintritt. Aus den verschiedenen Auffassungen, die das Vorgehen des Arztes bei Ärzten und Politikern begegnet, entwickeln sich die weiteren Vorgänge des Stücks.
Später ergänzte AS handschriftlich (Transkription Therese Nickl):
Intrigen gegen den Professor werden angezettelt. Es kommt endlich so weit, daß B. [wegen] Rel[igions-] Stö[run]g gestellt wird – u[nd] 3 Mon[ate] Kerker

erhält… Nach der Verhandlung kommt er nach Hause; s[eine] Freunde versammelt bei ihm, während bei ihm Beratung gepflogen wird – läßt sich [durchgestrichen: der Priester melden, derselbe] ein Besuch melden – der Freund [des Arztes.]

Die Anfänge hängen mit der Entstehung von *Der einsame Weg* zusammen. – Im Herbst 1905 entwickelt sich das Szenarium. Arbeit an der Ausführung im Frühjahr (März) 1908 und Herbst 1909. Ebenso im Mai und Juni 1910; Beschäftigung mit dem Stück von Februar bis November 1911. Abschluß von Ende Februar bis Ende April 1912.

Ü: EA: Berlin: S. Fischer 1912 (bis 1925 25 Auflagen).

Abdrucke: T V 9-164; M 393-514; D II 337-463; AWB 453-680; Dr 309-469; MD 365-491; *Professor Bernhardi. Das weite Land.* Zwei Stücke. Fischer Taschenbuch 7012, Frankfurt 1972, S.97-208; Einzelausgabe (Hg. Martin Swales), Oxford – New York – Toronto – Sydney – Braunschweig: Pergamon Press 1972.

Schallplatte: Szenen zwischen Professor Bernhardi und dem Pfarrer aus dem I. und IV. Akt, gesprochen von Ernst Deutsch und Wolfgang Gasser. Auf: *Ernst Deutsch spricht*, Deutsche Grammophon Gesellschaft 140013.

Zur Zensur:

Über das Verbot der Aufführung des *Professor Bernhardi* vor 1918 berichtet authentisch Karl Glossy, der selbst im Zensur-Beirat war in: *Vierzig Jahre Deutsches Volkstheater. Ein Beitrag zur deutschen Theatergeschichte.* Wien o.J. (1929), S.221-224:

Schnitzlers »Professor Bernhardi« kam nach einwöchentlicher Lichtsperre am 21. Dezember 1918 zur ersten Darstellung [in Wien]. Schon 1912 suchte die Direktion um die behördliche Zulassung dieses Stückes an. Die Polizei bemerkte damals, daß die Handlung tief in den Widerstand der kirchlich-politischen Anschauungen der Gegenwart eingreife, daher die Vermutung nicht unbegründet sei, daß die öffentliche Aufführung auch im Zuschauerraume Gegensätze auslösen würde, die mit der öffentlichen Ordnung vielleicht nicht vereinbar wären. In der vorliegenden Fassung dürfte das Stück zur Aufführung nicht geeignet sein. Mit Ausnahme eines Mitgliedes des Zensurbeirates, sprachen sich die beiden anderen gegen die Aufführung aus, worauf am 25. Oktober 1912 das Verbot erfolgte. Auf das Ersuchen des Polizeipräsidenten zu Berlin um Mitteilung der Stellungnahme zu diesem Stücke, antwortete der Statthalter: ›Für das Verbot war nicht so sehr die in der Komödie diskutierte religiöse Frage entscheidend, als vielmehr die tendenziöse und entstellende Schilderung hierländischer öffentlicher Verhältnisse.‹ Schnitzler hatte sich noch vor dem Verbot bereit erklärt, eine wesentliche Kürzung des Textes selbst vorzunehmen und dabei allfällige Wünsche der Zensur zu berücksichtigen; zu einer weitgehenden Umarbeitung oder gar tiefgreifenden Änderung im Texte wollte er sich nicht bereit finden. In der Erledigung des Rekurses gegen die Entscheidung des Statthalters bemerkte der Minister des Innern am 25. Jänner 1913: ›Wenn auch die Bedenken, die gegen die Aufführung des Werkes vom Standpunkte der Wahrung religiöser Gefühle der Bevölkerung vorliegen, durch Striche oder Änderung einiger Textstellen immerhin beseitigt werden könnten, so stellt doch das Bühnenwerk schon in seinem gesamten Aufbau, durch das Zusammenwirken der zur Beleuchtung unseres öffentlichen Lebens gebrachten Episoden, österreichische staatliche Einrichtungen unter vielfacher Entstellung hierländischer Zustände in einer so herabsetzenden Weise dar, daß seine Aufführung auf einer inländischen Bühne wegen der zu wahrenden öffentlichen Interessen nicht zugelassen werden kann!‹ Einigermaßen in die Öffentlichkeit gelangte das Stück durch eine Vorlesung Ferdinand Onnos im Saale des Ingenieur- und Architektenvereines, am 22. November 1912. Der Plan, das Werk in Preßburg aufzuführen, scheiterte, ebenso wurde eine Vorstellung vor individuell geladenen Personen nicht gestattet. Der Referent der Statthalterei bemerkte, daß das Stück, trotz seiner großen Mängel und seiner Armut an höheren Gedanken in Berlin und München sehr bedeutende Erfolge erzielt habe. Wegen der einmaligen Aufführung berichtete der Statthalter dem Minister, er erachte sich mit Rücksicht auf das seitens der höheren Instanz erlassene Zensurverbot nicht für kompetent, die Bewilligung zu erteilen. Der Minister aber wehrte mit dem Bemerken ab, die Kompetenz zur unmittelbaren Entscheidung sei nicht gegeben, da ein anderer Unternehmer unter wesentlich anderen Verhältnissen angesucht habe und es daher dem Statthalter überlassen bleibe, über diese neuen Ansuchen instanzmäßig zu entscheiden. In der Absicht des Ministeriums lag es, daß Schnitzlers Werk gegenüber eine besonders strenge Auffassung platzzugreifen habe. Daher wurde am 10. April 1913 das Ansuchen der ›Neuen Wiener Bühne‹ zurückgewiesen. Im November 1913 schritt Direktor Weisse abermals um die Bewilligung ein; er wies auf die Darstellungen in Deutschland und auf fast allen Hofbühnen daselbst hin. In seinen Ausführungen bemerkte er, daß in den letzten zwei Jahren die allerwenigsten Stücke vom Publikum freundlich aufgenommen worden seien, die geistige Produktion wohl quantitativ groß, qualitativ aber minderwertig sei. Der Zensor verhielt sich jedoch abermals ablehnend. ›Das Stück selbst ist‹, schrieb er, ›nach wie vor als ein pamphletistisches Werk von geringem literarischen Wert zu betrachten und vom Standpunkte des patriotischen Empfindens und der Wahrung der Autorität aller hierländischen öffentlichen Faktoren zu verurteilen. Das Stück wird kaum mehr als 10 volle Häuser machen; aber es ist nun einmal eine Art ›Ehrensache‹ des kartellierten Wiener Journalisten- und Literatentums geworden, das Stück frei zu bekommen.‹ Wieder legte der Statthalter dem Ministerium als der kompetenten Behörde die Angelegenheit vor, wieder lehnte das Ministerium eine unmittelbare Entscheidung ab und überließ es dem Statthalter, instanzmäßig zu entscheiden. Darauf abermaliges Verbot des Statthalters. Endlich im November 1918 schritt Direktor Bernau im Hinblick auf die geänderten politischen Verhältnisse ein. Die Polizei wies auf die Neuordnung des innerstaatlichen Lebens hin und meinte zum Schluß, ob sich nicht in Würdigung der außerordentlichen Verhältnisse nunmehr die Zulassung empfehlen würde. Der Zensurbeirat der literarischen Gruppe, der schon 1912 auf den Körberschen Erlaß des Jahres 1903 hinwies, nach welchem der Bühne die Erörterung keines Konfliktes verschlossen bleiben solle, wenn nur die ethische Grundlage des Problems erkennbar ist, erklärte, daß ein gänzliches Verbot nicht gerechtfertigt sei, in einer Zeit, in der völlige Preßfreiheit herrsche und das Publikum so manches freie Wort höre und lese, das vorher weder ausgesprochen, noch geschrieben werden durfte. Ein anderer Zensurbeirat rechtfertigte das bisherige Verhalten der Behörden durch das Hauptbedenken, daß Schnitzler eine Gesellschaft schildere, die sich durch Gesinnungslosigkeit, Streberei, Heuchelei und Idiotismus kennzeichne und deren Vertreter in ihrer modernen Skrupellosigkeit vor keiner Korruption zurückschrecke. Auch habe der Autor markante Typen gezeichnet, hinter deren Masken bekannte Persönlichkeiten unschwer erkannt werden konnten. Seither aber haben die geschilderten Vorgänge an Aktualität eingebüßt. Ohne irgendein Bedenken entschied die Landesregierung am 21. Dezember 1918, daß ›Professor Bernhardi‹ vollinhaltlich zur Aufführung zugelassen werde. Daß für das ursprüngliche Verbot keineswegs die religiöse Frage entscheidend war, geht schon daraus hervor, daß 1906 im Raimundtheater das Schauspiel ›Der Dorfschulmeister‹ von Siegfried Knapitsch aufgeführt werden durfte, worin dem Priester der Zutritt zu einer Kranken mit der Begründung verwehrt wird, daß ihr die Aufregung schaden würde.«

Zum Antisemitismus in Wien:

Friedrich Heer schreibt für das Programmheft der Aufführung des Professor Bernhardi durch das Burgtheater im Akademietheater (Premiere: 30. April 1965) einen Beitrag Wien: Um 1912. Darin heißt es:

»In der guten Gesellschaft spricht man nicht vom Juden. Um so mehr spricht man vom Juden ›unten‹: im mittleren Bürgertum, das voll Angst auf die jüdischen Rechtsanwälte, Ärzte, Händler sieht; im Kleinbürgertum, das die jüdische Konkurrenz immer mehr fürchten lernt, je mehr, aufgescheucht durch die Pogrome und Verfolgungen in den Ostländern, Juden aus Rußland, Polen, Rumänien, Ungarn nach Wien strömen: in den Schutz des Hauses Habsburg, das vom 13. Jahrhundert an ob seiner Judenschutzpolitik Ansehen und harte Kritik erworben hatte. Mittelstand und Kleinbürgertum werden verbunden zuerst durch einen antisemitischen Klerus, dann durch antisemitische Politiker, wobei sich ein Konkurrenzkampf zwischen einem christlich-sozialen, katholischen Antisemitismus und einem deutsch-nationalen, antirömischen, antihabsburgischen Antisemitismus entwickelt. Der mächtige Vorkäpfer eines katholischen Antisemitismus ist der streitbare Prälat Sebastian Brunner (1814 bis 1893), der Herausgeber der ›Kirchenzeitung‹, berühmt in ganz Europa, von Rom bis Paris, ob seines Antisemitismus. Der Vorkämpfer eines ›nationalen‹ Antisemitismus ist Georg von Schönerer. Im ehemaligen Café Bittner auf der Landstraße wird die ›Erste antisemitische Lesehalle‹ geschaffen. Hier liegen sowohl die deutsch-nationalen wie die christlich-sozialen antisemitischen Blätter auf: unter anderen Schönerers ›Unverfälschte Deutsche Worte‹ (1883 bis 1903) und Vergani's ›Deutsches Volksblatt‹. Ein antisemitisches Bürgertum und Kleinbürgertum sammelt sich im ›Deutschen Schulverein‹, im ›Turnerbund‹, in studentischen Korporationen. In Linz schließen sich im Geburtsjahre Hitlers, 1889, die Burschenschaften in Österreich in einem großen Verband zusammen, der offen antisemitisch ist: der erste ›Linzer Delegierten-Convent‹ (LDC). Am 20. April (Hitlers Geburtstag) 1897 erhält der zum fünftenmal zum Bürgermeister von Wien gewählte Führer der Christlichsozialen Partei, Dr. Karl Lueger, erstmals die kaiserliche Bestätigung als Bürgermeister. Der erste große christlich-soziale Parteitag in Wien, am 23. April 1896, steht im Zeichen des Antisemitismus.

Der Historiker Richard Charmatz, (an ihn ist Schnitzlers Brief über seinen ›Professor Bernhardi‹ gerichtet) hat den Wiener Prälaten Wiesinger, der als Leiter der ›Wiener Kirchenzeitung‹ Sebastian Brunners Werk fortsetzt, als einen ›aufopferungsvollen Fanatiker des Hasses‹ angesprochen. Hellsichtige Männer erkennen die große Gefahr, die aus dieser Speicherung und propagandistischen Aufladung des Hasses für die Zukunft erwächst. In Wien wird 1891 der ›Verein zur Abwehr des Antisemitismus‹ gegründet. Baron Arthur Gundacher von Suttner, der Gatte und Mitarbeiter Bertha von Suttners, der großen Vorkämpferin der Weltfriedensbewegung, auf deren Anregung hin Adolf Nobel den Friedensnobelpreis stiftet, und ein Graf Hoyos sind führend in dieser Gründung tätig. Graf Coudenhove-Kalergi, der Vater des Gründers der Paneuropa-Bewegung, nimmt publizistisch den Kampf gegen den Antisemitismus auf.«

S. dazu auch: Peter G. J. Pulzer, *Die Entstehung des politischen Antisemitismus in Deutschland und Österreich 1867–1914,* Gütersloh 1966 (Übersetzung von: *The Rise of Political Anti-Semitism in Germany and Austria,* New York, London, Sydney 1964).

Dokumentation: Zur Entstehungsgeschichte: Liptzin 175-195.

Selbstzeugnisse: AS, Zum »Professor Bernhardi«, *Der Merker* 4, 1913, S. 135. – AS, *Eine österreichische Komödie* (Brief vom 4. Januar 1913 an Richard Charmatz), *Theater heute* 5, Heft 12, Dezember 1964, S. 32f. (der erste Abdruck des Briefes an den österreichischen Historiker im *Programmheft des Berliner Schiller-Theaters,* Spielzeit 1955/56, Heft 52, anläßlich einer Inszenierung des *Professor Bernhardi* durch Heinrich Schnitzler). – Dokumentation der Spannungen, die zwischen der Medizinischen Fakultät der Universität Wien und dem Vater ASs, Johann Schnitzler als Leiter der von ihm gegründeten Allgemeinen Poliklinik bestanden, bei William H. Rey, Arthur Schnitzler. Professor Bernhardi, *Literatur im Dialog* 2, München 1971, S. 89-97.

Zeitgenössische Kritik: Arthur Eloesser, Schnitzler und Sohn. *Das Literarische Echo* 15, Heft 7 vom 1. Januar 1913, Sp. 475-478. – Richard Elsner, Zu Arthur Schnitzlers »Professor Bernhardi«, *Die Wage* 16, Heft 16 vom leuchtung 16, Berlin 1913. – A. Halbert, Die Tragikomödie des Starrsinns: Zu Arthur Schnitzlers ›Professor Bernhardi‹, *Die Wage* 16, Heft 16 vom 19. April 1913, S. 385-387. – Heinrich Stümcke, *Bühne und Welt* 15, Band 1, Heft 7, Januar 1913, S. 298-300. – Bernhard Naumburg, Schnitzlers »Professor Bernhardi«, *The Judeans* 2, 1917, S. 119-126. – Curt Kronfeld, *Wiener Medizinische Wochenschrift* 69, Heft 9 vom 22. Februar 1919, Sp. 462-463. – Siegfried Jacobsohn, *Die Weltbühne* 19, Heft 10 vom 8. März 1923, S. 275-277.

Weitere Kritiken: Allen 68f. Außerdem:
Rudolf Franz, *Kritiken und Gedanken über das Drama. Eine Einführung in das Theater der Gegenwart*, München 1915, S.129-131.

Neuere Kritiken: Siegfried Melchinger, Das Jüdische in »Professor Bernhardi«, *Theater heute* 5, Heft 12, 1964, S.32-35. – Friedrich Torberg, *Das fünfte Rad am Thespiskarren. Theaterkritiken*, München – Wien 1966, S.228-230.

I: Peter Horwath, Arthur Schnitzler's »Professor Bernhardi«. Eine Studie über Person und Tendenz, *Literatur und Kritik* 12, März 1967, S.88-104; 13.April 1967, S.183-193. (Wertvoll durch die Fülle von Material, die Horwath zur politischen Tendenzliteratur im Zeitalter des Liberalismus in Österreich nach 1961 beibringt). – Robert O. Weiss, The »Hero« in Schnitzler's Comedy Professor Bernhardi, *MAL* 2, Heft 4, 1969, S.30-33: »In summary I submit that Professor Bernhardi is in truth an appropiate hero for a character comedy: he is a rebel without a cause; a martyr without martyrdom; an avenger incapable of revenge; and he becomes a popular hero without having intended or done anything heroic. No wonder, then, that he cuts a comical figure in his own view and thus justifies, for his part, the play's categorization as a comedy.« (S.33). William H. Rey, *Arthur Schnitzler. Professor Bernhardi*, Literatur im Dialog 2, München 1971. (Rey sieht Bernhardi als »mutigen Menschen« und »unpolitischen Politiker«). »Es versteht sich, daß der Typ des Einzelnen nur möglich ist in einer nichtautoritären Staatsform. Die Handlung in *Professor Bernhardi* spielt sich vor den Horizonten einer feudal-bürgerlichen Welt ab, und diese Horizonte werden niemals durchbrochen. Weder Ursprung noch Untergang der vorgegebenen Sozialordnung sind in den Spielraum mit einbezogen. Jedoch in der Gestalt Hochroitzpointners bricht die Ahnung einer entsetzenserregenden Alternative auf, und so ist es von tieferer Bedeutung, daß diese Gestalt am Schluß des dritten Aktes nach dem Rücktritt und Abgang Bernhardis an der Tür des Sitzungszimmers erscheint. Bernhardi und Hochroitzpointner haben einander nichts zu sagen; sie schließen einander aus. Keiner der beiden ist imstande, das wahre Wesen des anderen zu erkennen. So täuscht sich Bernhardi, wenn er Hochroitzpointner einen ›Jämmerling‹ (459) nennt. In diesem ›Jämmerling‹ kündigt sich die Apokalypse von Bernhardis Welt an. Es war auch die Apokalypse von Schnitzlers Welt.« (S.75). – Kilian 84-100. – Martin Swales, *Introduction*, a.a.O., S.1-20. – Hartmut Scheible, »Professor Bernhardi«: Tragödie des Individuums, *Programmheft der Aufführung des Bayrischen Staatsschauspiels im Residenztheater* (Premiere: 13.August 1972): »»Professor Bernhardi‹ ist eine Komödie, weil der Vorhang rechtzeitig fällt. Der Hofrat Winkler dürfte wie immer recht haben, wenn er auf Bernhardis Ankündigung, sich aus dem politischen Treiben zurückzuziehen, lakonisch erwidert:›Denn jetzt fängt die Geschichte erst an, Herr Professor, und sie kann lang dauern!‹ Es ist übrigens das Irisierende, durchaus Zweideutige von Winklers Worten, die immer auch über die jeweilige Situation hinausweisen, was ihn am Schluß des Stücks Bernhardi, dem nichts bleibt als erschrockenes Zurückweichen, als Hauptfigur ablösen läßt. Schon im ersten Akt war die scherzhaft gemeinte Bemerkung des Prinzen Konstantin kolportiert worden [Berichtigung: im 2. Akt. R. U.], in früherer Zeit wäre Bernhardi auf dem Scheiterhaufen geendet. Während des Stückes werden die neuen Scheiterhaufen absehbar, die allerdings nicht mehr religiös gerechtfertigt wurden. Ihr Schein ist es, der den Prospekt dieser unheimlichen Komödie ausleuchtet, nicht die Morgenröte anbrechender Humanität, die das Ende von Lessings ›Nathan‹ verklärte. Die kurze Spanne bürgerlicher Humanität zwischen barbarischen Epochen geht ihrem Ende zu.«

Offermanns 94-109: »Bernhardi... erkennt die noch verbliebenen, äußerst begrenzten, aber realen Möglichkeiten des vereinzelten Individuums und versteht sie trotz aller Widerstände zu nutzen.« (S. 107).

Peter Horwath, Rezension von: William H. Rey, Arthur Schnitzler. Professor Bernhardi, München 1971. MAL 6, Heft 1 & 2, 1973, S. 188-192. Horwath präzisiert seine Polemik gegen die Komödie: »Das Stück verhilft nicht zur Erlangung politischer Reife. Trotz des jenseits von Gut und Böse waltenden Gottes kann die Komödie Menschen, die guten Willens sind, zu einer größeren Duldsamkeit ansporn.« (S. 192)

Kirche zum Heiligen Florian: Matzleinsdorfer Pfarrkirche im V. Bezirk, Wiedner Hauptstraße (1965 abgetragen). – *Oberhollabrunn:* Ort in Niederösterreich. Am 7. Februar 1913 stand in der *Wochenzeitung für das Viertel unter dem Manhartsberge, Klosterneuburg und Umgebung* die Notiz: »In der Komödie ›Professor Bernhardi‹ von Arthur Schnitzler, der kürzlich die Zensur die Aufführung versagt hat, läßt der Verfasser einen Bezirksarzt aus Oberhollabrunn namens Dr. Feuermann auftreten. Oberhollabrunn, dessen ärztliche Verhältnisse Herrn Schnitzler offenbar gänzlich unbekannt sind, kommt dabei recht schlecht weg. Glücklicherweise ist das Machwerk Schnitzlers nicht von der Art, daß es Oberhollabrunn dauernd vor der Öffentlichkeit kompromittieren wird.«

I *Eprouvetten:* Reagenzgläser. – *Sepsis:* Blutvergiftung. – *aus dem Effeff:* ganz besonders (von ff. = sehr fein). – *präponderant:* übergewichtig, aufdringlich. – *Das möcht nix machen:* das würde nichts ausmachen. – *Letzte Tage von Pompeji. Wie?:* Titel eines Romans von Edward George Bulwer-Lytton (1803-1873) von 1834. – *Stolz lieb ich den Spanier, wie?:* Zitat aus Schillers *Don Carlos* III, 10. – *Auch was Geschriebenes forderst du, Pedant, wie?:* Zitat aus Goethes *Faust I, Studierzimmer,* Vers 1716. – *Es ritten drei Reiter zum Tore hinaus, – wie?:* Volkslied-Zitat. – *Ich sei, gewährt mir die Bitte – wie?:* ...in eurem Bunde der dritte. Schlußverse aus Schillers Ballade *Die Bürgschaft.* – Albumen: Eiweiß. – *Der Herr verzeihe ihnen – – sie wissen verdammt gut, was sie tun:* Anspielung auf Lukas XXIII, 34.

II *Diurnist:* junger Beamter auf Zeit.

III *dirimieren:* selbst beschließen. – *Frondeur:* einer, der politisch unzufrieden ist. – *Öde G'spaß:* fade Scherze. – *Wacht am Rhein:* deutschnationales Lied von Max Schneckenberger (1818-1849), vertont von Karl Wilhelm (1815-1873). – *Waidhofner Beschluß:* 1896, Beschluß der Satisfaktionsunfähigkeit der Juden durch den »Waidhofener Verband der wehrhaften Vereine Deutscher Studenten in der Ostmark«. Der am 11. März 1896 aufgestellte Grundsatz lautet: »In vollster Würdigung der Tatsache, daß zwischen Ariern und Juden ein so tiefer moralischer und psychischer Unterschied besteht und daß durch jüdisches Unwesen unsere Eigenart schon so viel gelitten, in Anbetracht der vielen Beweise, die auch der jüdische Student von seiner Ehrlosigkeit und Charakterlosigkeit gegeben und da er der Ehre nach unseren deutschen Begriffen völlig bar ist, faßt die heutige Versammlung deutscher wehrhafter Studentenverbindungen den Beschluß: ›Dem Juden auf keine Waffe mehr Genugtuung zu geben, da er deren unwürdig ist!‹« (zitiert nach J 360-361; vgl. auch AS, J 155-156.). Ich perhorresziere: ich verabscheue. – rekommandiert mit Retourrezepisse: eingeschrieben, Empfang muß bestätigt werden. – in einer faktiösen: in einer parteigängerischen. – Wer nicht für mich ist, ist wider mich: Matthäus XII, 30.

IV Kalksburg: von Jesuiten geführtes Internat im gleichnamigen Wiener Vorort.

V hapern: nicht funktionieren. – Wenn muntre Reden sie begleiten, so fließt die Arbeit munter fort – wie?: Schillers Die Glocke, zweite Strophe. – Einsam bin ich, nicht allein – wie?: Zitat aus der Oper Preciosa (1821) von Carl Maria von Weber.

KOMÖDIE DER WORTE   *Drei Einakter*

Stunde des Erkennens

EN: Skizzen zum Stoff 1901, 1909. – Ausführung im Frühjahr 1914. – Ü: EA: Komödie der Worte. Drei Einakter. Berlin: S. Fischer 1915, S. 7-62. –

Abdrucke: T V 167-199; D II 466-491.

I: Swales 167-169. – Kilian 101-109. – Offermanns 39-42 (»Unangemessenheit und Mißbrauch der Sprache als Problem des Eros«).

Große Szene

EN: am 8. März 1905 notiert sich AS den Stoff zu einer Komödie, eigentlich Veränderung von »Neue Ehe«. Nach gelegentlicher Beschäftigung mit dem Stoff in den Jahren 1906 und 1907, beginnt AS am 28.11. eine dreiaktige Komödie zu diesem Thema. Arbeitstitel in den folgenden Jahren: Schauspielerstück, Lügenwelt. – Arbeit am Einakter vom 29.12.1910-17.1.1911. – Abschluß im Herbst 1913.

Ü: EA: Komödie der Worte. Drei Einakter. Berlin: S. Fischer 1915, S. 63-138.

Abdrucke: T V 201-247; Stories and Plays (Hg. Allen W. Porterfield), Boston etc. 1930, S. 150-198; »Große Szene« (Hg. Herbert Foltinek), Stiasny-Bücherei 53, Graz und Wien 1959, S. 61-115; D II 491-529.

I: Swales 169-171. – Kilian 101-109. – Offermanns 81-83: »Die von
Sophie und Herbot verkörperte Antinomie von Wahrhaftigkeit und Lüge ist
nicht lösbar, gleich, ob Sophie geht oder bleibt.« (S. 83).

Philinchen: Philine, Figur aus Goethes *Wilhelm Meisters Lehrjahre,* aber
auch aus der Oper *Mignon* (1866) von *Ambroise Thomas* (1811-1896). Vgl.
Zwischenspiel. – *Rautendelein:* Figur aus *Die versunkene Glocke* von
Gerhart Hauptmann (1896). – *Wir' scho' wieder:* ich werde schon wieder.
– *G'spritzten:* mit Sodawasser verdünnter Wein. – *S. M.:* Seine Majestät. –
vor allem für Reinhardt: Max Reinhardt leitete u. a. von 1905 bis 1920 das
Deutsche Theater in Berlin. – *Ward je in solcher Laun:* ...ein Weib ge-
freit?, Zitat aus *Richard III.,* I, 2. – *Arm in Arm mit dir:* ...So fordr' ich
mein Jahrhundert in die Schranken, Zitat aus *Don Carlos,* I, 9.

Das Bacchusfest

EN: Einfall zum Stoff: 21.2.1909. Ausführung, nach Skizzen von 1911
und 1913: 1914.
Ü: EA: *Komödie der Worte. Drei Einakter.* Berlin: S. Fischer 1915,
S. 139-194.
Abdrucke: T V 249-279; D II 530-554.
I: Swales 171-177: »Words can function as weapons, they can lie, they can
be a hypocritical facade, covering indifference and emotional impotence. But
in the context of an actual confrontation with another human being, they can
take on monstrous vitality.« (S. 177). – Kilian 101-109. – Offermanns 42-44
(»Aufhebung der Individuation und Renaturierung ›auf Zeit‹«).

FINK UND FLIEDERBUSCH   *Komödie in drei Akten*

EN: Einfälle zu einem Journalistenstück seit 1901. Ausführliche Fassun-
gen 1903, 1909, 1915. Arbeitstitel: *Journalisten, Der Unsichtbare und die
zwei Schatten.* Abschluß im April 1916.
Ü: EA: Berlin: S. Fischer 1917 (1.-6. Auflage). –
Nachdrucke: T V 281-397; D II 555-649; Dr 471-592.
I: Kilian 97-100. – Offermanns 56-80: »Der Zuschauer lernt, wie jene es
›machen‹, und der Reiz der Mitwisserschaft, ja des Mehrwissens, könnte als
Stachel zu fortgesetzter Aufklärung haften bleiben. Sowohl der Vorgang des
Fanatisiertwerdens, der von Fliederbusch ›gespielt‹ und damit als problematisch erwiesen wird, wie die Falschspielerei dessen, der die Menge manipu-
liert, Niederhofs und des potenzierten Schwindlers, der wiederum jenen ›in
die Tasche steckt‹ –, all dies könnte das Publikum die eigene Gefährdung und
die lächerliche Verächtlichkeit möglicher eigener Schwäche sehr drastisch
empfinden lassen. – So ist bei aller Skepsis des Autors dennoch eine Art Lehr-
stück entstanden.« (S. 80)

I *Sic transit – Gloria mundi:* So vergeht der Ruhm der Welt. – *der Pablat-
schen:* Bretterbühne, von tschechisch pavlač = offener Hauseingang. –
Szegedin – Temesvar: Provinzstädte in Ungarn, bzw. im Banat. – *Hora-
tio:* Hamlet-Anspielung. – *Tewele:* Franz Tewele, Darsteller komischer
Charakterrollen. – *Entrefilet:* kurzer Artikel, zwischen Bericht und
Glosse. – *Rasch tritt der Tod den Menschen an:* Zitat aus Schiller, *Wilhelm
Tell* IV, 3. Szene. – *Dritte Auflage bei Pierson:* im Verlag Eduard Pierson,
Dresden und Leipzig erschien 1894 ASs *Das Märchen*. – *Sö san a Narr:* Sie
sind ein Narr. – *Konventikel:* Versammlung zur religiösen Erbauung. – *in
diesem Bagno:* Gefängnis. – *Schiffamtsgasse:* im II. Bezirk. – *Steeple-
chase:* Hindernisrennen. – *Krathy Baschik:* Zauberkünstler; vgl. Heimito
von Doderers Erzählung *Ein anderer Kratki-Baschik* (1956).
II *anläßlich eines Routs:* Abendempfang. – *Fliederbusch heißt die Kanaille:*
Anspielung auf Schiller, *Die Räuber* I, 2. Szene. – *équivoque:* zweideutig.
– *Schüler von Fischer von Erlach:* Johann Bernhard Fischer von Erlach
(1656–1723). – *matinal:* früh aufstehend. – *Remplacanten:* Stellverteter.
III *meskin:* dürftig, kleinlich. – *Rencontre:* Zweikampf. – *Hie Welf – hie
Waiblingen:* sagenhafter Parteiruf aus der Schlacht bei Weinsberg (1140).
– *Paradies. Nach dem Bild von Lukas Cranach:* das Bild von Lucas Cra-
nach (1472–1553), gemalt 1530, hängt in Wien im Kunsthistorischen Mu-
seum. – *Pari:* unentschieden. – *In einem kühlen Grunde:* ... da steht ein
Mühlenrad; Zitat aus dem Gedicht Eichendorffs *Das zerbrochene Ring-
lein*.

DIE SCHWESTERN ODER CASANOVA IN SPA
Lustspiel in Versen. Drei Akte in einem

EN: s. *Casanovas Heimfahrt.*
Ü: ED: *Deutsche Rundschau* 46, Band 181, Heft 1, Oktober 1919, S. 1–66.
EA: Berlin: S. Fischer 1919 (bis 1922 sieben Auflagen).
Abdrucke: T V 399–515; D II 651–737.
I: Friedbert Aspetsberger, »Drei Akte in einem«. Zum Formtyp von
Schnitzlers Dramen. *Zeitschrift für deutsche Philologie* 85, Heft 2, S. 285–308
(Der Untertitel *Drei Akte in einem* bedeutet Wiederholung, nicht Folge). –
Kilian 110–116: »Die außergesellschaftliche Lebensführung ist dem Indivi-
duum unerträglich; im gesellschaftlichen Bereich aber ist die Realisierung der
absoluten Tugenden unmöglich: der Zwang zur Rolle ist der gesellschaftli-
chen Situation des Menschen immanent.« (S. 115).
Offermanns 110–127: »Die angemessenere und von Schnitzler bevorzugte
Dramenform ist die, die er selbst ›Komödie‹ nennt. Sein ›Lustspiel‹ blieb ein
einzelner Versuch, dessen ›Spielheiterkeit‹ und Anmut nicht darüber hin-
wegtäuschen können, daß jenseits des Festes das Chaos und hinter der Göt-
termaske das Nicht-mehr-Menschliche lauern. Die nächste Komödie, die
Schnitzler schreibt, impliziert denn auch den Widerruf oder die Zurück-
nahme des ›Lustspiels‹. In der ›Komödie der Verführung‹ kommt es zu kei-

ner Umarmung der drei ›Schwestern‹ mehr und Max, der ›Casanova‹ dieses
Stückes, zieht am Ende in den großen Krieg, von dessen Ausbruch die letzte
Komödie vornehmlich handelt. Die für eine Weile erborgte Idylle mußte zer-
brechen.« (S.127)

Spa: belgischer Badeort, im 18. Jahrhundert Modebad.
I Pharo: Kartenglücksspiel. – Seladon: s. Therese.
III very enchanted: sehr entzückt. – Go on! Go on! / I bad on Casanova hundert ducats: Weitermachen! Ich setze auf Casanova hundert Dukaten. – O
damned: Verdammt.

DER GANG ZUM WEIHER

EN: 1. Januar 1907 Gedanken zu einer Novelle Der weise Vater. Skizzen
und Notizen zwischen 1907 und 1914. Fassung Der Weiher 1915. Gelegentli-
che Beschäftigung in den nächsten Jahren. Vorläufiger Abschluß am 11. Juni
1921.
Ü: EA: Berlin: S. Fischer 1926 (1.-5. Auflage).
Abdruck: D II 739-843.
Zur Entstehungsgeschichte: Liptzin 260-275.
Einzelprobleme: Francoise Derré, Une rencontre singulière: J. Giraudoux
et A. Schnitzler. Etudes Germaniques 21, 1966, S.17-32. (Vergleich mit La
guerre de Troie n'aura pas lieu). – Harold D. Dickerson, Water and Vision as
Mystical Elements in Schnitzler's Der Gang zum Weiher. MAL 4, Heft 3,
1971, S.24-36: »truth must remain forever concealed in the dark waters of
mystery.« (S.34)

KOMÖDIE DER VERFÜHRUNG

EN: 9. Oktober 1904: Verführung, die alte Novelle überdacht und eigen-
tümliche Gedanken zu einer neuen Fassung niedergeschrieben. 23. Oktober
1905: In Plänen geblättert, sehr stark impressioniert von der Verführung und
der Friedmann-Novelle (später Das weite Land). 3. März 1908: Verführer
wieder begonnen. Die Novelle, resp. Stück. 12. März 1908: An dem Plan der
Verführer und die drei Jungfrauen. Mehrere Neuanfänge während des Ersten
Weltkrieges. Letzte Fassung des dritten Aktes: August 1921. – 6. Oktober
1923: Abschluß des Diktats.
Ü: EA: Berlin: S. Fischer (1.-5. Auflage).
Abdruck: D II 845-974.
Zur Entstehung: Liptzin 226-244.
Zeitgenössische Kritik: Anton Kuh, Der neue Schnitzler. Zur Urauffüh-
rung der »Komödie der Verführung«. In: Von Goethe abwärts. Aphorismen,
Essays, Kleine Prosa, Wien 1963, S.257-259: »Eine wienerische Tragigro-
teske der Erlebnisangst« (S.259). – Robert Musil, Arthur Schnitzlers

»Komödie der Verführung«. In: *Theater. Kritisches und Theoretisches* (Hg. Marie-Louise Roth), Rowohlts Klassiker 182/183, Reinbek 1965, S. 177-180.

I: Andreas Török, *Der Liebestod bei Arthur Schnitzler: Eine Entlehnung von Richard Wagner, MAL* 4, Heft 1, 1971, S. 57-59 (Hinweis auf die ähnlichen Szenenanweisungen in *Komödie der Verführung* und *Der fliegende Holländer*). – Kilian 126-130 (zählt die Komödie zu den Tragikomödien). – Offermanns 128-177: »Innerstes Thema von Schnitzlers im Kriegsausbruch endenden Komödie ist letztlich die Bereitschaft seiner Figuren zum Abschwören jeglicher Aufklärung überhaupt, das, dargestellt im Bereich der erotischen Verführung, zugleich in seiner überindividuellen Relevanz erkennbar wird.« (S. 175).

Zur Figur des Prinzen Arduin vgl.: Robert A. Kann, *Die Sixtusaffäre und die geheimen Friedensverhandlungen Österreich-Ungarns im Ersten Weltkrieg*, Wien 1966.

    Salesianergasse: im III. Bezirk.

I *Jean de Reszke:* berühmter Bariton der Jahrhundertwende. – *par dépit:* aus Überdruß. – *Palatin:* vornehmster Hügel des alten Rom. – *Graf Almaviva:* Baritonpartie in *Die Hochzeit des Figaro*. – *Don Juan:* Titelpartie des *Don Giovanni*. – *auf dem Neuen Markt:* im I. Bezirk. – *Cicerone:* Reiseführer. – *Champagnerarie:* Arie Nr. 11 aus Mozarts *Don Giovanni*. – *so wie der Kaiser Joseph den Augarten:* 1775, vgl. *Sterben.*

II *der Maler Beraton:* gemeint ist vielleicht Ferry Bératon, geb. 1859, aber schon 1900 gestorben, also lange vor der Zeit, in der die Komödie spielt; gehörte dem Griensteidl-Kreis an. – *Folkestone / Brighton:* Seebäder an der Südküste Englands. – *ungefähr wie Correggio die Io gemalt hat:* Correggios (1489-1534) *Jupiter und Jo* hängt im Wiener Kunsthistorischen Museum. – *Lord Grey:* Edward Grey (1862-1933), von 1905-1916 englischer Außenminister. – *im Gersthofer Cottagestil:* Gersthof, Vorstadt im XVIII. Bezirk; Cottagestil – Gründerzeit-Historismus. – *Donna Anna:* Sopranpartie in *Don Giovanni*. – *Wie Philemon und Baucis:* altes Ehepaar aus der griechischen Mythologie. – *Vokalisen:* Singübungen. – *la divina Devona:* die göttliche Devona. – *die Micaëla:* Sopranpartie aus *Carmen*. – *Marons glacés:* glasierte Kastanien (Maronen). – *bei der Fosatti:* vornehme Blumenhandlung im Haus des Hotel Bristol; besteht nicht mehr. – *Mozart A-Dur:* Sonate für Klavier und Violine A-dur, Köchel-Verzeichnis 305 (1778). – *Beethoven Frühlingssonate:* Sonate für Violine und Klavier Nr. 5 in F-dur, op. 24 (1800/1801).

III *Départs:* Abreisen. – *Reüssieren:* Erfolg haben.

IM SPIEL DER SOMMERLÜFTE

EN: 22. Februar 1898: *Ein Stück »Sommernacht« wird lebendig.* 12. April 1898: *Im Kaffeehaus entwarf ich den Plan eines dreiaktigen Stückes »Som-*

mernachtstraum«. Skizzen von 1911-1913. – 18. März 1918 neue Skizze. Fertigstellung von Februar bis April 1928.

Ü: EA: Berlin: S. Fischer 1930 (1.-5. Auflage).

Abdruck: D I 975-1034.

Zum Titel: *Sind wir ein Spiel von jedem Druck der Luft?* – Goethe, Faust I, Vers 2724; dieser Vers war auch das Motto der Novellen, Berlin 1893, von Richard Beer-Hofmann.

I *Kirchau:* Ort in Niederösterreich. – *Tasse:* Tablett. – *Hochschwab:* 2278 m hoch, Gipfel in den Österreichischen Kalkalpen; von dort führt die Hochquellwasserleitung nach Wien. – »*Es ist die Nachtigall und nicht die Lerche*«: Romeo und Julia, III, 5; recte: Es war... – *Universalbüchel:* Reclams Universalbibliothek.

II zur *Jausen:* Nachmittagskaffee. – *Plackerei:* Plagerei. – *Großglockner:* von Süden her, über Heiligenblut. – *ins Kastel:* in den Briefkasten. – *Abfahren:* Weg da! (von der Aufforderung an den Fiaker herkommend). – *stante pede:* sofort. – *achte Klass':* letzte Gymnasialklasse.

BIBLIOGRAPHIE

I Bibliographische Hilfsmittel

Richard H. Allen, An annotated Arthur Schnitzler Bibliography. Editions and Criticism in German, French and English. 1879–1965. The University of North Carolina Press 1966.
Ergänzungen dazu:
Reinhard Urbach, *Literatur und Kritik* 15, Juni 1967, S. 324–328.
Fortführung der Bibliographie:
Guiseppe Farese, Arthur Schnitzler alla luce della critica recente (1966–1970), *Studi germanici,* S. 9, Heft 1–2, 1971, S. 234–268.
Jeffrey B. Berlin, Arthur Schnitzler: A Bibliography of Criticism, 1965–1971, *MAL* 4, 1971, S. 7–20.
Jeffrey B. Berlin, Arthur Schnitzler: A Bibliography (I. Primary Literature: 1965–1972; II. Secondary Literature: 1972; III. Additions to First Bibliography; IV. Research in Progress; V. Descriptive Listing of Schnitzler Dissertations: 1917–1972), *MAL* 6, 1973, S. 81–122.
Da diese Bibliographien an Ausführlichkeit nicht übertroffen, hier deshalb auch nicht wiederholt werden können, beschränkt sich die folgende Literaturzusammenstellung auf eine qualitative Auslese der AS-Literatur.
Zum Nachlaß:
Gerhard Neumann/Jutta Müller, Der Nachlaß Arthur Schnitzlers. Verzeichnis des im Schnitzler-Archiv der Universität Freiburg i. Br. befindlichen Materials. Mit einem Vorwort von Gerhart Baumann und einem Anhang von Heinrich Schnitzler: Verzeichnis des in Wien vorhandenen Nachlaßmaterials, München 1969.

II Werke Arthur Schnitzlers

(Sofern sie nicht schon im Verzeichnis der Abkürzungen und Siglen und der Liste nichtkommentierter Prosa, s. S. 137f. angeführt worden sind)

Der Fall Jacobsohn. Die Zukunft 49. 17.12.1904, S. 401-404.
Das Wort. Tragikomödie in fünf Akten. Fragment (Hg. Kurt Bergel), Frankfurt 1966.
Aphorismen und Betrachtungen (Hg. Robert O. Weiss), Frankfurt 1967.
Frühe Gedichte (Hg. Herbert Lederer), Berlin 1969.
Zug der Schatten. Drama in neun Bildern (unvollendet) (Hg. Françoise Derré), Frankfurt 1970.
Das Haus Delorme. Eine Familienszene (Hg. Reinhard Urbach), *Ver Sacrum,* 1970, S. 46–55.

Aus Arthur Schnitzlers Werkstatt. Unveröffentlichte Entwürfe und Szenen. Neue Zürcher Zeitung vom 7. Februar 1971, S. 51 f.

» *Geist lebt vom Zuwenig der Worte«. Unveröffentlichte literarische Notizen Arthur Schnitzlers* (Hg. Reinhard Urbach), *Neue Zürcher Zeitung* vom 6. August 1972, S. 43 f.

Medizinische Schriften (1886-1892) s. Allen 83-85.

III BRIEFE

Der Briefwechsel Arthur Schnitzler – Otto Brahm (Hg. Oskar Seidlin), *Schriften der Gesellschaft für Theatergeschichte* 57, Berlin 1953; dazu: *Unveröffentlichte Briefe Schnitzlers an Brahm.* Ein Nachtrag zu Band 57 der *Schriften* (Hg. Heinrich Schnitzler), *Kleine Schriften der Gesellschaft für Theatergeschichte* 16, 1958, S. 44–55.

Sigmund Freud: *Briefe an Arthur Schnitzler* (Hg. Heinrich Schnitzler), *Die Neue Rundschau* 66, 1955, S. 95–106.

Georg Brandes und Arthur Schnitzler. Ein Briefwechsel (Hg. Kurt Bergel), Bern 1956.

Arthur Schnitzler, *Briefe über das Theater, Forum* 3, Heft 34, Oktober 1956, S. 366–369.

Arthur Schnitzler, *Briefe* (Hg. Heinrich Schnitzler), *Neue Rundschau* 68, 1957, S. 88–101.

Rainer Maria Rilke und Arthur Schnitzler. Ihr Briefwechsel (Hg. Heinrich Schnitzler), *Wort und Wahrheit* 13, 1958, S. 283–298.

Hugo von Hofmannsthal – Arthur Schnitzler. Briefwechsel (Hgg. Therese Nickl, Heinrich Schnitzler), Frankfurt 1964; dazu: *Letzter Brief an Hugo von Hofmannsthal. S. Fischer Almanach. Das 80. Jahr,* Frankfurt 1966 (Faksimile).

Arthur Schnitzler: *Briefe an Josef Körner, Literatur und Kritik* 12, März 1967, S. 79–87.

Arthur Schnitzler: *Briefe zur Politik, Neues Forum* 15, Heft 178, Oktober 1968, S. 677–680.

Arthur Schnitzler – Olga Waissnix: Liebe, die starb vor der Zeit. Ein Briefwechsel (Hgg. Therese Nickl, Heinrich Schnitzler), Wien – München – Zürich 1970.

Karl Kraus und Arthur Schnitzler. Eine Dokumentation (Hg. Reinhard Urbach), *Literatur und Kritik* 49, Oktober 1970, S. 513–530.

Der Briefwechsel Arthur Schnitzlers mit Max Reinhardt und dessen Mitarbeitern (Hg. Renate Wagner), Salzburg 1971.

Arthur Schnitzler – Franz Nabl. Briefwechsel (Hg. Reinhard Urbach), *Studium Generale* 24, 1971, S. 1256–1270.

The Correspondence of Arthur Schnitzler and Raoul Auernheimer with Raoul Auernheimer's Aphorisms (Hgg. Donald G. Daviau, Jorun B. Johns), University of North Carolina Press 1972.

Weitere Briefe: Allen 80–82.

IV ALLGEMEINE LITERATUR ÜBER ARTHUR SCHNITZLER
(Ohne die in der Liste der Abkürzungen und Siglen angeführten Titel)

Theodor Reik, Arthur Schnitzler als Psycholog, Minden 1913.

Josef Körner, Arthur Schnitzlers Gestalten und Probleme, Zürich – Leipzig
– Wien 1921; dazu Josef Körner, Arthur Schnitzlers Spätwerk, *Preußische
Jahrbücher* 208, Band 1, 1927, S. 53–83; Band 2, S. 153–163.

Richard Specht, Arthur Schnitzler. Der Dichter und sein Werk. Eine Studie,
Berlin 1922.

Karl Glossy (Hg.), Schnitzlers Einzug ins Burgtheater. In: Wiener Studien
und Dokumente, Wien 1933, S. 166–168.

Friedrich Kainz, Arthur Schnitzler und Karl Schönherr. In: Deutsch-Öster-
reichische Literaturgeschichte. Ein Handbuch zur Geschichte der deutschen Dichtung in Österreich Ungarn (Hgg. Nagl – Zeidler – Castle) 4,
Wien 1937, S. 1745–1781.

Herbert Lederer, Arthur Schnitzler before Anatol, *Germanic Review* 36,
1961, S. 269–281.

Carl E. Schorske, Politics and Psyche in fin de siècle Vienna. Schnitzler and
Hofmannsthal, *American Historical Review* 66, 1961, S. 930–946 (Deutsche Übersetzung: Claus Pack, *Wort und Wahrheit* 17, 1962, S. 367–381).

Hans Kohn, Karl Kraus – Arthur Schnitzler – Oskar Weininger. Aus dem jüdischen Wien der Jahrhundertwende, Tübingen 1962.

Olga Schnitzler, Spiegelbild der Freundschaft, Salzburg 1962.

Hans Weigel, Die große Vergeblichkeit. Zum hundertsten Geburtstag Arthur Schnitzlers, *Neue Deutsche Hefte* 88, 1962, S. 25–43; dasselbe in: Das
tausendjährige Kind, Wien 1965, S. 152–171.

Herbert W. Reichert / Herman Salinger (Hgg.), Studies in Arthur Schnitzler.
The University of North Carolina Press 1963.

Gerhart Baumann, Arthur Schnitzler. Die Welt von gestern eines Dichters
von morgen, Frankfurt 1965.

William H. Rey, Arthur Schnitzler, in: Deutsche Dichter der Moderne. Ihr
Leben und Werk (Hg. Benno von Wiese), Berlin 1965, S. 237–257.

Françoise Derré, L'Oeuvre d'Arthur Schnitzler. Imagerie Viennoise et Problèmes Humains, *Germanistika* 9, Paris 1966.

William H. Rey, Die geistige Welt Arthur Schnitzlers, *Wirkendes Wort* 16,
1966, S. 180–194.

William H. Rey, »Arthur Schnitzler und ich«. Das Vermächtnis der Clara
Katharina Pollaczek, *Germanic Review* 41, 1966, S. 120–135.

Frederick J. Beharriell, Schnitzler: Freuds Doppelgänger, *Literatur und Kritik* 19, 1967 (Übersetzung: Reinhard Urbach).

Hunter G. Hannum, »Merely Players«. The Theatrical Worlds of Arthur
Schnitzler and Jean Genet, in: Festschrift für Bernhard Blume (Hgg. Egon
Schwarz, Hunter G. Hannum, Edgar Lohner), Göttingen 1967, S.
367–384.

Herbert Cysarz, Das Imaginäre in der Dichtung Arthur Schnitzlers, *MAL* 1,
Heft 3, 1968, S. 7–17.

Alfred Doppler, Dramatische Formen bei Arthur Schnitzler, in: Beiträge zur Dramatik Österreichs im 20. Jahrhundert, Wien 1968, S. 17–30.

Adolf D. Klarmann, Arthur Schnitzler und wir, *MAL* 1, Heft 2, S. 9–27.

Christa Melchinger, Illusion und Wirklichkeit im dramatischen Werk Arthur Schnitzlers, Heidelberg 1968.

Heinz Politzer, Diagnose und Dichtung. Zum Werk Arthur Schnitzlers, in: Das Schweigen der Sirenen, Stuttgart 1968, S. 110–141.

Reinhard Urbach, »Schwätzer sind Verbrecher«. Bemerkungen zu Schnitzlers Dramenfragment »Das Wort«, *Literatur und Kritik* 25, 1968, S. 292–304.

Robert O. Weiss, The Psychoses in the Works of Arthur Schnitzler, *German Quarterly* 41, 1968, S. 377–400.

Rainer Noltenius, Hofmannsthal – Schröder – Schnitzler. Möglichkeiten und Grenzen des modernen Aphorismus, Germanistische Abhandlungen 30, Stuttgart 1969.

Friedbert Aspetsberger, Wiener Dichtung der Jahrhundertwende. Beobachtungen zu Schnitzlers und Hofmannsthals Kunstformen, *Studi germanici*, N. S. 8, 1970, S. 410–451.

Peter de Mendelssohn, S. Fischer und sein Verlag, Frankfurt 1970.

Alfred Doppler, Die Problematik der Sprache und des Sprechens in den Bühnenstücken Arthur Schnitzlers, in: Marginalien zur poetischen Welt. Festschrift für Robert Mühlher zum 60. Geburtstag (Hgg. Alois Eder, Hellmuth Himmel, Alfred Kracher), Berlin 1971, S. 287–297.

Robert O. Weiss, The Human Element in Arthur Schnitzler's Social Criticism, *MAL* 5, Heft 1 & 2, 1972, S. 30–44.

Hans-Peter Bayerdörfer, Vom Konversationsstück zur Wurstelkomödie. Zu Arthur Schnitzlers Einaktern, *Jahrbuch der deutschen Schillergesellschaft* 16, 1972, S. 516–575.

Herbert W. Reichert, The Ethical Import of the Artist in the Works of Arthur Schnitzler, *MAL* 6, Heft 1 & 2, 1973, S. 123–150.

V Theaterkritiken in Sammelbänden

Hermann Bahr, Wiener Theater (1892–1898), Berlin 1899; Premieren (1900/1901), München 1902; Rezensionen (1901–1903), Berlin 1903 (Arthur Schnitzler gewidmet); Glossen zum Wiener Theater (1903–1906), Berlin 1907.

Max Burckhard, Theater, 2 Bände, Wien 1905.

Siegfried Jacobsohn, Das Jahr der Bühne, Band 1–8, Berlin 1912–1919.

Alfred Kerr, Die Welt im Drama, Band 1–5, Berlin 1917.

Max Lorenz, Kritiken, *Preußische Jahrbücher* 1901/1902.

Alfred Polgar, Ja und Nein, Band 1–4, Berlin 1928–1932.

Felix Poppenberg, Kritiken, *Der Türmer* 1902–1906.

Felix Salten, Schauen und Spielen, Erster Band, Ergebnisse, Erlebnisse, Wien – Leipzig 1921.

Heinrich Stümcke, Kritiken, *Bühne und Welt* 1903–1913; Vor der Rampe, Oldenburg – Leipzig 1915.

Friedrich Torberg, Das fünfte Rad am Thespiskarren. Theaterkritiken, München – Wien 1966.

Manfred Vogel, . . . und neues Leben blüht aus den Kulissen. Theaterstreifzüge durch Österreich, Wien 1963.

Hans Weigel, Tausend und eine Premiere, Wien 1961.

PERSONENREGISTER

WERKREGISTER

Der vorliegende Band erscheint in der Reihe

WINKLER-GERMANISTIK

die bisher folgendes Programm umfaßt:

Kommentare zu Dichtern und Epochen

Viviani: Das Drama des Expressionismus. 191 Seiten.

Rötzer: Der Roman des Barock. 192 Seiten.

Marsch: Brecht-Kommentar z. lyrischen Werk. Ca. 390 Seiten.

Hillach/Krabiel: Eichendorff-Kommentar. Band 1: Zu den Dichtungen, 230 Seiten. Band 2: Zu den theoretischen und autobiographischen Schriften und Übersetzungen. 224 Seiten.

Viviani: Grillparzer-Kommentar. Band 1: Zu den Dichtungen. Mit einer Einführung von Johannes Kleinstück. 288 Seiten. Band 2: Zu den theoretischen und autobiographischen Schriften. 128 Seiten.

Vordtriede/Schweikert: Heine-Kommentar. Band 1: Zu den Dichtungen, 148 Seiten. Band 2: Zu den Schriften zu Literatur und Politik. 192 Seiten.

Mann/Straube-Mann: Lessing-Kommentar. Band 1: Zu den Dichtungen und ästhetischen Schriften, 218 Seiten. Band 2: Zu den kritischen, antiquarischen und philosophischen Schriften. 178 Seiten.

Wiese/Unger: Mörike-Kommentar. Einführung von Benno von Wiese. 196 Seiten.

Wiese/Koopmann: Schiller-Kommentar. Band 1: Zu den Dichtungen. Einführung von Benno von Wiese, 270 Seiten. Band 2: Zu den historischen, philosophischen und vermischten Schriften. 116 Seiten.

Clemen u.a.: Shakespeare-Kommentar. Zu den Dramen, Sonetten, Epen und kleineren Dichtungen. Einführung von Wolfgang Clemen. 180 Seiten.

Cowen: Der Naturalismus. 301 Seiten.

Modelle und Methoden

Bruno Hillebrand: Theorie des Romans. Band 1: Von Heliodor bis Jean Paul. 232 Seiten. Band 2: Von Hegel bis Handke. 296 Seiten.

Edgar Marsch: Die Kriminalerzählung. Theorie – Geschichte – Analyse. 296 Seiten.

Reihe Schnittpunkt

Ingrid Kreuzer: Entfremdung und Anpassung. Die Literatur der Angry Young Men im England der fünfziger Jahre. 136 Seiten.

Studien

Manfred Frank: Das Problem »Zeit« in der deutschen Romantik. Zeitbewußtsein und Bewußtsein von Zeitlichkeit in der frühromantischen Philosophie und in Tiecks Dichtung. 488 Seiten.

Bruno Hillebrand: Mensch und Raum im Roman. Studien zu Keller, Stifter, Fontane. Mit einem einführenden Essay zur europäischen Literatur. 332 Seiten.

Paul Michael Lützeler: Hermann Broch – Ethik und Politik. Studien zum Frühwerk und zur Romantrilogie »Die Schlafwandler«. 192 Seiten.

Judith Ryan: Umschlag und Verwandlung. Poetische Struktur und Dichtungstheorie in R. M. Rilkes Lyrik der Mittleren Periode (1907-14). 172 Seiten.

Helmut Scheuer: Arno Holz im literarischen Leben des ausgehenden 19. Jahrhunderts (1883-1896). Eine biographische Studie. 336 Seiten.

Hans Rudolf Vaget: Dilettantismus und Meisterschaft. Zum Problem des Dilettantismus bei Goethe: Praxis, Theorie, Zeitkritik. 262 Seiten.

Texte

Briefwechsel zwischen Schiller und Körner. Hrsg. und komment. von Klaus L. Berghahn. 360 Seiten.

Gottfried Keller: Aufsätze zur Literatur. Hrsg. und komment von Klaus Jeziorkowski. 111 Seiten.

Lessing/Mendelssohn/Nicolai: Briefwechsel über das Trauerspiel. Hrsg. und komment. von Jochen Schulte-Sasse. 250 Seiten.

L. Tieck und die Brüder Schlegel: Briefe. Hrsg. und komment von Edgar Lohner. 275 Seiten.

Bitte fordern Sie Prospekte an vom Winkler Verlag, 8000 München 44, Postfach 26